Julian Assange et WikiLeaks

La guerre pour la vérité

Valérie Guichaoua & Sophie Radermecker
Avec la collaboration de Franck Bachelin

JULIAN ASSANGE ET WIKILEAKS

LA GUERRE POUR LA VÉRITÉ

COGITO
groupe média

COGITO

Montréal	Cogito Paris	Cogito America
279, rue Sherbrooke Ouest	60, rue St-André des Arts	8671, Colgate Av.
Montréal, QC	75006	Los Angeles
H2X 1Y2	Paris	CA 90048
Canada	France	États-Unis

Éditeur : Pierre Turgeon
Conception et mise en page : Benjamin Roland
Couverture : François Turgeon en collaboration
avec Kayo Tomura

Crédits couverture :
© Photographie de Jillian Edelstein, CAMERA PRESS LONDON

Crédits photo des auteures :
© Arber Kucana

Distribution France-Belgique-Suisse : Interforum
Distribution Canada : Benjamin Livre

Visitez notre site www.cogitomedias.com

© 2010 Cogito Media Group Inc.
Dépôt légal 1er trimestre 2011
ISBN : 978-2-923865-53-9

SOMMAIRE

Préface

Nos histoires humaines sont liées aux mythes à travers l'imaginaire. Nous traversons, tout au long de nos vies, plusieurs étapes qui nous ouvrent à nous-mêmes. Certains d'entre nous deviennent des héros. Le mot peut paraître fort, et pourtant, certaines grandes personnalités marqueront nos vies à jamais.

Le défi ici était d'évaluer les accomplissements d'un homme vivant. Julian Assange, qui souhaite changer le monde. Loin de tout jugement, nous avons suivi son chemin, de sa naissance à aujourd'hui. Nous souhaitions comprendre l'homme à travers son histoire. Ne pas le juger, mais plutôt le présenter au plus près de ce qu'il est, et surtout, de ce qu'il laisse voir de lui. Nous avons eu le souci de séparer son histoire personnelle de sa mission en mettant en évidence ses accomplissements pour la liberté de la presse et de l'expression sur Internet.

Il nous semble clair que les actes de Julian Assange peuvent le mener au statut de héros, tel que défini par Joseph Campbell[1]. En effet, dès son engagement dans l'aventure de l'Internet, Julian Assange a surmonté plusieurs défis qui font de lui un homme extraordinaire. Par sa détermination à suivre le chemin de la vérité, il a vécu un long processus de découverte de lui-même et révélé sa personnalité.

---

1 Joseph Campbell (1904-1987) : mythologue américain célèbre pour sa réflexion sur les héros, leurs motivations, leurs succès, mais aussi leurs errances.

Notre but était de rassembler et de croiser suffisamment d'informations pour que le public se pose d'autres questions que celles avancées dans les médias. Julian mérite-t-il d'être jugé comme un homme, ou mérite-t-il d'être considéré comme le guerrier de la vérité ?

En scrutant le vaste monde immatériel de l'Internet, nous sont apparus des gens impliqués et responsables : des hackers et des bloggers à la recherche de la vérité et engagés pour un partage de l'information. Nous avons également constaté que certains d'entre eux sont parfois mieux documentés que les journalistes. WikiLeaks a redéfini le rôle des médias.

C'est pourquoi nous avons introduit les personnages fictifs d'Élise et de Xavier. Ils sont inspirés de nos rencontres avec des hackers et des bloggers, ainsi que de nos lectures de blogs. Ils représentent les individus qui agissent sur la toile. Nous souhaitions ainsi leur rendre hommage.

Julian Assange, pour accéder à son statut de héros, a besoin de troupes qui le soutiennent. Des personnes qui sont, elles aussi, appelées par l'aventure d'Internet et qui accompagnent et confortent son action.

En tant qu'homme, il doit aussi faire face aux accusations portées contre lui. Chacun pourra le comprendre ou le condamner après l'éclairage de ce livre. Julian Assange est un héros de notre temps pour avoir osé aller loin dans son action. S'engager et agir au péril de sa vie dans ce en quoi il croit nous semble déjà honorable. Il nous montre qu'un groupe d'hommes peut s'élever contre une bureaucratie parfaitement déshumanisée. En cela, nous trouvons que son action mérite d'être soulignée.

D'oser agir au-delà du commun ferait-il de lui un meilleur homme ? Nous ne le pensons pas. Nous ne sommes que des spectateurs de l'affaire de Julian Assange actuellement en conflit avec les autorités, alors que nous avons, nous aussi, un rôle à jouer dans la défense de nos libertés sur Internet. Puissions-nous nous mobiliser face aux actions des gouvernements du monde entier qui tentent de réglementer le flux des informations sur Internet.

Puisse ce livre passionner et informer, pour que chacun se positionne et réagisse par une juste réflexion, une juste opinion et une juste action. Des hommes et des femmes se sont déjà engagés : Kristinn Hrafnsson et Jacob Appelbaum par leur travail constant dans WikiLeaks ; Birgitta Jónsdóttir pour sa prise de position mesurée au sujet d'Assange et pour son action en faveur des libertés de la presse accompagnée par Smari McCarthy ; John Young pour son engagement à travers son site Cryptome ; Daniel Domscheit-Berg et ses comparses dans le flambeau qu'ils allument avec OpenLeaks et tant d'autres encore...

L'armée des guerriers de la vérité est levée. À nous, aujourd'hui, les fantassins, de choisir notre rang avant d'être forcés à rejoindre celui de la majorité silencieuse, des gens sans force de choix, celui des fantômes du monde.

Julian Assange en est-il aujourd'hui à son ultime épreuve ? Pouvons-nous lui accorder le statut de héros ? C'est à vous, lecteurs, qu'il appartient d'en décider.

Il n'est aucune histoire si terrible, aucun accident du sort…
dont la nature humaine, par patience, ne puisse venir à bout.
– Euripide

CLIMAX[1]

Lundi 6 décembre 2010, à une heure improbable de la soirée. Julian est parfaitement immobile devant son ordinateur, si ce n'est ses pieds qu'il tapote l'un contre l'autre. Sue se tient près de lui. Elle porte son attention sur l'écran et touche de temps en temps le clavier afin qu'il ne se mette pas en veille.

Quand Vaughan entre dans la pièce, elle le regarde d'un air interrogateur.

– Ne t'étonne pas, il est toujours comme ça lorsqu'il est concentré, dit-il.

Vaughan a soudain l'impression d'être un peu importun, mais Julian lui sourit. Julian sait très bien faire cela : vous faire sentir que vous êtes très important pour lui, alors que la plupart des gens dans sa situation se sentiraient bien trop préoccupés pour vous témoigner ce genre de choses. Vaughan apprécie grandement ce trait de caractère.

Vaughan Smith est l'hôte de Julian Assange depuis son arrivée en Grande-Bretagne. Il lui a proposé l'adresse de son beau manoir géorgien de dix chambres comme adresse de résidence, afin que Julian puisse être libéré sous caution.

Vaughan Smith est un citoyen britannique de quarante-sept ans. Ancien officier grenadier dans le même régiment que son père, il devient un pionnier du journalisme vidéo indépendant dans les années 1990. Il couvre lui-même plusieurs conflits de

---

1 Source: the world's most wanted house guest by Vaughan Smith paru dans "The Telegraph" et sur le site du *Frontline Club* (16/12/2010).

par le monde, comme l'Irak, l'Afghanistan, la Bosnie, le Kosovo et d'autres encore. Pour assurer la couverture de ces conflits, il fonde une agence free-lance avec trois autres journalistes, « *Frontline News TV* », afin de représenter les intérêts des jeunes journalistes-vidéastes et de promouvoir leur travail. En 2003, il poursuit son action en faveur du journalisme indépendant en créant le *Frontline Club*, dont la vocation est de promouvoir une meilleure compréhension de l'information internationale.

Vaughan ne prend pas parti pour Julian mais lorsqu'il a vu ce dernier aux mains de la justice britannique, il a décidé de s'assurer qu'il ne serait pas privé du minimum de ses droits.

Cette décision va lui faire vivre la plus étrange période des fêtes de Noël de son existence.

Cela commence par la forme que va prendre cette soirée : tous rassemblés autour d'un ordinateur, parlant via Skype avec Mark Stephens, un des avocats de Julian à Londres.

Julian est assis devant sa machine en permanence, totalement immergé ; impossible de l'interrompre. Vaughan songe un instant à la manière de détendre l'atmosphère ; il s'imagine déboulant dans la vaste salle à manger en costume de clown, entonnant des chants de Noël. Mais il sait bien que Julian ne prêterait aucune attention à cette pitrerie en son honneur. Il a cette façon bien à lui d'être hypnotisé par l'écran. Mais lorsque quelqu'un le salue gentiment, il s'interrompt d'un coup et peut passer une demi-heure à parler.

Mark fait un point sur la situation, tous écoutent avec attention.

L'appel prend fin, Julian se lève et s'approche de la cheminée. Il regarde les flammes danser dans l'âtre. À cet instant précis, il est à mille lieues du manoir du 18ᵉ. Les amis et sympathisants présents commencent à discuter mais la conversation se tarit rapidement, car tous ont entendu l'appel de Mark Stephens. Julian les écoute et reste silencieux. Quelques-uns avancent des hypothèses. Il semble y avoir plusieurs options. Mais tels des fétus de paille, Julian les brûle une par une.

Il ne veut pas faire comme s'il avait quelque chose à cacher. La police britannique a dit qu'elle le voulait et il ira se rendre.

Sue et les autres commentent cette option. Vaughan attrape sa caméra et se met à les filmer en train de préparer la logistique. Il ne travaille pas pour WikiLeaks. Il ne veut même pas entrer dans le débat de savoir si WikiLeaks a raison ou tort. Pour lui, la question est avant tout de rester debout devant le tyran. Il veut encore croire que sa nation, qui est historiquement tolérante, indépendante et terre d'accueil, est restée fidèle à ses valeurs fondamentales.

Après quelques minutes, Julian se laisse tomber dans le canapé. Il se couche et s'endort. Il est debout depuis quarante-huit heures. Vaughan arrête sa caméra, il ne filmera ni les instructions, ni les décisions.

Quelques heures plus tard, il faut se préparer. Mark et l'équipe chargée de sa défense ont demandé à Julian de venir à sept heures du matin. Il doit se présenter à la police à neuf heures. Sue et Jeremy tentent désespérément de presser Julian, et font en sorte que l'ambiance reste agréable et la plus détendue possible. Ils plaisantent avec lui, tout en sachant qu'il a bien peu de temps pour cela.

Tout le monde est épuisé. Le temps est venu de monter en voiture. Sue retient ses larmes en embarquant derrière Julian. Vaughan conduit, le silence est pesant, entre tension et espoir que chacun sera de retour le soir même.

Lorsqu'ils arrivent chez Mark Stephens, il fait encore nuit. Vaughan aperçoit un photographe qui fait le pied de grue devant chez l'avocat. Son appareil est posé sur le coffre de sa voiture. Il mériterait bien de prendre quelques photos pour avoir eu le courage d'attendre ainsi dans le froid glacial du petit matin de Londres, mais il ne les aura pas. Ils se gareront un peu plus loin.

Mark leur a donné rendez-vous dans une petite gargote non loin de là. Ils prennent un petit déjeuner dans la salle arrière. Julian a très faim, il n'a pas dîné la veille.

Mark entre immédiatement dans le vif du sujet :

– La police a changé le commissariat dans lequel tu dois te présenter pour le rapport journalier, dit-il à Julian.

Julian se met à manger sans répondre. Il écoute pourtant attentivement. Le ton de Mark Stephens est grave mais réconfortant. La tension que ressent Julian est palpable. Ne la supportant plus, Sue se lève et sort fumer une cigarette.

Jennifer Robinson les rejoint quelques minutes avant le départ. La dynamique jeune femme à la chevelure blonde est spécialisée en médias, diffamation et droits humains. C'est Sue qui conduit, Vaughan s'installe près d'elle. Julian est entouré par ses deux avocats. Mark Stephens passe presque tout le trajet au téléphone, Julian est une nouvelle fois rivé à son ordinateur, il travaille sur la déclaration de l'arrêté en vertu du mandat d'arrêt européen délivré contre lui.

L'écran renvoie sa lumière familière sur les passagers de l'habitacle.

Peu de temps après, Vaughan remarque que l'écran se met en veille, Julian ne fait pas un geste pour le rallumer, son regard transperce le ténébreux petit rectangle. Ses idées s'embrument à cet instant précis. Des nuages d'angoissantes options assombrissent son esprit. Vaughan détourne le regard vers la route pour trouver en lui-même un peu d'empathie pour la situation de Julian Assange.

Lorsqu'ils se présentent devant le bâtiment blanc du commissariat londonien de Holmes Road, les suites qu'il donnera à cet arrêté ne sont pas encore claires.

Le portail bleu s'ouvre. La voiture le franchit en l'espace d'une seconde, une seconde difficile à vivre pour Julian. Une seconde où tout défile dans sa tête dans un mélange de sentiments ; l'envie de fuir mêlée de courage, le désespoir couplé à une foi rageuse. « J'ai accompli ce que je devais. »

Les larges portes se referment. Un univers bascule. Plusieurs policiers sans visage font le tour de la voiture. L'espace de la voiture se restreint alors même que les passagers sont scrutés de la sorte. Mark et Julian sortent. Une femme en uniforme indique à Sue une place minuscule, si bien qu'elle doit se débattre pour réussir à y garer la voiture. Elle est excédée. Elle sent une vague de chaleur le long de sa colonne et une légère moiteur aux aisselles. Elle souhaiterait adoucir ces instants pénibles et crierait bien au monde : « Pourquoi rendre les choses plus difficiles encore ? »

Vaughan et elle se sentent intimidés. Vaughan a pourtant déjà visité des commissariats et des prisons, mais il ne s'est jamais senti aussi mal à l'aise. Dans quelle peau est-il en vivant ces moments, il se le demande. Journaliste, accusé, ami, représentant du *Frontline Club* ?

Après avoir garé la voiture, ils foncent retrouver Mark et Julian. Un policier lit d'une voix claire les quatre chefs d'accusation suédois. Julian écoute l'homme, le visage impassible. Il sait depuis bien longtemps qu'il a allumé une mèche qui brûle maintenant jusqu'à l'explosion. WikiLeaks est impossible à stopper, les fuites ne peuvent plus être endiguées, la marche a commencé, quoi qu'il puisse lui arriver.

Un homme face à la justice. Les médias l'ont souvent présenté comme un individu froid, calculateur, presque machia-vélique, sortant soudainement de sa cachette comme le diable. La principale cachette étant bien sûr le *Frontline Club*, où de nombreux membres ont pu l'interviewer.

Vaughan considère un instant le tort que les médias ont causé à Assange. Ils ont fait de lui le Ben Laden de l'Internet. Terroriste est bien le mot qui terrifie tout le monde, de nos jours. À présent, l'attention est tout entière fixée sur la bagarre entre Julian et le tribunal, pour que personne ne se concentre sur les opacités des systèmes politiques que les fuites de WikiLeaks ont exposées au grand jour.

Qui, aujourd'hui, parle du vrai combat de l'homme de WikiLeaks ? Personne. On parle d'un homme soupçonné, accusé.

Par cette couverture médiatique, Julian ne peut plus être considéré comme un individu ordinaire. Vaughan a découvert un homme certes ingénieux et obsessionnel, mais drôle aussi, et sachant par ailleurs prendre du recul par rapport à lui-même. Par les révélations de WikiLeaks, il a réveillé un volcan et les retombées sont inévitables, la lave attaque à chaud. Vaughan estime que l'attaque des autorités ne montre que faiblesse. La victime est peut-être vulnérable mais son message, déjà bien diffusé, est prêt à être émis encore et encore.

Vaughan ne voudrait pas abandonner Julian parce que, sans chercher à dire si WikiLeaks est bon ou mauvais, il veut croire que son pays se bat pour des principes fondamentaux comme la justice, et il a décidé de rejoindre les rangs.

LE MONDE
ORDINAIRE

L'enfance sait ce qu'elle veut. Elle veut sortir de l'enfance.
                                                      – Jean Cocteau

1

MAGNETIC ISLAND

Un ciel d'un bleu azur, une mer extraordinairement limpide, riche d'une diversité exceptionnelle de faune et de flore, sur la barrière de corail. Le sable y est blanc et fin. Le vert vif des arbres contraste à merveille avec le gris des rochers. Ce petit paradis a un nom prédestiné, celui d'île magnétique. Le capitaine Cook la nomme ainsi en 1770 suite à l'effet apparent que Magnetic Island a eu sur le compas de son navire, alors qu'il longeait les côtes australiennes.

Magnetic Island est située à huit kilomètres de Townsville, dans le Queensland, sur la côte nord-est de l'Australie. C'est une île montagneuse, grande de cinquante-deux kilomètres carrés. Autant dire un minuscule petit point sur la carte du monde. Une île dont nul ne parle jamais. Une île d'environ deux mille habitants, isolée. Paradis des surfeurs, elle vit de son tourisme, grâce à la beauté de son parc naturel de vingt-sept kilomètres carrés.

En 1971, Christine Assange vient y déposer ses valises avec le petit Julian Paul. En tant que mère célibataire, elle aspire à une vie simple et naturelle pour elle et son enfant. Elle veut être libre et vivre sans code. Magnetic Island est à cette époque un lieu de regroupement pour les hippies australiens. C'est ce style de vie qu'adoptera Christine, en vivant la majorité du temps en bikini.

Julian et sa mère vivent d'abord sur la plage de Picnic Bay, dans un petit cottage à douze dollars la semaine.

En 1973, Christine entame une relation avec un directeur de théâtre ambulant. Julian aura donc un père quelques années durant, un père pour lui donner un nom. L'homme s'appelle Brett Assange.

En bordure de plage ou dans une ferme abandonnée, Jules, comme aime à l'appeler sa mère, a une enfance très libre. Il bouge beaucoup mais sait parfaitement s'occuper seul. C'est un petit « Tom Sawyer ». Il se promène, observe la nature, va pêcher. Il construit un raft, ou creuse un puits, il a même son propre cheval pour parcourir la nature du nord-est australien. Il s'invente des réseaux de tunnels et de ponts.

Un jour, il tombe d'un arbre et se casse le bras. Il ment à son père sur la nature de l'accident. Celui-ci lui reconnaît alors une certaine bravoure, mais Julian ne veut surtout pas montrer ses sentiments. Il veut être plus fort que cette douleur. Il pense qu'il est tombé par erreur. Il aurait dû choisir de meilleurs appuis sur l'arbre.

Brett le décrit comme un enfant particulier, d'une intelligence acérée et très sûr de lui. Il lui apporte, encore aujourd'hui, un inconditionnel soutien quoi qu'il fasse.

La vie du théâtre ambulant, à laquelle Christine Assange participe, leur vaut de bouger beaucoup. Ils ont une vie de bohème, non conformiste. Brett et Christine montent, à deux, de petites productions théâtrales excentriques spécialisées dans les marionnettes. Alors qu'il a un peu plus de cinq ans, Julian s'amuse à démonter et assembler du matériel vidéo, audio, des spots, toutes sortes de choses que Brett ramène à la maison. Ce dernier voit que Julian est un enfant différent des autres, capable parfois de violentes explosions de colère.

Brett est un gentil papa, mais il boit. Peu de temps après les neuf ans de Julian, Christine met donc fin à sa relation avec lui. Elle commence alors à fréquenter un musicien amateur avec lequel elle aura une relation tumultueuse.

Christine se remarie avec cet enfant « supposé » d'Ann Hamilton-Byrne, de la secte du même nom en Australie. Elle aura un fils de cette union. En 1982, le couple se sépare et se dispute la garde du demi-frère de Julian. Christine veut protéger ses enfants de cet homme violent. Par ailleurs, elle connaît les préceptes de la secte. Ann Hamilton-Byrne a alors « sous son aile » quatorze enfants qu'elle coupe totalement du monde, qu'elle drogue régulièrement pour les maintenir calmes et qu'elle affame pour garder un parfait contrôle sur eux. Christine sait, par son compagnon, qu'Ann soumet les enfants à une discipline de fer qui comporte bien souvent des châtiments corporels.

Julian a toujours eu peur de cet homme manipulateur, qu'il qualifiera plus tard de « dangereux psychopathe ». Pour ne pas s'attirer les foudres de son beau-père, il reste souvent silencieux et l'observe, comme fasciné. L'homme a en sa possession pas moins de cinq cartes d'identité dans un portefeuille, prêtes à être utilisées. Il crée sa vie de toutes pièces, son parcours et même la ville où il est né !

Christine s'enfuit avec ses deux fils. Il leur faut déménager souvent, changer de ville et parfois même changer de nom. Ils sont pourchassés tant par l'ex-mari de Christine qu'à cause de problèmes avec le système de sécurité sociale.

Julian passe d'école en école pour échapper à son beau-père. Ses facultés d'adaptation sont particulières, car il ne se montre pas très affecté par ce mode de vie exceptionnel. Certains pensent que c'est horrible de changer d'école, mais lui, il aime ça. Il a le goût de l'errance comme sa maman. Les ancêtres de Julian du côté maternel sont arrivés en Australie au milieu du 19ᵉ siècle. Ils venaient d'Écosse et d'Irlande, à la recherche de terres à cultiver. Assange suspecte, en plaisantant à demi, que sa propension à l'errance serait génétique. C'était de toute façon un mode de vie qu'il a connu dès son enfance. Ne pas s'inquiéter du changement, apprécier cette perpétuelle découverte et redécouverte des paysages et de son environnement.

Encore aujourd'hui, il aime voyager. Il dit changer de lieu d'habitation toutes les six semaines en période calme !

Enfant, déjà, il ne supporte pas l'injustice. Il peut se mettre en colère lorsqu'une bande attaque un gamin seul. Il appartient à cette sorte d'enfants qui laissent courir les araignées alors que tous les autres ne pensent qu'à leur mettre le pied dessus.

Après avoir quitté Brett, Christine déménage avec le petit Jules à mille cinq cents kilomètres plus au sud, dans la ville de Lismore. Il fréquente l'école primaire de Goolmangar, non loin de là. Goolmangar est une commune particulièrement rurale entourée de champs à perte de vue. Il a du mal à s'intégrer dans cette école, à s'entendre avec les autres élèves, enfants de fermiers à l'esprit plus terrien que lui. Pour contourner cette difficulté, Christine fait la classe à la maison. Selon les années et l'endroit où ils se posent, elle inscrit ses garçons à des cours par correspondance. Ce qui lui importe avant tout est que la personnalité de ses fils ne soit pas cassée par le système scolaire. Elle leur enseigne déjà à ne pas respecter aveuglément les figures d'autorité.

En grandissant, Julian se forge un solide caractère, pas détaché des autres mais véritablement centré sur lui-même. Il passe des heures dans les bibliothèques à lire. Il dévore littéralement les livres qui lui tombent sous la main, les uns après les autres. Il note certaines phrases, en fait des devises. Il se constitue ainsi sa propre bible autour de ses idées et de ses convictions profondes.

Comprendre, croiser, réfléchir.

Avant ses quatorze ans, il a déjà fréquenté trente-sept écoles. Il habite à ce moment-là dans la banlieue de Melbourne, en face d'un magasin de matériel informatique. C'est dans cette boutique que Julian écrit ses premiers programmes. Christine n'a pas les moyens de lui acheter son propre ordinateur. Mais sa passion naissante et ses prédispositions lui valent de pouvoir passer plusieurs heures par semaine sur les machines du magasin. Prenant conscience des aptitudes de son fils, Christine économise ce qu'elle peut et lui offre son premier Commodore 64 d'occasion. Le jeune homme est très vite capable d'entrer dans des programmes bien connus dans lesquels les concepteurs ont laissé des messages cachés.

Il a alors une attraction fatale pour les machines. Une machine, c'est tellement simple. Si ça fait une erreur, c'est que tu t'es planté. Ce n'est pas parce qu'elle ne t'aime pas, ni parce qu'elle se sent menacée par toi, ni parce que tu es un petit filou, ni parce qu'elle n'aime pas enseigner et qu'elle ne devrait pas être là. Il faut jouer, c'est tout.

Et scraper un programme, c'est comme jouer aux échecs. C'est un jeu intransigeant. Les règles sont simples. Il n'y a pas de hasard et le problème est très compliqué. Ce sont des défis à la mesure de l'esprit de Julian Assange.

Le jeune garçon vit sa vie en outsider. Ils sont un petit groupe à se reconnaître ainsi, en colère contre la culture dominante et fièrement décidés à donner du fil à retordre à toutes ces têtes bien-pensantes.

En 1987, Julian Assange reçoit un modem qui lui permet de transformer son ordinateur en portail. Il a seize ans. À cette époque, on peut s'offrir un modem pour quatre-vingt-dix dollars. C'est l'appareil indispensable aux passionnés. Les sites Web n'existent pas encore mais depuis 1984, Internet est en application et mille ordinateurs sont reliés à travers le monde. Ce sont surtout des universités et des sites gouvernementaux qui sont connectés.

Dans la jeunesse australienne, pendant que la plupart s'amusent avec *Flight Simulator*, d'autres jouent avec la mise en réseau. Julian fait partie de ceux-là.

Il passe alors de nombreuses heures devant son ordinateur. S'affronter à différents systèmes, les comprendre et les améliorer.

C'est en tant que programmeur capable de craquer les systèmes les mieux sécurisés qu'il se fait un nom. Il ne sait pas encore que pour certains, il endossera la cape de justicier de la vérité. Il choisit ironiquement son nom de code en s'inspirant d'une formule du poète romain Horace : *splendide mendax*, autrement dit « brillant menteur ». Peut-on cacher la vérité dans un but juste ? C'est la question centrale que se pose alors Julian Assange. Cette interrogation, il y répond déjà par la négative. Personne n'est là pour juger de ce qui est bon ou mal à la place de l'individu lui-même. Il œuvrera donc en ce sens. Nom de code : « Mendax ».

2

ÉLISE

Élise allume le chauffage électrique et met l'eau à couler. Son corps réclame un bain. Un bain bien chaud, comme elle aime les prendre. Elle ôte lentement ses vêtements. Son col roule d'abord, elle passe sa main sur son cou et se masse les trapèzes. Puis elle déboutonne son jean et libère enfin ses hanches. Les habits s'entassent sur le sol telle une peau morte. Un top beige tombe sur son pull bleu, des chaussettes fines et des dessous blancs garnissent le petit monticule. Elle respire et sourit. Enfin seule.

Elle entre délicatement dans la baignoire, attentive à la réaction de sa peau au contact de cette eau à presque quarante degrés.

Elle s'allonge et s'enfonce maintenant jusqu'aux oreilles. Elle est comme dans un caisson hyperbare. Les bruits du dehors sont sourds et perdent toute leur importance. Son corps monte et descend calmement dans la baignoire au rythme de sa respiration. Elle laisse divaguer son esprit. Le monde n'existe plus, Élise n'existe plus. Elle est juste un prolongement de l'eau qui la porte et l'absorbe successivement.

Une larme arrive à sa paupière, elle plonge alors son visage dans l'eau. Les petits bonheurs, les regrets, le passé, les grandes joies défilent dans sa tête, peu de choses exprimables, juste des émotions.

Elle passe sur son corps une crème de douche à la senteur d'orchidée et se laisse envahir par le parfum délicat. Elle s'imagine entourée de fleurs, elle ferme les yeux et respire fort un instant.

Elle replie naturellement ses bras sur sa poitrine puis ouvre les yeux. Son pied glisse sur la paroi de la baignoire, elle passe la chaînette reliée au bouchon entre ses orteils. Sa peau a rougi légèrement en raison de la température du bain. Elle hume les effluves d'orchidée encore présents. Le miroir de la salle de bain est empli de buée, elle a trop chaud. Son pied joue un instant avec la chaînette, quelques secondes d'immobilité. Le temps se suspend. Puis, instinctivement, elle tire d'un coup sec sur la chaînette. L'ambiance de la salle de bain change. L'eau se met à couler bruyamment dans le siphon, ses oreilles s'ouvrent aux bruits du dehors, la baignoire se vide. Elle tente de retenir le temps en restant immobile. Il n'y a maintenant plus d'eau dans la baignoire, qui n'est plus qu'un nid dur et froid. Elle doit se résoudre à sortir.

Elle enfile un pyjama en micropolaire et choisit une paire de chaussettes roses pour égayer la tenue. Elle sort de la salle de bain, elle sent bon et sa journée de travail est déjà loin. Elle se dirige vers la cuisine pour se préparer un plateau-repas qu'elle emporte dans le salon quelques minutes plus tard. Il est garni d'une salade de lentilles, d'une tartine au fromage, d'un yaourt nature et d'une pomme. Elle allume la télé, il est dix-neuf heures quarante-quatre, en ce 5 novembre 2010. Julian Assange est l'invité du journal télévisé de la TSR.

Le journaliste introduit l'interview en parlant de combat avec les États-Unis. Élise sourit à cette phrase. Est-il possible qu'un homme seul se livre à un combat contre la superpuissance ? Elle connaît un peu le mouvement WikiLeaks, mais pas son porte-parole. Xavier lui en parlait de temps à autre, jusqu'à il y a encore quatre mois. Juste avant leur séparation. Elle se souvient qu'il présentait le mouvement en expliquant qu'il voulait libérer l'information en perçant des secrets d'États, de banques ou de grandes organisations. Ils diffusent des milliers de documents via leur site Internet, consultable par tout un chacun. Les journaux, même, se servent du site pour délivrer aux citoyens des informations.

À vrai dire, avant cette soirée du 5 novembre 2010, elle ne s'est pas intéressée au mouvement. Xavier passait trop de temps devant son ordinateur. Alors son combat à elle était tourné contre WikiLeaks et ses hackers-journalistes-idéologues qui croient pouvoir changer le monde en diffusant des informations sur l'Internet.

Ils prônent une totale liberté de la presse et une diffusion massive des informations brutes. Elle n'en sait pas beaucoup plus. Elle n'est jamais allée visiter le site. Elle se rappelle plutôt se mettre au lit seule, Xavier étant accroché à son ordinateur pour on ne sait quelle information dont le monde aurait besoin. Elle le revoit dans ses pensées, les yeux vagues, elle se souvient qu'à plusieurs reprises il a voulu lui expliquer la teneur de son engagement. Elle a chaque fois bridé ses tentatives par une phrase piquante. Elle se sentait en compétition avec le mouvement. Xavier était tellement porté par sa mission, il était si enthousiaste à l'idée qu'il était sur la bonne voie. Leur relation s'est effilochée, avec son propre sentiment de ne pas être à la hauteur, de ne pas le porter aussi haut dans leur couple. Lorsqu'il a commencé à voyager au printemps précédent, elle a livré sa dernière bataille.

— Si tu pars, on finira par se séparer...

— Élise, c'est un truc trop important, ça va vraiment changer les choses.

— Et pour nous, tu ne veux pas changer les choses ?

— Écoute, je peux te raconter certains détails et tu vas comprendre.

— Je ne veux plus rien savoir, Xavier.

Elle a perdu sa guerre et Xavier a fait son voyage. Il est rentré le 5 avril, et le 6 juin il quittait l'appartement. Ils ont gentiment partagé les effets communs. Elle a gardé la chambre. Xavier a pris le salon. Ils avaient chacun leur bureau, le reste n'était que babioles sans importance. Pendant l'été, Élise a racheté un canapé, blanc, et une table basse carrée. Elle vient de s'offrir un petit fauteuil en cuir brun qui se marie parfaitement avec l'ensemble. Elle se sent bien dans cet endroit bien à elle. Elle a tellement changé durant ces quatre mois.

Elle observe la mise en scène du journal télévisé. Le journaliste est à son aise et souriant lorsqu'il salue Julian Assange. Ce dernier est filmé presque de dos, et Élise remarque qu'il se rajuste légèrement sur sa chaise lorsque le présentateur cite son nom. Son dos semble rigide et, à part un premier signe de tête au journaliste, Élise sent qu'il contrôle chacun de ses mouvements. La caméra tourne et elle découvre le visage de Julian Assange.

Il a le teint pâle, malgré le maquillage télévisuel. Son front est large et haut. Les cheveux, qui semblent colorés, sont coiffés en arrière. Cela accentue encore la grandeur de son front. Ses yeux gris fixent le journaliste et un petit sourire impassible se dessine sur son visage. Élise observe l'homme attentivement, comme pour mieux percer ses secrets. Il cligne plusieurs fois des yeux, serait-il légèrement nerveux ? Rien ne change pour autant dans son visage jusqu'à ce qu'il parle d'informations. À ce moment précis, son sourire disparaît et il semble exprimer des choses d'une importance fondamentale. Il aurait sorti plus de scoops en quelques semaines que le *Washington Post* en trente ans.

Alors que Julian Assange parle en direct, les mots dansent dans la tête d'Élise. « Révélations, documents, petite organisation, choses importantes, Afghanistan, Russie, Europe, blanchiment d'argent... » Des termes qu'elle a déjà entendus dans la bouche de Xavier.

Elle est maintenant comme hypnotisée par cet homme à l'écran. Hypnotisée par le monde qu'il ouvre de façon si impassible. Cela a le goût d'une réalité. Un monde au-dessus du quotidien. Serait-il possible qu'il s'implique de cette manière uniquement pour informer le citoyen ? Quel peut être son secret à lui ?

Elle se rend soudainement compte du monde auquel elle appartient ; celui de l'ignorance de l'échiquier international, des affaires et de leurs dessous. Un peu banalement, elle s'est laissé porter par les lieux communs : « Le monde est pourri » ; « Dans la politique, ils sont tous pareils. C'est bonnets blancs et blancs bonnets » ; « Qu'est-ce que tu veux qu'on y fasse à notre échelle, alors ce n'est même pas la peine d'en parler » ; etc.

Elle découvre un homme qui semble cheminer tranquillement vers son idée fixe : révéler au monde les secrets des puissants. Et ce soir-là, il naît en elle l'envie de savoir, l'envie de comprendre. Qui est cet homme ? Quel est son message ? Est-il vraiment ce qu'il paraît être ? Serait-ce une sorte de justicier des temps modernes ? Pendant un court instant, Élise doute d'être dans la réalité. Elle se voit dans un film d'agents secrets, poursuivie par les hommes de main des États. Mais qui est donc Jason Bourne ?

Julian Assange explique maintenant la dangerosité de son action. Il doit changer d'habitation, il ne fréquente pas les hôtels et change très souvent de numéro de téléphone. Il vit comme un fugitif. Qui veut la peau de Jason Bourne ?

Le cœur d'Elise se met soudain à battre plus vite et un léger poids lui vient dans l'estomac lorsque l'interviewé précise que les actions de WikiLeaks sont dangereuses non seulement pour lui, mais aussi pour les bénévoles qui travaillent avec lui. À ce moment-là, elle attrape machinalement son téléphone et compose le numéro de Xavier.

Trois sonneries...

« Merde, c'est la messagerie », pense-t-elle. « Amis et ennemis, vous êtes sur le répondeur de Xavier. Laissez-moi un message et qui que vous soyez, je vous rappellerai. »

« Xavier, c'est moi. Je viens juste de voir une interview de Julian Assange sur la TSR. J'ai pensé à toi... Je ne sais pas très bien quoi te dire, mais je voudrais avoir de tes nouvelles, savoir si tout va bien pour toi. Rappelle-moi. »

Elle raccroche, passablement déçue. Le poids dans son estomac est toujours présent. Où est Xavier ?

Combien de fois se sont-ils appelés pendant ces quatre mois ? Le premier mois, de nombreuses fois, pour régler le partage des meubles. Et aussi parce que, ni elle ni lui ne voulaient se retrouver ensemble aux fêtes organisées par les copains, ils préféraient s'entendre avant et ne gêner personne par leur présence commune. Le mois suivant, ils n'ont plus été invités aux mêmes soirées. Il n'y avait plus de raison de s'appeler. Ce soir, elle voudrait juste lui parler. Savoir où il en est et ce qu'il fait. Le boulot, l'organisation, son implication.

– Je crois que l'homme est au mieux de sa forme lorsqu'il a une vraie passion pour quelque chose et j'ai beaucoup de chance, dit Julian Assange au journaliste.

Élise croit entendre Xavier lorsqu'il tentait de lui expliquer qu'il n'avait pas besoin de dormir huit heures par jour et que rester quelques heures de la nuit devant son ordinateur nourrissait plus sa journée qu'en les passant au lit.

Un nouveau point de vue sur son ex-petit ami s'esquisse dans l'esprit d'Élise en ce 5 novembre 2010.

Elle éteint directement sa télévision à la fin de l'interview, magnétisée par le monde qu'elle vient d'entrevoir.

Serait-il possible que Xavier mette sa propre vie en danger pour chercher des informations ? Elle est impressionnée.

Elle rejoint la cuisine pour déposer son plateau-repas et mettre de l'eau à bouillir. Elle se dirige ensuite vers son bureau, allume son ordinateur. Elle attend que la machine soit opérationnelle et lance *Kid A* de Radiohead.

Dans la cuisine, l'eau bout déjà. Elle remplit une tasse, attrape un sachet de thé dans le placard et le dépose sur une petite assiette avec sa tasse. Elle apporte le tout sur son bureau et s'installe face à son écran. Elle tape sur son clavier l'URL http:/heroesbysophox/wordpress.com, mot de passe : dontforget.xav.

La page d'accueil apparaît, avec des photos type pop'art de Marilyn, de John Lennon, de Kennedy, et encore d'autres personnalités qui s'ajoutent au fur et à mesure qu'Élise construit son blog. Depuis quelques jours, elle a entrepris d'écrire sur Michael Jackson. En tant que roi de la pop, il a toute sa place dans son blog.

Cela fait juste deux mois qu'elle écrit, elle se sert de cette interface pour exprimer ses états d'âme sur la vie et sur le monde. Y met-elle ce qu'elle raconterait dans un journal intime ? Non, pas tout à fait, parce qu'elle n'écrit pas uniquement pour elle. Elle aime avoir des réactions d'autres bloggers. Et elle en reçoit de toutes sortes. Des réactions intimes, des aides pour la mise en forme du blog et aussi des renseignements sur les grands destins et les personnalités dont elle se préoccupe. Cela l'étonne de voir tous les fans qu'ont encore tous ces « prophètes » assassinés. Parallèlement, les fans qui s'intéressent aux meurtriers, aux enquêtes et à la toile permettent de véhiculer toutes sortes de théories. Sur le Net, on peut tout trouver, le pire y côtoie le meilleur en termes d'informations, et toutes les supputations sont permises sous couvert de l'anonymat ; alors les gens laissent libre cours à leur imagination, pendant que d'autres jouent aux enquêteurs, genre *NCIS : Police scientifique.*

Élise fait un rapide état de son blog et passe directement à la section « billets d'humeur » pour partager ce qu'elle vient de ressentir. Elle écrit…

Julian Assange

Publié le 5 novembre 2010 by sophox | Laisser un commentaire

 ● Rate This

Je viens de découvrir Julian Assange au journal télévisé de la TSR. WikiLeaks, je connais un peu, mais voilà qu'apparaît dans mon paysage médiatique Monsieur WikiLeaks.

L'homme est impressionnant, calme et sûr de lui. J'ai flashé sur son petit sourire sarcastique. Difficile de savoir s'il se sent vraiment supérieur, mais on dirait qu'il se moque en se maîtrisant sur sa chaise, comme s'il retenait un gros éclat de rire.

« C'est une bataille entre Hillary Clinton et moi. » Est-ce que ça l'amuse ? Ça m'intrigue. Il semble être menacé, puisqu'il est prêt à demander l'asile politique en Suisse. Comment un seul individu peut faire trembler l'Amérique et devenir soudain l'homme à abattre ? C'est un fugitif. Ça doit être difficile. N'a-t-il pas envie de se poser de temps en temps plutôt que de vivre comme un nomade ? L'enjeu doit être de taille.

Il est tout de même bien accueillant, notre pays. Je ne sais pas quoi en penser, mais je vais chercher.

Il dit que la passion le vitalise. La passion mérite-t-elle tous ces sacrifices ? Bof, je trouve ça un peu exagéré. Pour se faire ennemi public numéro 1, il faut que le jeu en vaille la chandelle. OK, on nous ment. OK, les gouvernements s'occupent de gérer le monde pendant qu'on bosse comme des idiots pour se payer quinze jours de vacances. Mais qu'est-ce qu'on peut y faire ? Même à l'échelle de ma ville, j'ai le sentiment que mon vote ne pèse pas. Que je sois là ou pas, ça ne changera pas la face du monde.

Alors, pourquoi lui se lève et met en marche une telle machinerie qui finalement le conduit à être considéré comme un homme dangereux ? Je trouve qu'il a plutôt une gueule d'ange.

Cet homme est mystérieux, je vais faire des recherches. Aujourd'hui, je déclare ouverte une section ASSANGE dans mon blog.

Cette entrée a été publiée dans <u>Humeurs</u>. Vous pouvez la mettre en favori avec <u>ce permalien</u>.

 Be the first to like this post.

L'APPEL DE
L'AVENTURE

Vous qui entrez au bal de la vie, choisissez bien votre masque.

– André Maurois

3

MENDAX

Mendax. C'est son monde désormais. Le monde de l'électron et de l'interrupteur, la beauté du baud. Julian s'adjoint la force de deux amis hackers, Prime Suspect et Trax, pour créer le groupe appelé *International Subversives*. Ils utilisent le service de lignes téléphoniques déjà existant, sans payer, en piratant.

Ils explorent. Ils entrent dans des systèmes en Europe et en Amérique du Nord, dont le réseau appartenant au département de la Défense américain, ainsi que le *Los Alamos National Laboratory*, un laboratoire gouvernemental de recherche spécialisé en sciences et technologie.

Les trois jeunes aspirent à la connaissance. Les règles d'or du hacking sont déjà en vigueur : ne pas endommager les systèmes visités, ne pas changer les informations dans ces systèmes, sauf les logs afin de couvrir ses empreintes et empêcher sa traçabilité, et enfin partager les informations ainsi trouvées. Sur le réseau, ils existent, sans couleur de peau, sans nationalité, sans dogme religieux. Ils se créent une autre vie. Une seconde existence qui frise parfois l'obsession, au point d'en faire oublier la première. La curiosité comme une drogue. Aller toujours plus loin, connaître, comprendre, se surpasser et les surpasser tous. Les heures de la nuit s'écoulent d'une étrange façon, rapidement. Des yeux, des mains, un écran, et tout le reste s'efface petit à petit. Rien que les cliquetis du clavier dans le silence de l'obscurité. Quelqu'un est-il là, quelqu'un m'entend-il, quelqu'un me voit-il alors que je ne suis plus moi-même ? Je ne suis pas perdu. Personne ne connaît mon visage, mais j'ai un nom. Je m'appelle Mendax.

Il faut posséder un certain savoir-faire pour traverser les terrains électroniques cachés qui relient les systèmes de télécom et les réseaux d'ordinateurs. C'est un joli défi pour les outsiders d'International Subversives. Ils y voient bien plus qu'une simple partie d'échecs. Pouvoir explorer le monde et s'impliquer dans la politique internationale depuis sa chambre à coucher leur donne le sentiment d'être sur la bonne voie. Résoudre des problèmes, construire des choses et croire à la liberté et à l'entraide volontaire, voilà les pièces maîtresses du jeu de Julian et de ses deux amis.

C'est l'expérience qui nourrit alors la personnalité du jeune homme. Il sent qu'il peut contribuer à changer des choses qui l'insupportent. Encore faut-il reconnaître les injustices, encore faut-il avoir un idéal, encore faut-il comprendre le monde. Mais sur le réseau, on juge les gens sur ce qu'ils pensent et ce qu'ils disent, pas sur leur apparence.

Julian est un jeune homme très vif, vite frustré par les esprits plus lents. Sur le réseau, il trouve des concurrents à sa mesure. Il est créatif et ne s'oblige jamais à se consacrer à des tâches ennuyeuses, sauf pour acquérir toujours plus de compétences.

Ses nouveaux outils lui procurent un sentiment toujours plus grand de liberté. Son attachement au réseau frise la fascination et il y travaille sans relâche.

Au même moment, il s'aperçoit que les autoritaristes se nourrissent de censure et de secrets. Et qu'ils se méfient de l'entraide mutuelle et du partage d'informations. Qu'ils n'apprécient la coopération que quand ils peuvent la contrôler. Julian développe alors une hostilité instinctive vis-à-vis de la censure, du secret. Il détecte ceux qui font usage de la force ou de la ruse pour dominer des adultes responsables.

Julian a dix-huit ans et des préoccupations de son âge, malgré une propension à préférer les machines aux humains. Il tombe amoureux d'une jeune fille de seize ans et quitte rapidement le domicile maternel pour aller vivre avec elle. Quelques semaines après l'emménagement du jeune couple, la police fait soudainement irruption dans leur appartement.

– Police d'État, pas un geste ! Ramassez tout le matériel ! Il semblerait que vous soyez impliqué dans un vol de cinq cent mille dollars chez Citibank. On vous connaît comme hacker... Mendax, c'est ça ?

Julian ne répond pas.

– Ah, ça vous plaît de faire vos petits trafics, mais cette fois-ci, on prend tout. Alors pas moyen de faire le malin ce soir.

Finalement, aucune charge ne sera retenue contre Assange. Il récupérera son matériel quelques jours plus tard. Pour lui, la leçon est claire : vigilance et discrétion seront désormais de mise dans ses actes de piratage.

Assange et sa petite amie vivent un moment dans un squat à Melbourne, jusqu'à ce qu'elle apprenne qu'elle est enceinte. Julian veut assumer ses responsabilités, il décide alors de se rapprocher de sa mère, Christine. Il met également ses études entre parenthèses pour pouvoir s'occuper de son jeune fils, Daniel.

Le hacking, activité nocturne par excellence, demeure une passion malgré ses occupations de jeune papa. Et le frisson de l'exploration digitale reste présent. Les connaissances s'amplifient au sein d'International Subversives. Les autorités restent à l'affût de leurs activités. La police fédérale ouvre alors une enquête sur les agissements des hackers en Australie. Son nom : opération Weather. Le jeu du chat et de la souris débute.

La maman du petit Daniel souhaite une vie très différente. Elle ne peut que constater que les activités de son compagnon resteront une priorité. Or, elle n'apprécie guère l'attitude de Julian et de ses acolytes, et quitte son « mari ». En effet, ils s'étaient unis lors d'une cérémonie informelle peu avant l'accouchement.

Les International Subversives visitent régulièrement le terminal principal de Nortel, compagnie de télécom canadienne basée à Melbourne. Un soir de septembre 1991, Assange entre dans le système un peu plus tôt qu'à l'accoutumée. Cette fois-là, un administrateur de Nortel est encore connecté, il détecte Assange instantanément. L'erreur est fatale, il lui faut définir une riposte rapidement.

Son choix est fait. Il réagira avec humour. Il envoie le message suivant à l'administrateur : « J'ai pris le contrôle, écrit-il sans donner son nom. Depuis des années, je lutte dans cette grisaille et maintenant j'ai finalement trouvé la lumière. »

Aucune réponse n'arrive, alors il décide d'envoyer un dernier message : « Ça a été un plaisir de jouer avec votre système. Nous ne causons aucun dommage et nous avons même amélioré deux ou trois choses. S'il vous plaît, n'appelez pas la police. »

Mais l'identification des incursions des International Subversives dans le système de Nortel arrive à point nommé dans l'opération Weather. La présence de l'administrateur permet de garder une trace de l'intrusion et de localiser la ligne téléphonique utilisée par Mendax.

Assange, lui, écoute les conversations des enquêteurs de l'opération Weather. Il sait qu'ils savent. Il sait qu'ils vont venir le chercher. S'enfuir serait avouer un crime qu'il estime ne pas commettre, alors il attend pétrifié par la peur. Alors que l'enquêteur Ken Day arrive chez Julian, il lui dit :

– Je suppose que tu savais que nous arrivions.

Ken Day, aujourd'hui consultant en gestion des risques, a fait ce rapport sur Julian : « Il est le plus savant et le plus dissimulateur du groupe. Il semble agir avec l'idée que n'importe qui peut avoir accès à toutes les informations. Il s'opposait à Big Brother et aux restrictions des libertés de communication. Son sens moral au sujet de la violation des systèmes informatiques lui faisait dire : "Je ne provoque aucun dommage, alors qu'est-ce qui ne va pas ?" Mais c'est comme si un voleur rentrait chez vous et disait : "Je suis juste venu me balader dans votre maison." C'est un peu léger comme défense ! »

L'Australie est l'un des premiers pays à avoir poursuivi les hackers. Le gouvernement a fondé une cellule de lutte contre le crime informatique en 1989, à la suite d'une affaire que la NASA a qualifiée de « Pearl Harbor électronique ». En effet, à quelques minutes du lancement de la navette *Atlantis*, en octobre 1989, les ordinateurs du Goddard Space Flight Center de Washington s'arrêtent soudainement de fonctionner. La tension est à ce moment-là à son comble. Plus personne ne peut agir sur les ordinateurs, les mots de passe ont été changés. La stupeur se reflète sur chaque visage lorsque le message suivant apparaît sur les écrans : « *Your system has been officially WANKed*[2]. » Le groupe de hackers ayant perpétré ce méfait se fait alors appeler « *Worms Against Nuclear Killers* », ce qui signifie « les vers contre les tueurs nucléaires ». En même temps que la phrase apparaît, un message sonore se fait entendre sous la forme d'un couplet d'une chanson de Midnight Oil : « *You talk of times of peace for all and then prepare for war.*[3] »

Personne ne pensait une telle action possible, et le personnel de la sécurité informatique de la NASA en reste marqué. Les investigations de la police fédérale mettent en cause six jeunes hackers de la banlieue de Melbourne. Lesquels parmi eux sont des fans de Midnight Oil ? Probablement tous ! Les autorités fédérales australiennes ne trouvent pas suffisamment de preuves pour confondre les auteurs de cette piraterie. Mais leurs soupçons s'orientent très clairement vers les hackers qui ont déjà infiltré un éventail de prestigieux systèmes informatiques d'universités, du pouvoir et des télécommunications. Le gouvernement doit agir. Faute de preuves, la réaction officielle ne peut prendre la forme que d'une force de dissuasion.

---

2 « Votre système a été officiellement trifouillé. »
3 « Vous parlez d'une ère de paix pour tous, et ensuite vous préparez la guerre. »

Le premier coup de filet a lieu à la suite d'une écoute de huit semaines d'un hacker nommé Phoenix et de ses deux comparses, Nom et Electron. Leurs conversations parlaient clairement de leurs exploits et futures cibles de hacking.

La cellule est bien formée et les enquêteurs sont efficaces. Le deuxième coup de filet récolte les trois jeunes membres des International Subversives : Mendax, Prime Suspect et Trax.

L'opération Weather arrive à son terme, mais il faut trois ans aux autorités pour mener l'affaire devant la justice.

L'équipe de la sécurité informatique de Nortel au Canada rédige, pour le procès, un rapport prétendant que le hacking a causé des dommages qui doivent être payés à hauteur de cent mille dollars. Le procureur général décrit Julian Assange comme un individu se donnant un accès sans limites au réseau et agissant tel un dieu tout-puissant dans la sphère virtuelle. Et il l'est, en quelque sorte, car aucun système n'a raison de sa soif de connaissance.

Face à la requête du procureur général, qui réclame une peine d'emprisonnement de dix ans, Julian se trouve soudain dans un état de confusion. Il considère que le hacking « qui regarde et voit » est un crime sans victime et il a envie de se battre, mais les deux autres membres du groupe décident de coopérer avec les autorités. Julian vit cela comme une trahison et ne peut accepter l'aveu de Prime Suspect.

Lorsque le juge prend la parole à la fin du procès en annonçant : « L'accusé doit maintenant se lever », personne ne bouge. Julian décide avec une grande force de caractère de ne pas se mettre debout.

Néanmoins, il plaidera coupable à vingt-cinq chefs d'accusation sur trente et une, les six autres ayant été abandonnés. Lors de la sentence finale, le juge Leslie Ross déclare : « Il me semble clair que les faits ne sont rien d'autre qu'une extrême et intelligente curiosité assortie du plaisir d'être capable de surfer sur ces différents ordinateurs. »

Assange écope d'une peine de quelque deux mille dollars d'amende à payer.

Julian ne s'est jamais senti coupable de cette envie de connaître et d'apprendre tout ce que le monde informatique mettait à sa disposition. Il dit aujourd'hui que cette époque a contribué à son éducation géopolitique. Il est fier d'avoir été un si jeune activiste. Il faisait son apprentissage des deux mondes qui déjà s'affrontaient. Le monde virtuel, qui révèle la vérité nue du fonctionnement des systèmes, des entreprises et des gouvernements, et le monde réel dans lequel on vous poursuit, on vous punit pour votre envie d'apprendre et votre capacité à connaître.

Le monde virtuel offre à Julian une vie plus riche et plus vivante, quelles que soient les épreuves que cela implique dans le monde réel.

Qu'est-il encore possible de faire dans un monde où l'on vous accuse alors que vous ne faites pas de victimes ? L'appel de l'aventure des réseaux est là, tout proche, avec ses défis, ses combats, ses révolutions.

4

Dialogue de hackers

Xavier Mattelet met rarement les deux bandoulières de son sac à dos noir. Il le jette négligemment sur une épaule et quitte son bureau à vive allure.

C'est un homme dynamique et enthousiaste. Il est sorti de son école d'ingénieurs avec un an d'avance. Il avait à peine vingt-trois ans. Trois ans plus tard, il travaille dans la sécurité informatique. Comme free-lance. Pour plus de liberté. Le boulot lui demande parfois de voyager pour un audit, mais la plupart du temps son travail est sédentaire. Comme chaque jour de cette semaine, vers dix-neuf heures, il sort rue des Maraîchers. Absorbé dans ses pensées, il ne voit pas qu'il croise une vieille femme avec un chien, une mère de famille accompagnée de ses deux enfants et un homme en costume qui fera demi-tour dans sa direction après l'avoir fixé un moment. Il tourne un peu plus loin à droite, rue des Bains. En passant devant le centre d'art contemporain, il sourit en se disant qu'il n'y a jamais mis les pieds. Encore une fois à droite puis rapidement à gauche, et le voilà rue Charles-Humbert, au numéro 5. Il vit dans un joli petit immeuble ancien dans le centre de Genève. La locataire du rez-de-chaussée prend soin de mettre des fleurs à ses fenêtres. Il se dit que les gens habitent le même endroit mais pas forcément le même monde. Quatrième étage, sans ascenseur, porte en bois de belle facture ancienne. Il tourne la clé et entre.

Sa première action est toujours d'allumer son PC, avant même la lumière, avant même de retirer son blouson et ses chaussures. Il ouvre son client IRCII et entre dans son channel personnel. Il se rend ensuite à la cuisine, met deux pads dans la Senseo et appuie sur le bouton de mise en marche.

De retour devant son écran, Neo212 est déjà en ligne dans la *chatroom*, fidèle au poste.

> **Neo212** : Salut, Clue, quoi de neuf dans ta sphère, l'ingé ?
> **Clue** : Je viens de finir un truc pour le parlement européen. Et toi, des nouvelles trouvailles ?
> **Neo212** : Je me suis amusé avec le modèle de déformation de structure de MS Research, je peux déformer ma tronche en toutes sortes de trucs ;)
> **Clue** : Fun.
> **Neo212** : L'info est sur le forum.

Xavier augmente le thermostat du chauffage de deux degrés. Puis il va récupérer sa tasse de café dans la cuisine, alors que l'eau finit à peine de couler. Quelques gouttes tombent dans le réceptacle prévu à cet effet. Il marche sans bruit dans son appartement et pose sa tasse sur son bureau.

> **Neo212** : J'en ai fait une application FB[4]. 400 000 joueurs en une journée. Je te dis les résultats, plus de 90 % de *like*. *Who's the king* ?

---

4 Facebook.

Fkb00 : Dis, le « king », je suis en face des passeports de tous les gars de l'unif, mots de passe les plus courants : « password » et « maison ». Ça manque d'imagination, quand même.

Neo212 : C'est pas pour rien que Jazz a développé son petit truc permettant de déterminer le niveau de difficulté pour découvrir les mots de passe. Tu le trouves sur plein de sites.

Fkb00 : Je crois qu'il faudrait mettre ça aussi à l'unif parce que là, c'était trop facile.

Clue : La première réunion du parti hacker se tient la semaine prochaine. Vous quitterez votre bécane pour ça ?

Neo212 : ????

Fkb00 : Explique un peu.

Clue : Avec ce qu'on sait faire, on peut changer les choses.

Fkb00 : Changer quoi ?

Clue : Améliorer la démocratie, développer le partage de l'info. Améliorer l'*open source*. Aller au-delà de la *fun attitude*.

Fkb00 : Hum, tout est joué, non ? La Troisième Guerre mondiale a déjà commencé, elle est même peut-être déjà finie. Qui s'en rend compte ?

Neo212 : Je suis dans la matrice, je sais que je peux faire ce que je veux ;)

Xavier sourit.

Clue : Donnons du sens. C'est nous qui allons développer les applications que la démocratie de demain va utiliser. À nous de définir maintenant quel système on veut.

Clue : Ils vont nous balancer des tas de lois pour tenter de réduire un mouvement qu'ils ne comprennent pas.

Neo212 : Je m'en fous des lois, je veux définir l'avenir. Et que ces dinosaures qui sont dans le monde n'y captent rien, ça m'amuse plutôt.

Fkb00 : T'es pas tout seul.

Neo212 : Euh... ben si, justement. N3rd[5] et fier de l'être. T'as un plan fille pour un gars comme moi ?

Fkb00 : Si j'en avais un, je le garderais pour moi ! Mais ne mettons pas ce sujet sur le tapis, Clue ne s'en remettra pas.

Neo212 : Je suis pas trop pour les fédérations.

Clue : Il ne s'agit pas de ça, simplement de définir ensemble les nouveaux codes démocratiques avant que d'autres le fassent pour nous...

Clue : ... dans un sens qui ne nous convient pas.

Clue : WikiLeaks commence à secouer le cocotier. Il va y avoir un resserrement de l'ancien monde.

Fkb00 : Alors, génération Y, levez-vous ? Bof, la bataille se fera sur le réseau, non ?

---

5 « Nerd », en langage *leet speak*. Le *leet speak* est un langage partiellement codé entré dans la culture Internet, remplaçant certaines lettres par des chiffres ou des signes leur ressemblant.

Neo212 : La démocratie est à la frontière de la technologie, c'est trop cool de vivre ça, sur la toile.

Clue : Vous avez vu ce qu'ils ont fait pour les dépenses des parlementaires anglais ? Maintenant, ils font un peu plus attention avant de dépenser l'argent du contribuable.

Neo212 : Pas trop suivi, tu expliques...

Clue : Des hackers ont scrapé les données et ont fourni une copie des notes de frais des 646 députés anglais au *Daily Telegraph*[C] qui a sorti l'affaire. Ça fait déjà plus d'un an. Abus et remboursements excessifs, non seulement parfois frauduleux, mais ils se sont aussi rendu compte que le système lui-même permettait des absurdités. Donc ils sortent maintenant de nouvelles lois pour ajuster le système.

Fkb00 : Il faudrait faire ça dans tous les systèmes politiques.

Clue : Si on s'implique tous, ça va se faire. Un WikiLeaks pour chaque pays.

Fkb00 : Dès qu'on sait que des personnes ont des intérêts personnels, on veut savoir de quel côté elles vont faire pencher la balance. Comme une curiosité à analyser notre propre vérité humaine. Est-ce que la vérité rend l'homme libre ?

Clue : La vérité libère des manipulations et des contraintes mensongères. Alors chacun peut choisir sa voie.

Neo212 : Pour choisir la voie de la passion, il faudrait faire éclater un bon nombre de systèmes. Y compris le système scolaire avec les bouts de papier qu'on appelle diplômes.

Clue : Pour tout ça, il faut des libérateurs, des mineurs de la vérité qui détruisent chaque édifice corrompu.

Neo212 : Et la mise en lumière suffirait à les détruire. S'il faut rentrer dans des systèmes sécurisés, je suis l'homme de la situation.

Le téléphone sonne à ce moment-là. Il est environ vingt heures et tout est calme, en ce mois de novembre 2010. Xavier jette un œil à l'appareil pour identifier le correspondant. Il soupire. Les fantômes du passé ressurgissent un instant en lui. Le souffle d'un amour perdu.

Il attrape sa tasse et boit une gorgée de café froid. Ça le ramène directement à une réalité bien claire. Si on laisse un bon café refroidir, il devient plus amer et difficile à avaler. Alors il ne veut pas laisser tomber, c'est en ce moment même que les choses se jouent. Il s'avance un peu plus vers son clavier.[6]

Clue : Tous les systèmes de gouvernance sont autoritaires. Ils utilisent le secret pour tourner leurs actions à leur avantage sans que le citoyen connaisse la teneur de ces actions.

Fkb00 : Irais-tu jusqu'à dire qu'il s'agit de conspiration ?

Clue : C'est toi qui as lâché le mot !

Neo212 : On peut modéliser les structures du pouvoir pour en découvrir les failles.

---

6 Ce dialogue reflète la théorie des conspirations de Julian Assange. Version intégrale sur http://iq.org/conspiracies.pdf.

Clue : Pour rendre tout système conspiratif impossible, la première idée est d'organiser des fuites massives.

Neo212 : *Leaks*, *leaks*, quand tu nous tiens !

Fkb00 : Stratégie de désorganisation, pas mal !

Clue : Si les fuites sont massives, l'environnement des systèmes va changer grâce à la mise en lumière de leur mode de fonctionnement.

Fkb00 : Autrement dit, dès que les gens sont au courant des malversations, ils se rebellent.

Clue : Tout au moins, ils font pression d'une manière ou d'une autre. Les systèmes abusifs de gouvernance devront alors faire face à de plus en plus de contraintes qui les forceront soit à se réformer, soit à s'écrouler.

Neo212 : Ça paraît simple, mais les différentes structures de pouvoir sont diversement affectées par les fuites.

Clue : Il s'agit surtout de faire apparaître leurs véritables motivations, et que chaque personne puisse se positionner par rapport à ça.

Fkb00 : Je dirais même que l'injustice ne peut trouver de réponse que lorsqu'elle est révélée. Pour que l'homme puisse agir intelligemment, il doit connaître la vérité sur ce qui se passe.

Neo212 : Conspirer, ça vient du latin *con*, ensemble, et de *spirare*, respirer.

Clue : Eh bien voilà, tout est dit !

Neo212 : Et qu'est-ce qu'on fait là, on respire ensemble, non ?

Fkb00 : 1d107[7] ! La conspiration réside dans la rétention d'infos !

Clue : 570p[8], les gars, suivez-moi bien.

Clue : Pour changer radicalement le comportement d'un régime, nous devons penser clairement et courageusement, car si nous avons appris quelque chose, c'est que les régimes ne veulent pas être changés. Il nous faut penser plus loin que ceux qui nous ont précédés.

Neo212 : Les nouvelles technologies et ce que nous sommes capables d'en faire nous dotent de moyens d'action dont nos prédécesseurs ne disposaient pas. N'oubliez pas, *I'm the king*. Je peux agir...

Fkb00 : 6r05 360[9] ! Je vous demande quelle structure-clé engendre la mauvaise gouvernance. Et je réponds le secret, la manipulation et le sentiment de pouvoir qui en résulte.

Clue : Nous devons donc développer une conception de cette structure qui soit suffisamment forte pour nous sortir du bourbier des morales politiques rivales et pour accéder à une position de clarté.

Neo212 : Je ne suis pas pour les partis, je n'aime pas la morale, vous comprenez ce que je fais dans le virtuel !

Fkb00 : Finis la droite et la gauche. Tout le monde a compris que le fruit est pourri dans quasiment tous les systèmes. Toute l'élite politique conspire, mais pas toujours

---

7 « Idiot ».
8 « Stop ».
9 « Gros ego ».

pour les mêmes raisons. Il y en a qui souhaitent plus de pouvoir, d'autres des faveurs financières ou autres... Doit-on hiérarchiser ces raisons ?

Neo212 : La conspiration est de toute façon la principale méthode pour planifier le maintien ou le renforcement du pouvoir autoritaire. Je m'enfuis de ce monde pourri pour m'amuser à déformer ma tronche et celles des copains. **Clue** : Ce qui choque, c'est que les pouvoirs autoritaires contrecarrent au sein du peuple la volonté de vérité, d'amour et de réalisation de soi. Au final, les gens ne se battent même plus contre les injustices mais les acceptent, ne croyant plus à leur force d'action ni au poids de leur voix.

Neo212 : Et Neo vit la source devant lui irradiant tout, alors il s'avança pour se fondre en elle !!!

Xavier se dit que Neo212 doit être encore assez jeune pour toujours revenir à ses références à *Matrix*.

Fkb00 : Notre action sur la toile s'est engendrée d'elle-même. Curiosité et défi technique. On est tous connectés. C'est bien une force de résistance.

Clue : C'est pour ça qu'il faut la mettre au service du plus grand nombre. Une fois que seront révélés les plans qui sous-tendent l'action d'un régime autoritaire, ça provoquera une résistance accrue de la part du peuple.

Neo212 : Le peuple, le peuple, ça fait pas un peu bolchevique, ça ?

Clue : Le problème, c'est que les conspirateurs et les conspirations sont tous et toutes en lien. Voyons cela comme un réseau de fils sur des clous. Clou = conspirateur, fil = lien d'information. Tous les clous sont connectés soit deux à deux, soit en passant par un autre clou. Certains sont donc en marge de la conspiration, d'autres sont au centre et communiquent avec un grand nombre de conspirateurs, d'autres encore ne connaissent peut-être que deux conspirateurs mais constituent un véritable pont entre deux sections majeures de la conspiration d'ensemble.

Neo212 : On fait un peu de bricolage, maintenant. C'est ton côté ingé qui ressort.

Clue : Rappelle-toi la *timeline* de *Heroes*. Sachant qu'un conspirateur ne peut conspirer seul, quel est le nombre minimum de liens qui doivent être sectionnés afin de scinder la conspiration en deux ? Allez, les gars, c'est maintenant qu'il faut faire travailler vos méninges !

Fkb00 : Assassiner un conspirateur est une méthode radicale et efficace si ce conspirateur fait office de pont.

Clue : C'est vrai, mais on va utiliser nos neurones pour trouver une réponse qui vaille en général, pour toutes les conspirations. Sauf si Fkb00 veut faire office de tueur à gages.

Fkb00 : Ça me ferait du bien, je t'assure. Le boulot à l'unif, c'est désespérant. Irais-je jusqu'à dire qu'il y a des relents de conspiration ?

Neo212 : Il manque quelque chose à ta théorie pour qu'elle soit représentative.

Clue : ?????

Neo212 : Il faudrait ajouter une importance par rapport au type d'information. Un poids, comme dans les diagrammes logiques. Quand tu regardes la diplomatie, il y a des diplomates qui ne communiquent rien d'important alors que d'autres s'occupent de guerre et de paix dans certaines régions du monde.

Clue : Merci pour tes lumières d'analyste. Tu as raison. Le poids du lien est essentiel, mais je suis d'avis de m'interroger sur les conspirations en général, quel que soit le poids de chaque lien, puisque celui-ci change d'une conspiration à l'autre.

Neo212 : Alors pour couper une conspiration en deux, il suffit de couper en deux le réseau qui relie les conspirateurs. Diviser pour mieux régner.

Clue : Il y a une différence cruciale entre une conspiration et les individus qui la composent car lorsque les individus sont isolés, ils ne conspirent pas. C'est probablement ici qu'il faut rajouter la valeur abstraite du poids du lien entre deux conspirateurs, et on peut ainsi calculer le pouvoir conspiratif total. C'est la somme des poids des liens entre les conspirateurs.

Neo212 : Oh, comment il me pique mon idée ! C'est toujours pareil entre l'ingé et l'analyste.

Clue : Reviens au bricolage avec les clous et tu mets des ficelles plus ou moins grosses selon l'importance ou le nombre d'informations échangées.

Fkb00 : Ton « pouvoir conspiratif total » est en plus indépendant de la disposition spécifique des liens entre les clous conspirateurs.

Clue : Exact. Scinder une conspiration en deux reviendrait alors à scinder en deux le pouvoir conspiratif total. Toute moitié détachée pouvant à son tour être considérée comme une conspiration elle-même, nous pourrons continuer indéfiniment à la scinder sur le même mode.

Neo212 : C'est vrai qu'y a moyen de s'amuser à implémenter ça graphiquement, avec des bleeps et des woofs comme dans *War Games*.

Fkb00 : Autre possibilité : étrangler les conspirations en réduisant le poids des liens lourds qui font le pont entre des régions dotées d'un égal pouvoir total de conspiration.

Clue : Un gars que j'aime bien a écrit : « Un homme enchaîné sait qu'il aurait dû agir plus tôt car sa capacité à influer sur l'action de l'État touche à sa fin. » Face à de puissantes actions conspiratrices, nous devons donc anticiper. Nous pouvons duper une conspiration en restreignant drastiquement les informations dont elle dispose. Si on l'attaque suffisamment, elle ne sera plus en mesure de comprendre son environnement, ni du même coup de formuler un plan d'action cohérent.

Neo212 : Belle démo. Ça promet un joli bordel dans la diplomatie des États. Il s'agit bien de s'attaquer à la façon dont l'information est transmise et au type d'information. Les moyens informatiques renforcent aujourd'hui la capacité des États à conspirer. Et nous, hackers, sommes pour ainsi dire les seuls à avoir la capacité de nous battre sur ce terrain-là pour retrouver des systèmes plus justes.

Fkb00 : Ça me paraît clair. Je veux bien encore en discuter de vive voix jeudi.

Neo212 : Je suis d'ac, mais est-ce pour cela qu'il faut se fédérer en parti, je ne le sens pas. C'est pas mon truc, voilà. Par contre, je suis OK pour soutenir l'action via mes compétences techniques. Tiens-moi au courant de toute façon.

Clue : Merci les gars pour la joute.

Fkb00 : Transmets-moi les infos pour jeudi.

Neo212 : Je retourne m'amuser un peu, à la prochaine.

Xavier quitte le channel et bascule sur Twitter pour voir ses derniers DM (Direct Message). Il a de nouveaux *followers*. Un certain @SciF0r a l'air de s'intéresser à ses idées. De nouveaux messages apparaissent sur le coin de son écran. Il n'y prête plus attention. Il décide de passer la soirée sur un nouveau code d'encryptage.

5

SOPHOX

Hacker

Publié le 8 novembre 2010 by sophox | Laisser un commentaire |

 **ⓘ Rate This**

On ne sort jamais indemne de son enfance. Parents, rencontres et lieux nous forgent à jamais. Julian a eu une vie épique. Véritable Tom Sawyer australien, il a vécu en pleine nature les premières années de sa vie et très libre. Éduqué tantôt à la maison, tantôt à l'école ou en cours par correspondance, ça fait forcément un homme plus centré sur lui. Julian semble heureux à dire qu'il est chanceux de faire ce qu'il aime, d'avoir une passion. Il est fier de lui.

Quand je pense à son enfance, je suppose tout de même qu'il est resté marqué par la vie avec un beau-père appartenant à une secte ou lié à elle de quelques manières que ce soit. C'était un fils d'Ann Hamilton Byrne, c'est elle qui a créé la secte qu'on appelle aussi « La Famille ». Elle habillait tous ses prétendus enfants de la même façon et leur décolorait les cheveux. Si vous avez vu le film *Le village des damnés*, vous voyez l'image que ça donne. C'est assez terrifiant. Faisant une recherche d'images de Julian, j'ai été étonnée de voir qu'il a eu longtemps les cheveux comme décolorés. A-t-il fait partie de la secte ? Lors de son passage à la TSR, ses cheveux étaient châtain clair. Ça pose question. Il s'est teinté les cheveux ? En devenant un personnage public, il a voulu changer son image physique. La question est très souvent revenue sur ses cheveux. Sa mère raconte qu'ils sont devenus blancs suite à une exténuante bataille judiciaire pour la garde de son fils. Lui raconte une tout autre histoire :

« J'étais très blond jusqu'à environ 12 ans, jusqu'à la puberté. À quinze ans, j'ai construit un tube cathodique à l'école, et je l'ai connecté à l'envers. Le compteur Geiger affichait 1000, 2000, 3000, 40 000. C'était une question de temps. J'ai aussi eu quelques scanners de la tête, parce que j'avais une sorte d'encéphalite virale. C'était bénin. J'avais juste perdu la sensation dans une joue. Plus tard, vers 9 ans, on m'avait fait des rayons X à la tête, car j'avais frappé de la tête une earth ball. »

J'ai fait quelques recherches sur son beau-père, mais Julian est très discret dans les rapports de l'homme avec la secte. Un homme qui a cinq cartes d'identité, qui ment sur son passé, sur ses études, ce doit être un fameux manipulateur. Julian l'est-il aussi ?

Christine Assange a fui pour protéger ses enfants, mais du même coup elle les a privés de racines. Déménager sans cesse, fuir parfois rapidement comme des criminels comment pouvait-il se faire des amis ?

Est-ce à cause de cette vie qu'il s'est plus attaché aux machines qu'à ses congénères, du fait qu'il n'avait pas d'amis ou est-ce une propension naturelle ?

Toujours est-il qu'il n'aime pas raconter son enfance, et sur la toile, on trouve peu de chose sur cette partie de sa vie. Ce peut-il qu'il y ait un secret à percer? Ayant une grand-mère, par alliance, chef de secte, on peut tout inventer.

Passons à sa vie de hacker. Je connais, je comprends ! Pourquoi dès le départ, la société a-t-elle vu négativement cette pratique ? L'ignorance a peur du savoir ! Absorber la connaissance du réseau et la technologie de l'Internet au quotidien, ça a été une vraie révolution. Passionnant pour ceux qui ont grandi avec, comme Julian Assange, mais quelque peu bousculant pour les anciens en place. Les gens de la NASA, des départements de défense ou des grands laboratoires travaillent avec Internet, mais lui s'en amuse, et même, il a fait partie intégrante de la création d'Internet. Ça doit donner un sentiment de puissance de dominer les machines lorsque la plupart des gens sont si ignorants de leur fonctionnement.

Pourquoi les hackers ont-ils toujours été considérés comme des criminels? L'éthique du hacker est pourtant claire : connaissances et améliorations. C'est vrai que parfois, il ne leur est rien demandé et ils se permettent quand même de toucher aux programmes qui ne leur appartiennent pas. L'illégalité n'est présente que parce que le système est caché ; car s'il était libre d'accès le hacker irait y fouiner de la même façon pour sa soif de connaissance et l'amélioration éventuelle du programme.

Tout considérer comme un système avec des failles et chercher à les résoudre. Pour avoir passé quelques années avec un hacker, je vous confirme qu'ils sont polarisés sur leur ordinateur. Et aujourd'hui, l'ordinateur n'est plus qu'un moyen de s'impliquer en direct dans le monde. À nous Facebook et Wikipédia, et aux hackers les codes sources et les forums de chat.

Mais qui est Julian Assange?

Je me suis renseignée sur ce qu'il est venu faire en Suisse en ce début novembre. Il est intervenu à une conférence organisée à l'ONU par une ONG appelée Institut International pour la Paix, la Justice et les Droits de l'Homme (IIPJDH). Son directeur est Mehdi Ben Hamida. Il explique que l'organisation se bat contre les guerres en Irak. Il a mis trois mois pour décider Julian à venir parler à leur conférence en marge du conseil des droits de l'homme à l'ONU.

Le directeur de l'IIPJDH lui a demandé de présenter les cas de tortures pratiquées par les États-Unis en Irak et ailleurs, publiés dans des documents sur son site WikiLeaks. Cette ONG n'est pas connue, Julian a été d'abord très méfiant, puis il a accepté de venir à Genève, à condition d'avoir une garde rapprochée.

Le vendredi 5 novembre, le conseil des droits de l'homme a examiné le cas des États-Unis. Mehdi Ben Hamida pensait que c'était une occasion unique de pouvoir influencer la politique américaine. Le vendredi après-midi, Julian s'est donc rendu au palais des Nations Unies pour une réunion organisée par les ONG en marge de la session du conseil. Il était accompagné par deux gardes du corps et la police internationale de Genève assurait la sécurité du bâtiment.

À l'intérieur, dans une salle en sous-sol, il a fait une présentation d'environ une heure, en tant que témoin expert qui a pu suivre de façon journalistique les cinq-cent-mille documents sur l'Irak et l'Afghanistan.

Il est dans une position étrange, car il est non seulement un témoin expert de toutes les actions « secrètes » des États-Unis, mais il est également victime de violation de la liberté d'expression telle qu'elle s'applique à son organisation.

La menace qui pèse contre lui est bien réelle, l'étau se resserre. Le gouvernement américain a déclaré qu'il essaie de le poursuivre en justice et éventuellement d'intenter un procès à d'autres membres de WikiLeaks. Même s'il est certain d'avoir respecté les procédures de journalisme, Assange sait que certaines branches des gouvernements peuvent être au-dessus des lois. WikiLeaks tiendra-t-il le coup sous la menace de la plus grande puissance mondiale ?

Assange explique qu'il a eu un briefing d'une heure avec Geoff Morrell, porte-parole du Pentagone. Les États-Unis exigent que WikiLeaks détruise tout ce qui a été publié au sujet de l'Irak, de l'Afghanistan et du Pentagone.

Quel a été l'impact sur les bénévoles de ce briefing au nom du secrétaire de la défense, du département d'État et de la Maison-Blanche ? J'imagine si c'était Xavier, mon ex, il est juste un hacker, il travaille dans les Télécoms en Suisse. Il veut s'occuper de changer le monde et il serait tout à coup pris dans une guerre plus dangereuse que le combat pour la vérité.

Ils sont de nouveau là, avec leur autoritarisme et leur censure. Et Julian ne les apprécie pas plus qu'il y a une vingtaine d'années.

Les secrets et le dessous des cartes de la première puissance mondiale, il ne les connait que trop bien. Il imagine faire tout voler en éclat, que la masse se réveille et puisse retrouver goût à la liberté et à la vérité nue.

Le gouvernement états-unien exige que l'organisation cesse d'avoir à faire à ses sources. Ce cas d'intimidation est le premier dans la jurisprudence américaine. Sont-ils devenus fous ? Ils sont allés jusqu'à dire qu'ils forceraient l'organisation à respecter ces exigences. Et quand Julian leur a demandé par quels mécanismes ils allaient les forcer à respecter cela, il lui a été répondu : « Nous sommes le Pentagone, le droit ne nous concerne pas. C'est la responsabilité d'autres organisations. »

Et c'est bien contre cela qu'il se bat, Julian Assange. Serait-il le Don Quichotte de la vérité ?

Il souhaite qu'une fois au moins, un gouvernement doive répondre de ses actes, toutes circonstances et conséquences comprises. Qu'une fois au moins, un gouvernement arrête de se comporter comme un système bureaucrate, en divisant les responsabilités qui engendrent l'irresponsabilité.

Les avocats l'ont prévenu des éventuelles possibilités qu'avait le gouvernement de mener cette bataille. L'assassiner est une de ces possibilités, ils ont assez d'agents qui font ça très bien. Des amis lui ont conseillé de faire attention aux fenêtres ouvertes et d'éviter un stationnement près d'un pont. Les « accidents » sont si vite arrivés. Ça a l'air d'un mauvais film d'espionnage, mais quand c'est à vous que ça arrive, ça ne vous fait plus vraiment sourire. Julian est un homme traqué.

Pour discréditer WikiLeaks, ils cherchent à le discréditer, lui, l'homme qui porte le message. Maintenant, il faut fuir à nouveau, comme il y a si longtemps, dans son enfance. Il doit envisager des attaques à sa vie personnelle. Quelles formes pourraient-elles prendre ? N'a-t-il plus le droit d'être un homme ?

 Be the first to like this post.

RETOUR VERS
LA RÉALITÉ

Le bélier qui va foncer commence par reculer.
– Anonyme

6

ÉLISE ET XAVIER

Depuis une semaine, Élise se passionne pour les aventures de Julian Assange. Elle recueille de nombreuses informations. Elle entre dans un monde nouveau avec lequel elle avait déjà flirté lorsqu'elle vivait avec Xavier. Celui-ci lui a envoyé un SMS pour lui proposer de boire un café dans un bar d'une rue commerçante de Genève, le lendemain à dix heures.

Élise arrive légèrement en retard au rendez-vous. Elle préfère être sûre que Xavier sera là.

« Ça me fait plaisir de te voir, dit-elle en l'embrassant.

– C'est toi qui as appelé en premier, répond-il en plaisantant, tu m'as d'ailleurs un peu étonné, le ton de ta voix semblait inquiet. Je n'ai pas bien compris.

– En fait, je venais de regarder une interview de Julian Assange et je me suis soudain souvenue que tu t'intéressais à l'organisation WikiLeaks. Est-ce toujours le cas ?

– Oui, j'ai suivi ce que WikiLeaks a sorti. J'ai téléchargé des câbles et regardé dans les sources, j'ai fait un programme pour les analyser et les lire. Je voulais voir un peu comment c'était publié, dans quel format. Au départ, je voulais faire une application pour rendre les câbles disponibles sur l'iPad et voir si Apple allait l'autoriser sur l'Apple Store. Entre-temps, quelqu'un d'autre a réalisé une application WikiLeaks non officielle qui a été refusée par Apple. Il était inutile que j'essaie à mon tour. Depuis, je suis juste l'actualité. Et toi, pourquoi ce nouvel engouement pour WikiLeaks ?

– Julian Assange m'a vraiment intriguée quand il est passé à la télé. J'ai eu envie d'en savoir plus sur lui. Alors depuis, je cherche pas mal d'infos sur Internet et les journaux. Je viens de lire *Underground*, le livre qu'il a écrit avec la journaliste australienne Suelette Dreyfus sur le milieu des hackers. Ensuite, j'ai envie de me faire une idée de son honnêteté. Il arrive comme ça, tout d'un coup, sur le devant de la scène avec tous ses secrets.

– Tu sais, jusqu'à présent, ce que WikiLeaks a divulgué est une compilation de ce qui se trouve un peu partout sur le Web avec, je te l'accorde, quelques faits nouveaux, mais qui n'ont vraiment rien d'importants puisqu'ils ne font que redire ce que tout le monde sait déjà. Ils inquiètent surtout par ce qu'ils ont à sortir ensuite. WikiLeaks n'aurait apparemment pas livré plus d'un pour cent des documents déjà en leur possession. Et c'est ça qui inquiète les gouvernements.

– Que peuvent-ils faire ? Tuer le gars ?

– J'imagine qu'ils peuvent s'ils le souhaitent, mais je ne pense pas qu'ils veuillent en faire une victime. Les gouvernements tentent plutôt de s'en servir pour réduire les libertés sur Internet. En France, la loi LOPPSI ou la loi HADOPI l'ont déjà pas mal cloisonné.

– Tu me fais un petit cours de rattrapage ?

– LOPPSI, c'est une loi qui réorganise les structures chargées de la sécurité intérieure du pays. Elle date de 2002. Le gouvernement français est en passe de voter LOPPSI2. Cette loi permet un contrôle des informations circulant sur Internet. La loi prévoit la conservation d'informations entourant les contenus échangés en ligne pendant un an : adresses IP, pseudo, matériel utilisé et même les coordonnées de la personne, y compris les identifiants de contenu ainsi que des logins et des mots de passe.

– Et HADOPI ?

– HADOPI est une loi de 2009, qui veut empêcher la diffusion libre et protéger la création sur Internet. Le gouvernement veut mettre un terme au partage de fichiers lorsque ce partage est illégal.

– Et qui définit ce qui est illégal ? Les gros producteurs de musique, par exemple ?

Xavier hausse les épaules.

– Pour les mp3 peut-être, mais surtout, le but du gouvernement est d'insérer un organisme "indépendant", entre l'entité locale qui gère le registre des adresses IP et le fournisseur d'accès à Internet. Au final, cet organisme aura autorité pour couper l'accès Internet à qui sera désigné par le gouvernement comme fraudeur.

– Le problème est que sécurité et liberté ne font pas bon ménage.

– Je pense plutôt que moins de liberté ne veut pas dire plus de sécurité et c'est pourtant ce qu'on essaie de nous faire croire. Avec ces lois, la France a vissé les libertés d'Internet au même titre que la Chine !

– On nous fait sans cesse peur avec tous ces méchants qui courent partout. Mais les autres pays ne suivront pas forcément les lois françaises.

– En Belgique, effectivement, ils ont tenté de faire passer le même genre de loi, et ils n'y sont pas arrivés. Mais quand tu vois ce qu'ils font à Assange ! Ça les embête vraiment que des types soient capables de diffuser des choses à grandes échelles. La musique, ça dérange les gros producteurs, mais les secrets que peut révéler WikiLeaks, ça terrifie les gouvernements.

– On a quelque chose à faire nous dans notre petite sphère ?

– Élise, dès que tu as un ordinateur entre les mains, ta sphère est mondiale ! C'est fini d'avoir peur du hacker qui connaît le langage des machines alors que tu utilises ton ordinateur comme une télé et un bureau de poste. Aujourd'hui, toute la connaissance est accessible à tous grâce à Internet : la musique, l'information ou les cours de Stanford. Tout ce que tu veux est là et je me battrai pour cette liberté-là. Flux libre, accès libre.

– Et comment tu t'y prendras ?

– En allant sur un IRC, tu vois passer pas mal de choses.

– IRC ?

– Internet Relay Chat, un forum de chat en temps réel.

– Ah oui, comme les BBS[1] dans *Underground* où les hackers des années 1990 se retrouvaient pour donner leur avis dans des groupes de discussions et éventuellement échangeaient des infos plus illégales.

– Oui, sauf qu'à l'époque il fallait trente minutes pour se connecter à ce genre de systèmes et ça faisait plus penser à des réunions d'activistes dans des caves. Sur les IRC, les échanges sont mondiaux, tu peux voir passer les appels de WikiLeaks et aussi ceux des « Anonymous ».

– « Anonymous », c'est quoi ?

---

1 Bulletin Board System : serveur équipé d'un logiciel faisant office de « panneau d'affichage » virtuel.

– C'est l'idée sous un masque. L'idée qui ne meurt jamais. Grâce à son anonymat, elle peut être reprise par quiconque, et si l'un de ses représentants meurt, un autre prend sa place. C'est l'idée de la reproduction à l'infini. L'idée du partage des informations sur Internet, l'idée du flux incessant. La représentation du mouvement c'est le masque de Guy Fawkes. Celui créé par Alan Moore et David Lloyd dans la bédé *V pour Vendetta*.

– Qui est à l'initiative de ce mouvement ?

– C'est un mouvement qui existe depuis assez longtemps, c'est parti d'une idée sur un forum, ça s'est développé comme ça. Il y a plusieurs versions de « Anonymous ». N'importe qui peut faire un acte de piratage et dire que c'est « Anonymous ». C'est une idée. En fait, il n'y a pas de tête et on ne sait pas qui sont les sympathisants ni quel est leur métier ni où ils habitent. On ne se pose pas ce genre de question.

– On ? Tu te considères comme un des leurs ?

– Sur certaines actions, oui. Et j'adhère à l'idée qu'Internet est sacré. Il ne faut pas le foutre en l'air, mais le laisser en paix. Je veux avoir voix au chapitre si quelqu'un touche à cette liberté-là. Et puis, savoir que l'idée de liberté appartient à tous parce que cachée sous un masque, ça me plait assez. C'est l'idée qui est puissante. Comme le groupe n'a pas de structure de commande, il n'est pas à la merci d'une attaque contre son état-major. Si quelqu'un essaie de prendre le dessus, tout le monde le remet à sa place. Si on se ralliait à un meneur et que celui-ci devenait la cible d'une attaque, tout le mouvement serait en danger.

– C'est exactement ce qui arrive à Julian Assange. On l'attaque personnellement, cela va affaiblir le mouvement. « Anonymous » se bat pour quoi ?

– L'idée est de protéger la neutralité du Web. « Anonymous » se définit comme un groupe qui veut éviter les censures. On est solidaires et actifs avec le réseau WikiLeaks pour défendre la liberté d'information et de diffusion des fuites. On est pour l'existence de WikiLeaks. Et si les autorités leur mettent des bâtons dans les roues, on interviendra d'une manière ou d'une autre.

– C'est dangereux ?

– On fait des attaques DDoS[2], on envoie des sollicitations inutiles sur des sites et lorsqu'elles sont suffisamment nombreuses, le serveur est paralysé. Ça n'endommage pas le système, ça rend juste la connexion impossible quelques heures. C'est comme un sit-in devant une enseigne de grand magasin. C'est comme les manifestations des années 1960, la seule possibilité pour se faire entendre était de faire des tracts, de rassembler un maximum de personnes et de descendre dans la rue. Alors qu'aujourd'hui, sans bouger de chez toi, tu peux rallier des personnes partout dans le monde. C'est l'expression du peuple avec les moyens d'aujourd'hui. Les gouvernements n'aiment cependant pas qu'on passe dans les mailles du filet, ils font ce qu'ils peuvent pour tuer des mouvements comme les « Anonymous ». Il y a eu déjà des perquisitions en Angleterre et

---

2 Distributed Denial of Service.

aux Pays-Bas. L'adresse IP à attaquer est mise sur un forum IRC. Quand il y a une attaque, il y a moyen de retrouver l'ordinateur qui attaque par sa propre adresse IP. Il y a une traçabilité de ce qu'on fait sur le Web. Tu comprends pourquoi l'augmentation des contrôles peut nous alerter.

– Je comprends bien pourquoi Julian Assange se dit journaliste. Ça lui laisse le droit de s'exprimer et de diffuser ses informations.

– Oui, c'est comme ça qu'il veut faire respecter son droit. Les États-Unis veulent tout de même le faire passer pour un terroriste. Les médias aussi ont peur et font passer le mouvement « Anonymous » pour terroriste par de la désinformation.

– Comment tu l'expliquerais, toi ?

– Chris Landers du *Baltimore City Paper* donnait cette jolie définition :

"« Anonymous » est la première superconscience construite à l'aide de l'Internet. « Anonymous » est un groupe semblable à une volée d'oiseaux. Comment savez-vous que c'est un groupe ? Parce qu'ils voyagent dans la même direction. À tout moment, des oiseaux peuvent rejoindre ou quitter le groupe, ou aller dans une direction totalement contraire à ce dernier".

– C'est très libertaire....

– Tu sais sur un forum, il y a un gars qui exprime ce qui le choque et ce qu'il veut faire, mais l'attaque ne fonctionne que si l'idée est approuvée par un grand nombre de personnes donc s'il raconte n'importe quoi, il ne se passe normalement rien.

– Ça, c'est si les gens derrière leur ordinateur ont des idées démocratiques, mais si c'est le contraire ?

– C'est aussi un problème de ne pas avoir de leader. N'importe qui peut avoir, à bon ou à mauvais escient, une idée et vouloir en faire une action. Après il y a toujours des petits moutons qui peuvent suivre et ça peut devenir dangereux. « Anonymous » peut être dangereux si les gens ne réfléchissent pas à ce qu'ils font. Personnellement, je fais confiance au bon sens collectif. En tout cas, je préfère agir de l'intérieur du mouvement et donner ma voix ou mon ordinateur pour une action en laquelle je crois.

– Mais si tout le monde peut rejoindre les forums de chat, les gouvernements peuvent aussi être présents.

– Oui, mais les hackers ont toujours moins de choses à cacher qu'un gouvernement. Pour nous, ce n'est pas un réel problème. Et puis dès qu'une idée ou une adresse IP est donnée, l'action est très vite reprise des centaines, des milliers de fois, ce qui fait qu'il devient très vite difficile de savoir d'où elle est partie.

– C'est comme pour WikiLeaks. Il ne sert à rien d'interdire le site parce que toutes les informations sont reprises sur des centaines de sites.

– Il n'y a pas de lien entre « Anonymous » et WikiLeaks. «Anonymous» se prétend comme le gentil défenseur du Web. Les actions se font uniquement dans le but de préserver la neutralité du Web. WikiLeaks vit de cette neutralité. C'est indirectement que « Anonymous » soutient WikiLeaks, en soutenant leur droit d'existence et d'expression.

– Et Julian Assange, qu'est-ce que tu en penses ?

– Je pense que c'est un hacker dans l'âme. Il voit tout comme un système à améliorer. Et à un moment, pour que son action soit plus forte, il a décidé de faire des accords avec la presse et de s'exposer de plus en plus. Ça en a énervé plus d'un. Mais c'est la solution qu'il a choisie. Et toi, d'où te vient cet intérêt soudain ?

– Depuis deux mois, je fais un blog sur les héros. Je mets en parallèle les grandes figures de notre temps avec leur chute. On peut les imaginer comme des prophètes qui sont venus délivrer un message, faire avancer le monde et qui ont été soit assassinés, soit tellement incompris qu'ils sont devenus dépressifs, alcooliques, drogués ou autres. Ensuite, avec l'histoire d'Assange, je me demande si c'est aussi un prophète de notre temps : un héros. Alors il serait important de le reconnaître pour aider l'humanité à progresser.

– Héros, peut-être, mais avec un ego bien humain.

– Héros parce qu'il se donne une mission d'envergure mondiale, mais il n'en reste pas moins un homme avec les tentations de la vie. Et avec la notoriété qu'il a acquise, elles doivent être multiples.

– C'est sûr que WikiLeaks est encore une petite entreprise même si elle a un retentissement mondial. Et comme pour toute start-up, le patron ou le leader du mouvement est très important. L'idée est basée sur lui, sur ce qu'il pense. C'est donc à sa personnalité qu'on s'attaque. De là à dire que c'est une manœuvre d'affaiblissement du mouvement ! On peut penser aussi que le gouvernement américain attendait que la faiblesse de l'homme s'exprime pour le remettre à sa place.

– Il reste hautement intéressant pour moi, en tant qu'homme, aventurier, prophète ou héros... »

Élise et Xavier discutaient déjà depuis plus d'une heure. Ils se séparent, se promettant d'échanger des informations sur les sujets qui les préoccupent : la liberté, « Anonymous », WikiLeaks et Julian Assange.

7

EXPÉRIENCES DE VIE

Il est candide, Julian, lorsqu'à seize ans, il découvre un nouveau terrain de jeu avec son Commodore 64. Cela lui procure un souffle extraordinaire de pouvoir mettre son esprit à l'épreuve d'une façon si simple et si directe. Il est comme un enfant qui découvre un monde où tout est possible. Un monde dans lequel il cherche sa place. Un monde dans lequel il s'installe « comme chez soi ». Il vit son retour à la nature ; à sa nature humaine. Éprouver la construction de son esprit, sa densité, sa vitalité, cela le rend plus fort.

À l'aube de 1990, Julian, sa mère et son nouvel ami vivent dans une masure dans la banlieue de Melbourne. À dix-huit ans, Julian rencontre une jeune fille de deux ans sa cadette, intelligente et légèrement introvertie. Il se met très rapidement à la fréquenter intimement.

Le jeune couple déménage alors à quelques kilomètres des « parents » et s'installe dans un cottage divisé en deux appartements. Julian passe le plus clair de son temps devant son écran. Au fur et à mesure de l'extension d'Internet, le nombre d'ordinateurs à hacker grandit, offrant à Julian un terrain d'apprentissage exceptionnel.

Son teint change. Mendax prend alors la pâleur du vampire qui se nourrit la nuit de ce que le soleil et le grand jour ne peuvent lui apporter. Son breuvage à lui est une suite de zéro et de un, un code Basic ou assembleur.

Même la naissance de son fils Daniel ne décroche pas Assange de son Amiga 500, nouvellement acquis. Le voisin s'étonne de voir cette jeune fille seule, faire ses courses avec son bébé dans sa poussette, aller à la laverie nettoyer les layettes. C'est si rare de les voir ensemble !

Un peu plus tard, se sentant isolée, la petite famille retourne vers Melbourne. Le couple se désagrège complètement. Ils se quittent. Sa femme est partie avec leur enfant. Julian se retrouve seul lorsque la police fait intrusion dans leur appartement.

En octobre 1991, Julian est dans un terrible état. Les nuits de sommeil apportent alors leur lot de fantômes. Il se sait surveiller. Mendax se met à rêver de raids de police. Il rêve de bruits de pas craquant sur les graviers du parking, d'ombres dans l'obscurité de l'aube, d'escouade de police armée défonçant la porte et déboulant dans la pièce à cinq heures du matin. Il dort rarement ; mange à peine. Sa maison est un véritable capharnaüm. Sa collection de vieilles revues du *Scientific American* et du *New Scientist magazine* traine dans un coin. Il est largué ; communique avec ses acolytes des International Subversives uniquement par téléphone.

Il trouve un équilibre vital grâce à la ruche qu'il possède. Les abeilles le fascinent. Il aime les regarder interagir, étudier leur structure sociale sophistiquée. Il profite de leur nombre impressionnant pour cacher sous le couvercle ses disques de données. Ce n'est qu'après les avoir cachés qu'il peut trouver un sommeil quelque peu réparateur. Julian a dompté les abeilles pour éviter de se faire piquer lors de ses archivages. Il nourrit les insectes au moyen de tissu humecté d'eau sucrée préalablement imprégnée de la sueur de ses aisselles. Les abeilles ont ainsi assimilé son odeur au nectar de fleurs.

Il connecte son téléphone à une radio et écoute les signaux de la police. Ce n'est donc pas une surprise lorsqu'un officier frappe à sa porte. Il reste pourtant étonné d'être accusé d'une trentaine de cas de cyberméfaits, sans même avoir pris le temps de ranger ses disquettes dans leur mielleuse cachette.

Alors qu'il attend l'issue du procès, Julian tombe en dépression et séjourne une semaine à l'hôpital. Il tente ensuite de passer un peu de temps avec sa mère ; mais après quelques jours, il part errer et dort dans des parcs. Il vit et marche à travers les denses forêts d'eucalyptus du parc national Dandenong Ranges[3]. Ces épaisses forêts sont le repère des moustiques qui se rassasient du visage de Julian. Ce moment est pour lui une expérience mystique. D'abord, son dialogue interne est stimulé fortement par un désir de parler, de se raconter, de s'exprimer. Dans cette forêt, il ne trouve pas d'écho, sa voix interne finit par se calmer. Sa vision de lui-même disparaît pour laisser place à

---

3 No secrets, Julian Assange's mission for a total transparency de Raffi Khatchadourian sur www.newyorker.com.

des questions plus philosophiques. Que suis-je en train de faire de ma vie ?

Une nécessité se révèle alors à lui : le besoin d'expériences. Il verra ensuite ce qu'il en fera, ce qui satisfera sa soif interne. Une idée se dégage : « Après une certaine somme d'expérimentations, je saurai comment nourrir ma personnalité. »

En 1994, il s'inscrit à la Central Queensland University pour un cours de programmation débutant ! Pourquoi un hacker de son niveau s'inscrit-il à un cours de programmation débutant ?. Pourrait-il avoir besoin d'une remise à niveau sur de nouvelles façons de programmer ?

Dans le monde des *geeks*, les hackers s'échangent les programmes et les informations. La formation est donc continue. Les langages informatiques fonctionnent comme les langues : plus on en apprend, plus on les apprend vite. Donc cette supposition n'est pas très recevable.

A-t-il envie de s'acheter une bonne conduite après ce long procès ? Cela paraît possible, mais pourquoi s'inscrire dans une option qu'il connaît parfaitement ? Est-ce pour réussir les examens « les doigts dans le nez » ou pour se faire une nouvelle identité ? Cela reste un mystère, d'autant qu'il est engagé dans une autre bataille : celle pour la garde de son fils qu'il a entamé au début de son propre procès.

Assange et sa mère se sont engagés dans une campagne pour récupérer la garde complète de Daniel. Cette bataille légale s'avère, à certains égards, plus difficile à arracher que sa propre défense en tant que « criminel ». Julian et Christine sont convaincus que la mère du petit Daniel et son nouveau compagnon mettent la vie de l'enfant en danger. Ils sont bien décidés à réduire les droits de cette dernière. Qu'a-t-il à offrir en balance ? Peut-être une toute nouvelle inscription à l'université qui redorerait son blason de jeune père ? Mais le rapport de l'agence pour la protection de l'enfance (*Health and Community Service*) est en désaccord avec leur demande.

Les explications spécifiques avancées par l'agence sont si peu recevables que Julian et sa mère n'en sont pas satisfaits. Ils se trouvent face à un manque de professionnalisme et de respect de leur demande.

L'agence conclut que l'enfant vit dans un environnement familial sain. Julian et Christine ne trouvent pas de moyens pour faire appel de cette décision. Ils se sentent impuissants face à la machine bureaucratique. C'est pour eux, un bel exemple d'injustice. Ils décèlent très vite que l'agence n'a pas porté suffisamment d'attention à leur requête. Ils s'aperçoivent également que leur cas n'est pas isolé et qu'il y a de graves manquements dans cette administration.

La bureaucratie est un système qui écrase les gens. Cela a toujours été l'idée de Christine. Elle a éduqué Julian dans une profonde antipathie de ce système absurde qui mène à des injustices. Il pouvait le vérifier à ce moment-là. La bataille pour la garde évolue en amère bagarre contre l'Institution. Christine et Julian lancent une organisation de campagne contre les autorités locales de protection de l'enfance. Ils l'appellent *Parent Inquiry Into Child Protection* (PIICP).

Christine a un passé d'activiste, elle en connaît les méthodes : trouver des personnes à l'intérieur même de l'agence, les rencontrer, parler avec eux, établir une confiance afin qu'ils puissent se livrer, partager les secrets qui pèsent sur leur esprit et qui s'alourdissent avec le temps. Puis patiemment, avec présence et insistance, leur donner la force de s'exprimer vers un plus grand nombre. En les rencontrant, les membres du PIICP veulent les forcer à se dévoiler et les enregistrer secrètement. L'organisation australienne demande le soutien de l'Action pour la liberté de l'information et obtient des documents de l'agence de protection de l'enfance (HCS). Ensuite, ils distribuent les *flyers* « Vous pouvez rester anonymes si vous le souhaitez » aux travailleurs du HCS, les encourageant à leur donner des informations de l'intérieur même de l'agence. Celle-ci alimente une banque de données qu'ils viennent de créer. Un des travailleurs leur fournit un important manuel interne.

La bataille est presque gagnée. Ils ont une taupe à l'intérieur de l'agence. La taupe garantit la véracité des informations et surtout elle creuse ses galeries avec facilité dans la terre de l'intérieur même d'un mouvement qui se fragilise. On dit que la taupe est aveugle. Elle n'a certes pas besoin de s'élever au-dessus de son action et d'en comprendre les implications et les suites. D'autres sont là pour analyser et guider ceux qui acceptent de se rebeller.

Un embryon de WikiLeaks se dessine : rechercher la vérité, encourager les fuites, collecter l'information pour un besoin citoyen.

En 1995, un comité parlementaire accuse l'agence de laisser un flou et de ne pas s'occuper de certains cas de déviance. Il faut attendre 1998 et trois douzaines d'appels et d'auditions plus tard pour qu'Assange trouve un arrangement avec son ex-femme au sujet de la garde de Daniel.

Cette expérience est extrêmement pénible et stressante pour Julian. Christine rapporte que son implication est totale. Il se sent comme après un choc posttraumatique. Il revient d'une guerre, et ses cheveux auparavant brun foncé en perdent leur couleur.

Julian a besoin de s'éloigner de tout cela un moment. Il décide de faire un voyage durant tout le dernier trimestre 1998. Il écrit alors cet e-mail :

> *Je suis sur le point d'échapper aux périls d'un été dans la « ville la plus vivable de la planète » (Melbourne, Australie) et de partir sac au dos pour le monde merveilleux de la neige, de la glace, de la gadoue et du communisme qui implose.*
>
> *Je me baladerai à travers les USA, l'Europe occidentale et orientale, la Russie, la Mongolie et la Chine (dans cet ordre). Si quelqu'un a envie de partager une bière, une vodka, un steak d'ours sibérien, ou simplement de tailler une bavette, n'hésitez pas.*
>
> *Ce qui suit est un itinéraire (très) approximatif. Un hébergement pittoresque, un cœur chaleureux, un Ethernet frémissant, une compagnie intéressante (ou un indice sur la question) sont susceptibles de modifier mes dates et itinéraires. Je voyage sac au dos en Europe orientale et en Sibérie, par conséquent aucun gîte, divan ou chambre d'ami n'est trop petit (même dans la région de San Francisco) et sera grandement apprécié*
> *28 Oct 98 San Francisco*
> *05 Nov 98 Londres*

06 Nov 98 Francfort/Berlin
09 Nov 98 Pologne/Slovénie/Europe occidentale sur un
budget minimum
15 Nov 98 Helsinki
16 Nov 98 St Petersburg
20 Nov 98 Moscou (Transsibérien) ->
25 Nov 98 Irkoutsk
29 Nov 98 Ulan Bator
03 Dec 98 Pékin
Salut,
Julian.

De retour de voyage, il décide de reprendre une vie normale. Il est temps pour lui de mettre ses connaissances au service d'entreprises et d'organisations. Il souhaite un peu de paix et de nouvelles expériences dans le monde réel.

Son idée de l'égalité le pousse à participer au développement de l'*open source*. Il crée en 1995, Strobe, un logiciel de sécurité pour ordinateurs. Ce programme respecte les critères de gratuité, de libre distribution et reproduction ainsi qu'un accès au code source et à ses travaux dérivés. En 2000, il crée Surfraw, un logiciel qui permet d'interagir avec différents sites et moteurs de recherche directement depuis la ligne de commande. Julian Assange est considéré par la communauté des hackers comme un bon développeur.

Julian participe grandement au développement de l'Internet en Australie. Il est, dès 1993, administrateur système chez Suburbia. Cette association est le plus ancien fournisseur d'accès gratuit à Internet d'Australie. Elle est lancée en 1990 et ouverte à tous depuis 1993, avant même qu'Internet devienne un réseau commercialement viable. Alors que d'autres concurrents se sont forgé une identité commerciale, Suburbia s'est tenue à ses premières ambitions : offrir un système privé et sécurisé qui supporte les groupes de discussions et l'édition en ligne de contenu.

Suburbia est une association sans but lucratif. Elle se bat depuis toujours pour la presse libre. L'association ne reçoit aucune subvention et existe uniquement grâce à la générosité de ses membres qui font, sans obligation, des dons de temps et de matériel.

Les membres incluent des magistrats et des politiciens convaincus ainsi que des hackers. Ils se rassemblent autour de l'idée que chacun sur le Internet doit avoir le droit de publier sans avoir à se soucier de politique, d'opinions, de pressions ou de moyens financiers.

Depuis 2008, Suburbia n'accepte plus de nouveaux membres, les demandes sont trop nombreuses. Néanmoins, ils précisent qu'on peut les contacter si on est une ONG avec un besoin précis ou si on est coopté par un membre actuel. Ils peuvent ainsi opérer un filtrage pour éviter une intrusion « maligne » qui ne servirait pas les intérêts de base de Suburbia.

En analysant les noms de domaine, on peut voir que celui de suburbia.com.au héberge sur un de ses serveurs le site www.whistleblowers.org.au détenu par l'association Whistleblowers Australia Inc. Un *whistleblower* ou lanceur d'alerte est quelqu'un qui va chercher à montrer la corruption ou la négligence à l'intérieur d'organisations et qui va révéler le secret. La procédure standard est d'exposer les mauvaises pratiques en donnant des preuves de ces agissements. Le lanceur d'alertes enquête donc, par différents moyens, qu'il ne divulgue pas, surtout à la presse. L'investissement de ces informateurs est grand, car les gens qu'ils touchent sont parfois des criminels, des personnes qui ont d'importantes positions ou de grandes organisations. Ils se font souvent des ennemis de taille dans les partis politiques, les départements d'État ou de grandes entreprises.

En représailles, le lanceur d'alerte est souvent attaqué personnellement en étant traité de fauteur de trouble, de fou ou de « malin menteur ». Cela peut se traduire par de l'extrême froideur de la part de ses collaborateurs ou de sa hiérarchie comme par d'autres manières, y compris des attaques physiques.

Brian Martin, éminent professeur de sciences sociales à l'Université de Wollongong (Australie), est actif dans cette association depuis 1991. Il en est devenu le président de 1996 à 1999.

Dans un article du *UPIU*, journal de conseils pour futurs journalistes, M. Martin explique : « La plus belle illustration de nos activités est d'exercer un pouvoir dans la société. Je pense que pour la majorité d'entre nous, nous sommes meilleurs dans un contexte où tous sont égaux. Cela veut dire quand nous sommes libres de parler et de négocier les choses librement. La plupart des organisations, et certainement les gouvernements, sont extrêmement hiérarchisées, les gens des plus bas niveaux n'ont pas de liberté d'expression. Des personnes peuvent se rassembler au coin de la rue, et dire toute sorte de choses. Aujourd'hui, vous pouvez ouvrir un blog et y écrire tous les commentaires que vous voulez. Fondamentalement, si vous racontez n'importe quoi, vous perdez votre crédibilité. » Le journaliste ajoute : « Peut-être que la perte de sa crédibilité et une mauvaise réputation devraient être la seule punition pour les gens qui font de fausses accusations. Lorsqu'une action "criminelle" est mise en lumière, il semble naturel que quiconque est concerné par cette action soit exposé à l'opinion publique. Trop souvent, les lanceurs d'alerte sont attaqués pour avoir rendu des preuves publiques. »

Lorsque Julian Assange commence à travailler chez Suburbia en 1993, Brian Martin et ses *whistleblowers* sont déjà en activité depuis deux ans. En tant qu'administrateur réseau, Julian accède à toute l'information circulant via le site. L'inspiration est grande pour lui.

Un jour, une requête émanant d'un défenseur de l'Église de Scientologie arrive chez Suburbia. Elle demande à la société de bloquer un site délivrant des documents confidentiels du mouvement et dénonçant certaines pratiques.

Julian Assange reçoit cette demande et refuse de l'honorer. Il fait passer la requête vers la direction. Mark Dorset, chargé des responsabilités, tient tête avec Julian.

Le créateur de ce site s'appelle David Gerard. À l'époque, il vit à Melbourne. Il crée son site, avant tout, pour critiquer et condamner un acteur mondial contre la liberté de parole, les abus de *copyright* et le harcèlement de ceux qui les critiquent. Il est rapidement repéré par le mouvement scientologiste de Ron Hubbard et joue au jeu du chat et de la souris pendant plusieurs années avec eux. Le site sur l'Église de Scientologie est toujours en ligne, mais n'est plus mis à jour depuis 2000.

David Gerard témoigne, en 2010, à un journaliste du *Forbes* : « Assange en a dans le pantalon » (« *titanium balls* »). Il salue son courage d'avoir tenu tête à cette organisation pour protéger un combattant de la liberté d'expression.

Autour de 1997, Assange collabore avec Suelette Dreyfus pour l'écriture du livre *Underground*. Ce livre raconte la vie de six fameux hackers australiens : Phoenix, Nom, Electron, Prime suspect, Trax et Mendax.

Julian Assange n'a jamais avoué publiquement qu'il était Mendax. Ce sont les nombreuses similitudes avec sa vie qui font apparaître l'évidence. Julian aime dire à certains journalistes qu'il était simplement consultant sur le livre !

Au même moment, les deux auteurs coïnventent avec Ralf-Philipp Weinmann le système de cryptage, Rubberhose, conçu pour être un outil pour les organisations des Droits de l'homme qui ont besoin de protéger des données sensibles sur le terrain.

En 1998, alors que sa bataille familiale n'est pas encore réglée, Assange fonde avec Richard Jones, sa première société, Earthmen Technology, dans le but de développer des technologies de détection d'intrusion de réseau ; association de hackers, puisque Richard Jones n'est autre que le célèbre Electron. C'est Richard Jones qui gère la plupart des développements. Il crée à cette époque des programmes de hacking du Kernel Linux et des algorithmes rapides de *fast-pattern matching* (filtrage par motif utilisé dans la détection d'intrusion).

C'est une bande de *geeks* développant des logiciels de sécurité dans leur salon, mais le côté « entreprise » n'a jamais décollé.

Ralf-Philipp Weinmann est aussi de la partie. Il est aujourd'hui chercheur en cryptologie à l'Université du Luxembourg. Il a développé un programme de décryptage de données sur appareils Apple, utilisés aujourd'hui par la plupart des hackers de l'iPhone.

Pendant ce temps, Julian Assange s'intéresse en parallèle à la politique. C'est un homme de « challenge » qui se sent concerné par le monde. Il a le désir de faire ce que l'*Australian Labour Parti* faisait à ses débuts : s'occuper d'égalité. Julian Assange est le genre de personne qui peut dire « je vais faire ça » et le fait vraiment, pendant que les autres restent à discuter. Après avoir flirté à gauche, il s'est désillusionné. À la suite d'un meeting à Melbourne, il méprise la classe politique, disant que ce sont des esprits confus. Il voit le gouvernement comme une farce. Lui brillant *geek*, socialement maladroit qui veut plutôt interagir avec la machine qu'avec les gens, est aussi déterminé à changer le monde.

Ces amis le décrivent comme un homme qui ne sert pas de maître, un homme de la renaissance avec les outils du vingt et unième siècle à sa disposition. Il décide très tôt que le monde n'est pas juste, qu'il peut l'être et que l'Internet donne un moyen de créer un terrain de jeux de plus haut niveau en terme de justice. Il chemine naturellement vers une solution pour mettre tout cela en place ; lentement, sûrement.

En 2003, Julian reprend ses études et s'inscrit à l'Université de Melbourne, pour étudier les mathématiques et la physique théorique. Damjan Vukcevic, président du département de mathématiques de l'université, s'en souvient comme quelqu'un qui avait des vues politiques courageuses, une impressionnante connaissance des ordinateurs et une aura de mystère[4].

---

4 No secrets, Julian Assange's mission for a total transparency de Raffi Khatchadourian sur www.newyorker.com.

Assange ne sera jamais diplômé. Il arrête le cours, désappointé. Il voit tant d'étudiants et d'universitaires faire leur recherche pour le compte de la défense américaine et des agences d'espionnage. En 2004, avant de quitter l'université, il s'y retrouve en même temps que son fils, Daniel. Ce dernier a alors quinze ans, et il fait une première année de génétique. Dans une présentation de son parcours lors d'une conférence sur la démocratie, Julian dit avoir approché les neurosciences et la philosophie. Il précise également qu'il a fréquenté six universités. Aucune trace d'inscription réelle n'a pu être trouvée hormis celle de Melbourne. Il semblerait qu'il y ait simplement suivi quelques conférences. Est-ce la presse ou le personnage qui a tendance à globaliser l'expérience ?

En 2005, il part faire un *road trip* en moto sur la route d'Hanoi. Il souhaite d'abord suivre les traces du jeune Che Guevara puis il décide que, politiquement, il y a des nations plus intéressantes à visiter.

Les nids-de-poule dans la route attirent son attention. Ils la rendent non seulement dangereuse, mais ils sont également un vestige de la guerre se rappelant sans cesse à la mémoire de tous ceux qui l'emprunte.

Par analogie, Julian en rapporte une théorie de l'information. À partir d'une description physique de la formation des nids-de-poule, il en arrive à la conclusion qu'il faut agir au plus vite pour éviter de devoir entamer de grosses réparations plus tard. Malheureusement, on préfère rouler et penser à ses petites préoccupations au lieu de tenter de réparer la route. Et pourquoi pense-t-on plus à ses préoccupations ? Parce qu'on ne met pas l'accent sur l'impact possible de ces nids-de-poule à long terme.

Il fait cette allégorie pour en arriver au vrai problème : le manque d'informations. Le monde est fait de nids-de-poule informationnels ; si on est aveuglé par d'autres préoccupations, on les laisse se désagréger.

En décembre 2006, il écrit à un ami pour lui raconter son expérience à Hanoi. Il trouve son e-mail tellement bien écrit qu'il décide d'en faire un post sur son blog, dont voici l'analyse finale :

> *La prospective exige des informations fiables sur l'état actuel du monde. La capacité cognitive permet alors de faire des inférences prédictives et la stabilité économique de leur donner un foyer de sens. Ce n'est pas seulement au Vietnam, où le secret, les malversations et l'inégalité d'accès ont réduit à néant la première exigence de la prospective : (la vérité et rien qu'elle).*
>
> *La prospective peut produire des résultats qui laissent à tout le monde des intérêts consolidés. De même, l'absence de celle-ci, ou bien faire les choses stupides peut nuire à presque tous.*
>
> *Les informaticiens ont eu une grande expression de la dépendance de la prospective sur l'information digne de confiance ; « garbage in, garbage out ». Si les données entrées sont inexactes, le résultat de sortie sera nécessairement faux. Dans la NSA (l'agence de sécurité « technologique », le pendant informatique de la CIA) on utilise l'expression The Black Budget blues (qui désigne le budget secret accordé à la désinformation), mais l'expression est sans doute plus*

familière aux lecteurs américains sous forme d'« effet fox news ».

La FOX a été plusieurs fois accusée d'orienter ses informations vers la droite, au service des républicains et de faire plus de la propagande que du journalisme (un documentaire a révélé leurs pratiques).

La prospective est applicable avec la condition nécessaire qu'elle se fasse sur base de la vérité et rien d'autre. Julian explique ici que pour que les scénarii envisagés soient justes, il faut donc que les informations qui présentent l'état des lieux, les tendances et les phénomènes émergents soient justes. Si ce n'est pas le cas, les prédictions de notre futur possible sont faussées et nous nous préparons aujourd'hui à un demain qui ne correspond pas à l'état actuel de nos sociétés. C'est le phénomène de *garbage in, garbage out.*

Donner des informations au plus près du réel prend ici toute son importance, parce que la vision du futur que l'on se prépare est impliquée. Or, les États mentent et manipulent. Les médias déforment tout. Julian se donne une mission : livrer des informations de qualité. Le chemin vers WikiLeaks se trace devant lui.

LES MENTORS

Piètre disciple qui ne surpasse pas son maître.

– Léonard de Vinci

8

L'INFLUENCE MATERNELLE

« Tu seras un homme, mon fils ». Cette fameuse phrase que les pères prononcent à leur progéniture quand ils sentent qu'ils sont sur le chemin de l'âge adulte, Julian Assange ne l'a probablement jamais entendue. C'est sa mère, Christine, qui s'est occupée seule de lui après avoir rompu avec un jeune homme rebelle, nommé John Shipton, rencontré lors d'une manifestation contre la guerre du Vietnam.

À la fin des années soixante, dans le Queensland, au nord-est de l'Australie, Christine Hawkins a dix-sept ans ; elle habite chez ses parents, tous deux universitaires, Australiens d'origine irlandaise, ancrés dans les traditions. Son père, Warren, autoritaire, mène tout le monde à la baguette, tant à la maison qu'à l'université. Il est fort impliqué dans son travail où il est apprécié. Il est profondément persuadé du bien-fondé de l'éducation. Il rédige en 1978, le rapport de la conférence sur la formation des professeurs en universités régionales.

Christine, elle, a très tôt envie d'indépendance, de se mêler à cet élan de liberté qui baignait l'Australie, comme de nombreuses parties du monde, à cette époque. Elle se sent en rupture avec la rigidité parentale et les institutions.

Un jour, sur un coup de tête, elle vend ses peintures, brûle ses livres d'école, s'achète une motocyclette, une tente, une carte d'Australie et quitte ses parents, stupéfaits. Elle parcourt près de deux mille kilomètres et rejoint le mouvement de la contre-culture à Sydney. L'Australie a aussi des soldats au Vietnam, près de soixante mille, et les manifestations contre cette guerre sont passionnées. De nouvelles idées émergent. Diverses formes d'art peuvent s'exprimer et le rapprochement pacifique des peuples de la culture hippie replace la culture aborigène au centre des inspirations. Le mouvement étudiant mené par l'*Australian Union of Students* créera aussi son propre festival : « Aquarius ». D'abord à Canberra, puis à Nimbin, petit village considéré encore aujourd'hui comme la capitale hippie du pays, avec son incessant combat pour la légalisation du cannabis.

À la naissance de Julian, Christine s'installe à Magnetic Island, berceau de la culture hippie australienne. C'est son retour à la nature. Elle s'y sent en totale liberté. Elle aime aujourd'hui se remémorer cette belle époque où elle vivait avec d'autres mères célibataires sur les plages paradisiaques de l'île. Elle vit alors simplement de la vente des dessins qu'elle fait à l'ombre des figuiers banians. Elle loue un cottage à Picnic Bay. Elle promène son fils sur la plage, en ramassant ici et là, un *cypraea carneola* ou un cauris, ces coquillages des mers tropicales qui servent de monnaie dans certaines îles. Elle rend visite une fois par semaine, pour le thé, au vieux Pat, un ancien cuisinier qui vit dans une maison de pierres sur la pointe de Nobbys Headland.

Lorsque Julian a deux ans, Christine rencontre Brett Assange et part sur les routes avec son théâtre ambulant, pour une vie de bohème. Brett met en scène, Christine assure les décors, les costumes et les maquillages. Julian est alors le seul enfant dans ce monde d'artistes. Tantôt il fréquente l'école communale, tantôt il reçoit son éducation à la maison. Christine et Brett sont très occupés à faire vivre leur petite troupe. Ils préfèrent dès lors parler à Julian comme à un adulte, le responsabilisant très tôt pour augmenter son autonomie. Son enseignement, il le développe donc aussi en entendant ces adultes discourir d'art et de politique. Car Christine reste engagée et activiste. Elle participe aux différentes actions qu'elle croise et qui la touchent.

Une nuit à Adélaïde, quand Julian a quatre ans, sa mère et un ami reviennent d'un meeting de protestation antinucléaire. Un combat se mène déjà depuis plusieurs années pour faire admettre que le gouvernement anglais a conduit des essais nucléaires aériens dans le désert de Maralinga au nord-ouest de l'Australie pendant huit ans, déportant plus de cinq mille aborigènes de leur terre natale. Ce n'est qu'en 1993 que les Britanniques acceptent de débloquer un budget pour nettoyer la région. Cette nuit-là, Christine accompagne un ami qui lui assure avoir des preuves scientifiques de ces essais. En traversant les faubourgs d'Adélaïde, ils s'aperçoivent qu'ils sont suivis par une voiture banalisée. Se sentant en danger, l'ami, qui doit remettre ses preuves à un journaliste, saute de la voiture. Christine, pourchassée par la police, se fait finalement arrêter. Les policiers trouvent alors le jeune Julian dans la voiture et lui disent : « Vous avez un enfant dehors à deux heures du matin. Je pense que vous devriez arrêter la politique, madame ! »

Même si elle sera moins activiste après cet épisode, elle n'en restera pas moins convaincue de ses idées. De retour dans le refuge non conformiste de Magnetic Island, entre deux tournées, Christine confectionne des chapeaux à base de feuilles de cocotier et fait l'éducation de Julian en l'écartant de toute autorité, outil de destruction des jeunes esprits, selon elle.

Par la suite, son impétuosité envers le système se retrouve dans sa fuite face au père de son deuxième fils. Julian qui est terrifié par son beau-père vit avec un certain soulagement cette dérobade.

Plus tard, Christine pousse aussi Julian au plus loin dans son combat pour la garde de Daniel, son fils. Quels que soient ses combats, elle les mène avec ses enfants sous son aile, telle une louve protégeant ses petits et défendant son territoire, sa liberté de penser, et de vivre comme elle le sent, en bikini toute la journée si elle le souhaite. Toute entrave à la liberté est pour elle castratrice de l'intelligence et de la créativité. C'est dans cette optique qu'elle élève ses enfants.

Alors qu'ils vivent à Melbourne, Christine voit Julian s'intéresser de plus en plus aux ordinateurs et aller régulièrement au magasin en face de leur appartement. Dès qu'elle le peut financièrement, elle offre à son fils son premier ordinateur d'occasion.

Quelques années, plus tard, lorsqu'elle rencontre le juge Leslie Ross, qui lui explique que son fils peut être considéré comme un « drogué » des machines informatiques, elle reste stupéfaite, car elle n'avait pas vu la passion de son fils d'un œil critique.

Elle le défendra d'ailleurs, bec et ongle, certaine de la bonne foi de Julian et ne voyant aucun mal à ce qu'il exprime ses dons, fussent-ils un peu trop curieux.

Christine revient sur son combat libertaire en 2006, en organisant une « *Bikini March* », manifestation en vêtements de plage, dans les rues de Melbourne, en réponse à une parole sexiste d'un leader islamiste de la ville.

L'Imam Taj El-Din Hamid Hilaly avait déclaré dans son sermon de ramadan : « Si vous sortez une viande non couverte et que vous la placez dehors dans la rue, et que les chats viennent et la mangent... à qui est la faute, les chats ou la viande non couverte ? La viande non couverte est le problème. Si elle restait dans sa chambre, dans sa maison, dans son foulard (hijab) il n'y aurait aucun problème. »

Christine déclare alors à la presse, avec ferveur et sincérité : « Nous n'avons pas besoin de ça dans notre pays, nous avons un pays magnifique, des gens du monde entier viennent s'installer en Australie parce qu'ils veulent la liberté. » Cette femme de cinquante-cinq ans alors, déambulant dans les rues de Melbourne en bikini et paréo avec la pancarte « *He's not our mufti*[5] » va interpeller la conscience des Australiens.

---

5 « Il n'est pas notre mufti » Un mufti est un interprète officiel de la loi musulmane.

De nombreuses discussions sur Internet vont s'interroger sur son action. En effet, elle s'associe avec un ami, Chris Gemmel-Smith. L'homme possède une affaire de textile qu'il surnomme fièrement « *100 % Aussie*[6] ». Il crée à cette occasion un tee-shirt imprimé : « *Uncovered Meat*[7] ». Les internautes et bloggers débattent sur l'approche commerciale de cette marche en bikini pour Chris Gemmel-Smith. Ils finissent par qualifier les propos de Christine comme simplistes et populistes, montant en épingle cette affaire.

Ce mouvement sur Internet finit en agitation conspirationniste. Un leader nationaliste local se permet d'appuyer l'action et c'est, écœurée et fatiguée, que Christine annonce que la manifestation n'aura finalement pas lieu, de peur d'être récupérée par l'extrême droite.

Julian Assange a soutenu sa mère dans son action en lui créant un site Internet et en faisant la promotion sur son blog.

Christine Hawkins Assange a donc toujours partagé avec Julian ce désir de liberté individuelle, cette aversion contre les systèmes réducteurs et législateurs. Et comme lui, elle s'engage vite, avec ferveur, dans des actions et des propos, au risque quelquefois d'être mal interprétés ou accusés d'alliances douteuses.

---

6 « Australienne pure souche »
7 « Viande non couverte »

Cependant, comme Julian, elle peut demeurer maladroite dans sa défense, car en protégeant par-dessus tout sa vie individuelle, elle ne fait qu'épaissir le mystère autour d'elle.

Lors de cette campagne de diffamation, elle déclare qu'elle ne veut pas parler d'elle, qu'elle n'est qu'une grand-mère, qu'elle n'a aucun lien avec un quelconque parti. C'est ce mystère qui éveille toutes les théories, allant jusqu'à lui attribuer un deuxième degré de parenté avec Miss Univers 2004, Jennifer Hawkins !

Christine apparaît pourtant comme une femme avec des idées simples et des convictions humanistes. Elle mène seule depuis plusieurs années un théâtre de marionnettes en papier mâché qu'elle confectionne elle-même et remplit de joie les yeux de centaines d'enfants dans les écoles du pays.

Christine Assange aime les enfants et croit profondément en leur capacité à changer le monde. Elle définit d'ailleurs son art comme un spectacle de qualité pour enfants s'adressant à un public clairvoyant. C'est dans ces valeurs qu'elle a élevé les siens et elle a une confiance absolue en leurs choix. Elle déclare à Londres, en décembre 2010, alors qu'elle veut serrer son fils dans ses bras : « Je réagis comme toutes les mères le feraient... Il est mon fils et je l'aime. »

9

INSPIRATION ET RÉFÉRENCE

Henri Kissinger, conseiller en sécurité nationale du gouvernement Nixon, déclare : « C'est l'homme le plus dangereux d'Amérique ». Nous sommes en 1971, et l'homme dont il parle est Daniel Ellsberg, analyste militaire avec qui il a collaboré.

C'est l'affaire des *Pentagon Papers*[8] qui va propulser Ellsberg sur le devant de la scène et allumer la mèche qui mènera à l'explosion de l'administration Nixon.

Cette année-là, Daniel Ellsberg a juste quarante ans et il travaille depuis 1959 pour la RAND Corporation, institut de recherche définissant la stratégie militaire américaine de l'époque. C'est un homme intelligent, doué d'un esprit de synthèse acéré, qui a su démontrer son allégeance à son pays en intégrant les Marines à vingt-trois ans, comme chef de peloton, pendant deux ans. Après une première période à la RAND Corporation traitant de stratégie nucléaire, cet ardent patriote et anticommuniste travaille un an pour le Pentagone dans l'équipe du secrétaire de la Défense, Robert McNamara. Il y devient un des analystes les plus appréciés des tactiques de la guerre froide

8 « Papiers du Pentagone ».

et du Vietnam, obtenant, à trente-trois ans, le grade civil ultime GS-18, équivalent à un major général (deux étoiles).

Non content de se cantonner à la théorie, Daniel Ellsberg s'engage en 1965 pour le Vietnam et obtient un poste à l'ambassade américaine à Saigon. Il y étudie les méthodes de pacification sur les lignes de front pour le général Edward Lansdale, qu'il appréciera pour son engagement démocratique. Cependant, son patriotisme et sa formation militaire poussent Ellsberg à vouloir participer à plusieurs opérations de combat, malgré la réticence de son supérieur qui veut se rapprocher des Vietnamiens au lieu de les combattre. Il y déploiera une fureur étonnante à combattre Charlie[9].

En étant sur place et en se mêlant à la population, il comprendra que le processus de pacification ne pourrait fonctionner qu'en impliquant les Vietnamiens eux-mêmes.

De retour en 1967 à la RAND Corporation, Ellsberg travaille sur la conduite du conflit sud-vietnamien dans le McNamara Study Group. C'est là, grâce à son grade et sa mission, qu'il a accès à la documentation la plus secrète sur le sujet. Il s'aperçoit alors qu'un grand nombre de ses analyses, menées depuis toutes ces années pour l'armée américaine, peuvent servir à des fins beaucoup moins pacifistes et respectueuses des peuples, qu'il a imaginé, lors de son séjour au Vietnam. Son esprit se tourmente, assailli de questionnements et d'amertume. Il se rapproche alors d'événements pacifistes.

---

9 Charlie est le nom qu'il utilisait pour le National Liberation Front, organisation du Viet Cong.

En 1969, lors d'une conférence de la *War Resisters League*[10], il a une révélation : il entend un jeune homme revendiquer fièrement qu'il ira prochainement en prison pour désertion et non-soumission à son appel militaire. Cette décision d'aller délibérément en prison pour une cause qu'il croit juste, bouleverse Ellsberg, au point qu'il déclare ensuite :

« Il ne faisait aucun doute dans ma tête que mon gouvernement était impliqué dans une guerre injuste qui allait continuer et s'étendre. Des milliers de jeunes hommes mouraient chaque année. J'ai quitté l'auditorium et trouvé des toilettes désertées. Je suis resté assis par terre et j'ai pleuré pendant plus d'une heure. Ce fut la seule fois de ma vie où j'ai réagi de cette manière. »

Cette expérience émotionnelle le pousse à être plus critique sur son travail, essayant de comprendre les *hidden agendas*[11] possibles. Très vite, il comprend le plan de paix de Kissinger : exercer une pression sur Hanoi à travers l'URSS et la République de Chine et anéantir le Cambodge en le bombardant, au lieu de parlementer avec les Français. Il est révolté. À partir de ce moment-là, il compile un dossier entier pour tenter d'inverser le processus, mais Kissinger ne veut même pas y jeter un œil. Ce dossier, regroupant sept mille pages, décrit les analyses et les décisions confidentielles prises lors de la guerre du Vietnam, connues sous le nom de *Pentagon Papers*. Il décide de l'exposer

---

10 Ligue de résistance contre la guerre.
11 Les buts cachés.

au grand jour et il déclare à ce sujet : « J'ai senti qu'en tant que citoyen américain, citoyen responsable, je ne pouvais plus coopérer dans la dissimulation de cette information aux yeux du public américain. Je l'ai fait clairement à mes propres risques et je suis prêt à répondre à toutes les conséquences de cette décision. »

Ce choix n'a pas été facile à prendre pour un homme qui, lors de sa thèse en économie à Harvard, a créé une théorie de la décision, connue aujourd'hui sous le nom du paradoxe d'Ellsberg : lorsque des gens ont à choisir entre deux options, la majorité se décide pour celle dont la loi de probabilité est connue.

Daniel Ellsberg n'a sans doute pas cherché à connaître les probabilités de réussite ou d'échec de son entreprise. Il a agi par conviction et responsabilité. Pourtant, les premières fuites ont été laborieuses. Après avoir photocopié tous les documents sortis chaque soir de son bureau, avec ses enfants, et son ami et collègue Anthony Russo, il va remettre le dossier au sénateur antiguerre, William Fulbright. Celui-ci ne voit pas là un outil suffisant pour arrêter le conflit et n'en fait donc rien. Nous sommes en novembre 1969. Ellsberg essaie plusieurs pistes politiques et parlementaires, pendant plus d'un an, sans trouver une seule personne capable de le supporter. Il écrira plus tard :

« Les êtres humains sont des animaux de troupeau. Ils dépendent énormément de leur appartenance au groupe, et pour rester membres du groupe, ils feraient n'importe quoi. Et la façon la plus répandue de faire ça est de garder le silence. »

Il rencontre ensuite, le sénateur George McGovern, qui lui recommande de s'adresser à la presse et plus précisément, au *New York Times*.

Le dimanche 13 juin 1971, le premier article paraît. Long de six pages, les histoires et révélations défilent :

> *Harry Truman et Dwight Eisenhower ont engagé les États-Unis de l'Indochine à la France, JF Kennedy a modifié cet engagement en une guerre en utilisant « une stratégie de provocation » secrète qui a finalement conduit aux incidents du Golf de Tonkin, Lyndon Johnson avait prévu depuis le début de sa présidence de poursuivre la guerre, la CIA a conclu que le bombardement était complètement inefficace pour emporter la victoire...*

Ben Bradlee, du *Washington Post*, n'a pas eu le courage de s'engager quand Ellsberg est venu le voir. Pourtant, dès que le *New York Times* est attaqué par le gouvernement, le quotidien se mobilise pour assurer la parution des informations. La machine est lancée et l'administration Nixon ne peut arrêter la parution des articles, les uns après les autres. De nombreux journaux diffusent les informations – le *Boston Globe*, le *Los Angeles Times*, le *Chicago Sun Times*, le *St. Louis Post-Dispatch* – toujours alimentées par Ellsberg qui égraine ses fuites de la tanière où il se cache durant treize jours. Cette mobilisation autour du premier amendement de la Constitution est une véritable déclaration d'indépendance de la presse américaine à l'égard du gouvernement.

L'arrêté de la Cour suprême – qui établira que la sécurité nationale ne justifie pas, dans ce cas, la censure – sera fondateur de la liberté de la presse aux États-Unis.

La seule solution qui reste pour arrêter cette effusion est de s'attaquer à l'homme. Le traquer, l'arrêter et le discréditer pour atténuer l'impact de ce scandale.

Une équipe secrète est créée à partir de la Maison-Blanche même, elle a carte blanche pour trouver des éléments pour discréditer Ellsberg. Elle organise un cambriolage dans le bureau de son psychanalyste pour voler son dossier. C'est un échec. Cette équipe porte le nom de « *the White House Plumbers*[12] ». C'est elle qui cambriolera le bâtiment du Watergate un an plus tard, avec les conséquences qu'on connaît.

Le 28 juin 1971, Ellsberg se rend finalement au bureau du procureur national de Boston. Lui et son ami Anthony Russo sont accusés selon l'acte de 1917, d'espionnage, de vol et de conspiration contre l'État, risquant jusqu'à une peine possible de cent quinze ans de réclusion !

Ce n'est que le 11 mai 1973, à l'issue du procès, que Daniel Ellsberg est dégagé de toute accusation, suite à la découverte des nombreuses actions illégales menées par le gouvernement dans cette affaire. Outre le cambriolage échoué, des écoutes ont été prouvées, ainsi qu'une tentative de corruption du juge en lui proposant la direction du FBI. On apprend dans les mémoires de Gordon Liddy, chef des « *White House Plumbers* », que certaines autres opérations ont été aussi imaginées, comme verser du

---

12 Les Plombiers de la Maison-Blanche.

LSD dans le verre d'Ellsberg lors d'un dîner de charité, pour que ses propos lors de son discours soient incohérents, signe de faiblesses psychologiques ou d'une addiction aux drogues dures.

Daniel Ellsberg poursuit son activisme en participant à des articles, livres, conférences et débats télévisés. Il est un fervent opposant à la politique de George W. Bush, allant jusqu'à être arrêté en 2005 pour une protestation trop forte contre la guerre en Irak. Il fait aussi un appel à tous les informateurs en puissance pour émettre des fuites sur les plans de ce gouvernement quant à l'invasion de l'Iran. La fuite reste pour lui le meilleur moyen pour accéder à la vérité. Il a d'ailleurs pris position à plusieurs reprises pour des « lanceurs d'alertes ». En 2003, par exemple, il prend la parole quand une employée des communications du gouvernement britannique est arrêtée, soupçonnée d'avoir remis à la presse un mémo diplomatique top secret, qui fait état de plans de la NSA (*National Security Agency*). Ce sont des plans d'espionnage des délégués des Nations Unies, dans le cadre d'une nouvelle résolution concernant l'Irak.

« J'étais impliqué activement dans une chose en laquelle j'étais complètement opposé. Je veux que le monde voie la vérité… parce que sans information on ne peut pas prendre de décisions éclairées. »

Ces paroles sont celles de Bradley Manning, analyste militaire de l'armée américaine, qui est accusé d'avoir délivré plusieurs documents à WikiLeaks. Elles sont, mot pour mot, à l'unisson avec ce que Daniel Ellsberg a déclaré en 1971.

Julian Assange et Daniel Ellsberg ne se connaissent pas personnellement et ne se fréquentent pas. Pourtant, Daniel personnifie le mentor de Julian. Julian a une grande admiration pour son courage, sa rigueur et sa droiture. C'est en prenant exemple sur son action qu'il s'est lui-même dirigé sur sa route. Ellsberg a réussi à médiatiser son affaire. Cela lui a donné une notoriété qui fait de lui un homme respecté aujourd'hui parmi les penseurs de l'Amérique contemporaine. C'est un des buts de Julian : faire entendre sa voix.

Pourtant, en décembre 2006, Daniel Ellsberg ne répond pas à l'appel de Julian Assange, qui lui demande de faire partie du comité consultatif de la nouvelle organisation. Il n'y voit qu'un moyen technique sans réelle implication ou engagement démocratique. Il n'entrevoit pas encore les histoires humaines derrière cette façade technologique.

Bien sûr, s'il avait eu ces moyens pour les *Pentagon Papers*, il n'aurait pas passé ses nuits à photocopier, il n'aurait pas eu à arranger des rendez-vous secrets pour remettre les documents, ses partenaires n'auraient pas perdu de temps à traverser le pays pour ramener à la presse une caisse entière de dossiers à éplucher.

Julian Assange déclare : « Notre conviction est que nous pouvons faire un *Pentagon Papers* par semaine », reprenant ainsi les espoirs qu'Ellsberg avait lui-même exprimés. L'hommage est plaisant, mais il n'est pas homme de congratulations. Tout cela ne lui semble qu'une histoire de moyens. Où sont les réelles motivations de cette nouvelle organisation ? Qui sont les personnes derrière ?

Alors, Ellsberg attend, et observe ce site Internet qui délivre petit à petit des bombes informationnelles, de plus en plus retentissantes. Au début, il considère que les fuites de WikiLeaks représentent des informations de « bas niveau », trop brutes pour entraîner des changements radicaux. Quand on lui demande de comparer les *War Logs*[13] avec ses propres *Pentagon Papers*, il regrette que ces fuites ne soient que des notes militaires rédigées sur le terrain, comme il a pu en écrire quand il était au Vietnam. Il fait néanmoins remarquer que ces documents montrent la similitude entre la guerre d'Irak et celle du Vietnam.

Tout change à partir du moment où l'aventure WikiLeaks montre son visage humain. Ellsberg commence à sortir de sa réserve lorsque la vidéo *Collateral Murder* est diffusée, et que pour la première fois, un homme, Julian Assange, prend la parole au nom de WikiLeaks. Certains détracteurs, comme John Young, disent que ce n'est que lorsque la visibilité devient réellement médiatique que Daniel Ellsberg prend position. Mais il est devenu vraiment solidaire avec WikiLeaks quand il a reconnu en Bradley Manning, l'*insider* qu'il a été en 1969, effrayé par sa complicité dans les atrocités faites par son armée et son gouvernement. Il a commencé à crier fort quand il a reconnu en Julian Assange, le chevalier qu'il était en 1971, assailli par les accusations et aux prises avec des campagnes de discrédit : « Toutes les attaques faites aujourd'hui à l'encontre de WikiLeaks et Julian Assange

---

13 Ensemble des télégrammes de guerre ou des journaux de guerre publiés par WikiLeaks.

ont été faites contre moi et la diffusion des *Pentagon Papers* à cette époque. »

Daniel Ellsberg ne laisse pas le gouvernement américain condamner Julian Assange et Bradley Manning : « Les appeler terroristes n'est pas seulement une erreur, c'est absurde et diffamatoire. Aucun d'eux n'est plus terroriste que moi, et je n'en suis pas un. »

Le père spirituel s'est réveillé, offrant enfin une reconnaissance à celui qui n'a pas eu de guide, le poussant à croire qu'il peut s'offrir en sacrifice pour la vérité et être absout comme Ellsberg le fut en son temps.

LA TRAVERSÉE
DU SEUIL

*Avant notre venue, rien ne manquait au monde ;
après notre départ, rien ne lui manquera.*
– Omar Khayyâm

10

La genèse de WikiLeaks

Dans ses pérégrinations philosophiques, Julian Assange en est venu à penser l'Homme non plus comme une idée de gauche contre une idée de droite, ni comme la foi contre la raison, mais plutôt comme l'individu contre les institutions.

Après avoir lu Kafka, Koestler et Soljénitsyne, il croit que la vérité, la créativité, l'art, l'amour et la compassion sont corrompus par les institutions hiérarchisées[14].

Les voyages, son implication dans l'Internet pour tous, ses quatre années d'études ainsi que son action politique, représentent une somme d'expériences qui le poussent à envisager le monde dans une nouvelle dimension, plus globale.

Il réfléchit le monde entre philosophie et esprit scientifique. Et il veut partager cette vision, mêlant pensées personnelles et citations.

Julian Assange crée donc son blog en juin 2006 qu'il nomme, non sans humour, « I.Q. » pour *Intellectual Quotient*. Il fera également plus tard un post sur les potentielles significations de cet acronyme. Il apprécie particulièrement *Infinite Quest*,

---

14 No secrets, Julian Assange's mission for a total transparency de Raffi Khatchadourian sur www.newyorker.com.

International Question ou encore *Isaac's Quest*, faisant référence au personnage biblique de la Genèse. Dans la bible, Dieu demande à Abraham, le père d'Isaac, de sacrifier son fils unique. Abraham craint Dieu et lui obéit, mais une seconde avant le massacre, un ange arrête son bras et sauve Isaac. Durant la première et la deuxième croisade, Isaac fut considéré comme un martyr et un modèle à suivre. Il est celui qu'on sacrifie par crainte, et que Dieu sauve.

Assange commence un premier post par une citation de Douglas Adams, auteur et dramaturge anglais (mort en 2001). Citation qu'il s'approprie en omettant de citer l'auteur :

L'histoire des guerres modernes est subdivisée en 3 parties égales :
Châtiment : je vais te tuer, car tu as tué mon frère.
Anticipation : je vais te tuer, car j'ai tué ton frère.
Diplomatie : je vais tuer ton frère et après te tuer en faisant croire que c'est ton frère qui t'a tué.

Sa vision de la diplomatie et de la guerre se fait logique. Assange s'intéresse de plus en plus au fonctionnement des gouvernements. Il les analyse avec sa culture littéraire et sa sensibilité scientifique.

Julian épluche les rapports de projets de recherche au nom de code MDA904. Les rapports portant ce nom de code sont des documents de recherche commandités par le « *Maryland Procurement Office* », accusé aujourd'hui d'être un paravent de la NSA (*National Security Agency*), une des branches du service de renseignements américains.

En novembre 2006, Assange écrit un premier article, « State and Terrorist Conspiracies », à la manière d'un article de recherche. Il y décrit un rapport de mathématiciens ayant appliqué la théorie des graphes à l'analyse des conspirations terroristes.

En décembre 2006, Assange reprend l'analyse en l'appliquant aux conspirations d'États et écrit son manifeste titré : « La conspiration comme système de gouvernance ». Il étend là « cette compréhension des organisations terroristes et la retourne vers ses commanditaires : la transformer au couteau pour disséquer les conspirations utilisées, pour maintenir les structures de pouvoir autoritaire. »

Assange explique ainsi que les gouvernances illégitimes sont, par définition, « conspirationnelles ». Les fonctionnaires d'État qui collaborent dans le secret travaillent donc au détriment des populations. Selon lui, quand la ligne de communication interne des régimes est interrompue, le flux d'informations parmi les conspirateurs commence à disparaître. Lorsque le flux approche de zéro, la conspiration se dissout. Et les fuites deviennent une arme de la guerre de l'information.

Bien qu'Assange soit resté quelques années à travailler en tant que développeur, administrateur réseau et conseiller en sécurité, il se sent appelé à un avenir plus grand : percer au grand jour les secrets des États pour voir la véritable nature de la construction du monde, l'interaction géopolitique. Il est persuadé que le monde en serait révolutionné. Il se sent un devoir envers l'histoire.

Sa connaissance de l'informatique et son passé de hacker lui assure un pouvoir certain. Si un grand pouvoir implique de grandes responsabilités, Julian se sent celles de mettre ses capacités au service du plus grand nombre. Mener une action contre les conspirations, c'est mener une guerre contre le secret et inlassablement affaiblir les mauvaises gouvernances qu'elles soient étatiques ou institutionnelles.

Assange est totalement imprégné de l'éthique du hacker. Il croit que le partage de l'information est une puissante source de bien, et que c'est de son devoir de hacker, de partager son expertise en proposant des logiciels gratuits et en facilitant l'accès aux ressources informatiques chaque fois qu'il le peut.

C'est ce qu'il avait commencé avec Suburbia.

La plupart des hackers et des informaticiens du logiciel libre souscrivent à cette « règle » et beaucoup agissent dans ce sens en créant et en offrant des programmes. Certains vont plus loin et affirment que toute information doit être gratuite et que tout contrôle de la propriété est négatif.

L'homologie est fondamentale entre cette éthique et la philosophie que défend WikiLeaks : faire un outil de partage de l'information. La qualité de l'information est affirmée comme étant particulièrement déterminante. Quant à la « mauvaise information », elle est à combattre absolument.

WikiLeaks se préoccupe donc de livrer de l'information brute, de qualité, suivant les principes fondateurs de Wikipédia :

l'encyclopédisme (la connaissance offerte à tous), la neutralité de point de vue (l'information reste la plus pure), la liberté du contenu (le contenu peut être réutilisé), le savoir-vivre communautaire (l'éthique est assurée par les membres), et la souplesse des règles (les erreurs sont autorégulées par la communauté).

Cependant, concernant la nature du contenu visé par WikiLeaks – la question de la convergence avec le monde du journalisme, qui se préoccupe lui aussi de partager l'information – se pose.

À ses débuts, Julian ne se considère toutefois pas encore comme journaliste.

Il se sait capable de procurer aux journalistes de l'information de qualité. Il éprouve un désir ardent de rendre sa noblesse, à cette profession. Il croit en la presse libre (mission de Suburbia). Et il comprend aisément que la presse reste un moyen de diffusion de choix.

Pour un journaliste, une information de qualité répond à certains principes : sa pertinence est la première des vertus, mais l'information doit aussi attirer, donc toucher le lecteur. Les documents secrets qui concernent la façon dont le monde est gouverné, les grandes entreprises, les banques et les religions répondent à ces deux nécessités.

Le journaliste doit pouvoir s'appuyer sur une information fiable qui a été préalablement vérifiée.

WikiLeaks, avec son système de livraison anonyme, peut avoir des difficultés à se prémunir des fausses fuites.

Ensuite, libre au journaliste de choisir les informations qu'il souhaite traiter.

WikiLeaks ne souhaite pas se substituer au journalisme. Certains membres pensent tout de même que le journalisme traditionnel, tel qu'il existe actuellement, est en transformation, et ils ont peu confiance envers les grands groupes de médias (M.S.M. – *Main Stream Media*) aux prises à des pressions commerciales et politiques.

C'est pourquoi leur choix de diffusion se porte d'abord sur des médias alternatifs d'Internet. WikiLeaks souhaite faire naître un journalisme « intensifié », où les compétences et responsabilités se répartissent et où certains prennent des voies de traverse pour donner à penser au plus grand nombre.

Julian Assange ne cherche rien de moins que la plus grande collaboration avec des médias indépendants et foncièrement modernes, sur la base d'une information juste – qui n'a pas été trafiquée ni masquée par un quelconque secret – afin de pouvoir en sortir du sens, et davantage de vérité. Et que ceux qui participent aux rouages des machines de guerre doivent faire face à leurs responsabilités, peut-être même aux cas de conscience, dont ils étaient auparavant préservés par la nature du secret.

11

L'ORGANISATION

Julian Assange nourrit son plan depuis longtemps. En 2001 déjà, il cherche un serveur pour héberger du contenu critique. Il fait alors appel au réseau de hacking Cypherpunk pour héberger des documents et des images. Il fait partie de leur mailing-list où il partage ses pensées philosophiques, astuces de sécurité ou découvertes programmatiques, sous le nom de Proff. « Les contenus sont légaux pour le moment, précise-t-il, constitutionnellement protégés aux États-Unis. » « Si vous êtes heureux d'héberger cryptome.org, alors vous serez probablement heureux d'héberger ce matériel », écrit-il dans son e-mail de contact au réseau.

Cryptome est un site Web hébergé aux États-Unis qui collectionne des milliers de documents controversés ou censurés par divers gouvernements depuis 1996. Le propriétaire du site s'appelle John Young. Il est architecte à New York.

C'est tout naturellement que Julian Assange lui présente une demande d'aide pour lancer WikiLeaks en octobre 2006. Voici sa requête par e-mail :

Cher John,

Vous me connaissez sous un autre nom grâce au réseau Cypherpunk. Je suis impliqué dans un projet susceptible de vous intéresser. Toutefois, je ne mentionnerai pas son nom au cas où vous ne pourriez pas vous engager.

On parle ici de fuites massives de documents confidentiels, ce qui exige de trouver quelqu'un qui aura le cran d'enregistrer le nom du domaine .org à son compte. Nous voudrions que cette personne ne connaisse pas l'emplacement des serveurs principaux, qui sont par ailleurs camouflés grâce à des moyens techniques.

Nous envisageons que le site devienne un moyen de pression politique légale. La politique de mise en place du domaine .org exige que le profil du souscripteur ne soit pas falsifié. Il serait trop aisé de supprimer le domaine si personne ne s'en portait garant en tant que propriétaire. Cette personne n'a pas besoin d'une quelconque connaissance technique, ni de s'engager davantage dans le projet.

Serez-vous cette personne ?

John Young accepte et crée wikileaks.org, wikileaks.cn et wikileaks.info. Il reçoit alors un mot de passe pour la mailing-list des membres du projet WikiLeaks.

Chaque mail envoyé possède l'en-tête suivant :

Ceci est réservé uniquement à une mailing-list restreinte et confidentielle pour le développement interne de W-I-K-I-L-E-A-K-S-.-O-R-G.

Merci de ne pas mentionner ce nom directement dans les discussions ; faites simplement référence à « WL ».

Cette liste est hébergée par riseup.net, un collectif activiste à Seattle, bénéficiant des services d'un avocat aux reins solides.

Dans cette mailing-list, les membres collaborent au projet, donnent leur avis, apportent leurs réflexions sur l'identité visuelle du site, sa forme, sa réalisation, etc.

L'objectif est de coller à l'ergonomie d'un *wiki*, type de site Internet collaboratif, renommé pour son aspect graphique dépouillé, et sa simplicité. Les pages comportent des hyperliens qui renvoient les uns aux autres et dont le contenu (écriture, illustration, etc.) peut être modifié par tous les visiteurs des pages.

Il faut maintenant une illustration, un logo pour asseoir l'identité de WikiLeaks. Les discussions vont bon train sur la proposition envoyée par un certain « Ani Lovins » qui dessine le premier logo de WikiLeaks : la taupe.

Les e-mails s'échangent entre les membres de WikiLeaks, à travers le monde : les Allemands adorent, les Américains commentent et Ani Lovins explique : « Le groupe a déjà prototypé la plateforme ; certains détails techniques en matière de sécurité sont échangés. »

Tous les bénévoles de WikiLeaks ont un pseudonyme. C'est le minimum de garantie pour la sécurité. Pour se faire un nom sur Internet, Julian Assange donne les conseils suivant aux membres de WikiLeaks : « Le pseudonyme doit être facilement mémorisable. Il doit pouvoir s'écrire d'une ou deux façons, être de genre neutre ou masculin. Deux syllabes pour le prénom et une pour le nom donneront un meilleur pseudo, afin qu'il soit facile à retrouver même avec une faute d'orthographe. » En effet, les moteurs de recherche sont conçus pour faire du *stemming* : recherche sur le mot tel quel, sur les synonymes et les orthographes proches. « Le pseudonyme ne doit renvoyer que très peu de résultats lorsque vous tapez le nom complet dans le moteur de recherches Google. Si c'est également le cas pour le nom de famille, ce sera un "plus". Enfin, il doit être simple, et son propriétaire doit ressentir une certaine fierté à le porter. »
Voici la liste de quelques pseudonymes célèbres des membres de l'A.L.P. (*Australian Labour Parti*) que Julian donne en exemple, en précisant toutefois que tous les bons pseudonymes ne répondent pas forcément à toutes les contraintes citées précédemment : Hillary Bray, Spi Ballard, Lee Kline, Harry Harrison, Jack Lovejack, Larry Lovedocs, etc.
Dès que le membre de WikiLeaks crée son pseudonyme, il peut devenir visible, et pour divulguer ses informations, il lui faut un maximum de visibilité.

Intéressons-nous au nom d'Harry Harrison, le pseudonyme dont Assange s'est servi. Soulignons d'abord qu'Harrison est auteur de science-fiction ; son nom est donc naturellement référencé pour ses œuvres. Ensuite, c'est la première réponse qui apparaît lorsque ce nom est tapé dans Google. Par ailleurs, en commettant une faute d'orthographe dans l'appellation, toujours en respectant la phonétique, les liens référencés sur l'écrivain sont toujours placés en tête de liste. Il semblerait que nous ayons là le parfait pseudonyme pour se cacher !

Pour WikiLeaks, il est impératif de trouver le soutien auprès de personnes connues, respectables et sérieuses. Le 9 décembre 2006, Julian décide d'envoyer un e-mail à Daniel Ellsberg, son mentor, pour l'action qu'il a menée pour l'émergence des secrets. Il jouit par ailleurs d'une belle notoriété publique.

Cher M. Ellsberg,

Nous avons suivi avec intérêt et plaisir vos récentes déclarations sur la fuite de documents. Nous sommes arrivés à la conclusion que fomenter un mouvement d'envergure mondiale de fuite massive est l'intervention qui a le poids politique le plus visible pour nous. *

Nous croyons que la bonne gouvernance répond à l'injustice et pour cette raison une bonne gouvernance est une gouvernance ouverte.

Gouverner dans le secret est gouverner par conspiration et par peur. Peur, parce que sans elle, le secret ne sera pas gardé longtemps.

[...]

Quand la gouvernance est fermée, les yeux de l'Homme sont malades. Quand la gouvernance est ouverte, l'Homme peut voir et ainsi agir à transformer le monde en un état plus juste.

[...]

*Certaines données ont été interverties pour protéger certains individus sélectionnés, ordre aléatoire.

1) Architecte retraité de New York et facilitateur notoire de fuite
2) Cryptographe/programmeur européen
3) Physicien et illustrateur pacifiste
4) Conférencier en politique économique et auteur pacifiste
5) Programmeur/cryptographe/mathématicien européen
 (ancien de Cambridge)
6) Activiste/ spécialiste en sécurité et businessman européen
7) Auteur de software qui fait tourner 40 % des sites Internet mondiaux
8) Chercheur américain en mathématiques pures avec un background de criminaliste
9) Ex-hacker américain connu
10) Activiste pacifiste et cryptographe/physicien

*11) Cryptographe américain/européen et activiste/
programmeur
12) Programmeur pacifiste
13) Architecte pacifiste/conseiller en politique étrangère*

*Les nouvelles technologies et les idées cryptographiques
permettent non seulement d'encourager la fuite de
documents, mais aussi de la faciliter directement sur une
échelle de masse. Nous avons l'intention de placer une
nouvelle étoile de la politique au firmament de l'Homme.*

*Nous construisons une branche non censurable de
Wikipédia pour les fuites de documents ainsi que des
documents d'instruction civique et sociale, nécessaires pour
défendre et promouvoir le site.*

*Nous avons reçu plus d'un million de documents de treize
pays, bien que notre publicité n'ait pas été encore lancée !*

Nous vous approchons pour deux raisons :

*Premièrement, nous sommes passés de « prospectif » à
« projectif ». Nous avons fait un prototype de la technologie
de base et nous avons une vue sur la façon de procéder
politiquement et légalement. Nous avons besoin d'émouvoir
et d'inspirer les gens, gagner des volontaires, des fonds
et ensuite mettre en place les défenses politico-légales
nécessaires et de déployer. Puisque vous avez réfléchi mieux
que personne au sujet de fuite, nous souhaitons vous avoir
à bord. Nous aimerions vos conseils et nous aimerions que
vous fassiez partie de notre armure politique. Plus nous
avons d'armure politique, particulièrement des personnes
honorées par l'âge, l'histoire et l'élégance, plus nous*

pourrons agir comme d'imprudents jeunes hommes et nous évader grâce à cela.

[...]

S'il vous plaît, dites-nous ce que vous pensez. Si vous êtes satisfait, nous vous ajouterons dans notre mailing-list interne, nos contacts, etc.

Solidarité,

WL

Le poids d'une figure comme Ellsberg est idéal pour le mouvement. Il assurerait la crédibilité du site et leur laisserait une latitude plus grande pour agir comme ils le souhaitent. Cet e-mail montre que toute la structure a déjà été pensée. Il leur faut de la crédibilité publique et politique, et également des incitations à donner des renseignements. Leur façon de motiver leurs informateurs est de décerner des prix « Ellsburg », c'est d'ailleurs la deuxième raison invoquée pour contacter cet homme. Ils ont également l'idée de « régionaliser » le prix afin d'inciter le mécénat.

Dans l'attente d'une réponse de Daniel Ellsberg, la mise en place du site continue. La préoccupation principale de membres de WikiLeaks de la première heure est de faire connaître l'organisation. Ils reçoivent en décembre 2006, une invitation à participer au *Forum Social Mondial* qui doit se tenir à Nairobi (Kenya), du 20 au 25 janvier 2007. Ils y voient un moyen de promotion et décident de démultiplier leur apparition chaque jour du forum.

Le 13 décembre 2006, Julian écrit à un proche pour l'inviter dans le comité consultatif de WikiLeaks. Il y raconte en préambule son voyage de 2005 à Hanoi, et ce qu'il y a vu. Imbibé de cette problématique du manque d'informations, il fait la connexion avec les souvenirs d'Hanoi. Le récit de voyage se transforme alors en une longue analyse politique et lyrique, qu'il trouvera tellement forte, au point d'en faire un post sur son blog : « *Road to Hanoi* ».

À WikiLeaks, ils ne sont pas si naïfs. Ils mènent une guerre, et le nerf de la guerre, c'est l'argent. Il faut donc en trouver. L'argent déterminera, avec le nombre de bénévoles, l'ampleur de leur action.

Un des équipiers rapporte l'histoire d'un homme qui aurait pu demander trois millions de dollars américains à George Soros, pour le développement d'un système de gestion de l'anonymat sur Internet (concurrent de Tor, utilisé par WikiLeaks).

George Soros est un financier milliardaire américain, d'origine hongroise, devenu célèbre pour ses activités de spéculation sur les devises (qui ont mis à mal la banque d'Angleterre en 1992) et ses activités de philanthropie. Outre ces activités, il a créé la fondation *Open Society* qui supporte les actions de démocratisation principalement en Europe Centrale et de l'Est. Les détracteurs de George Soros critiquent les agissements de son fonds d'investissement domicilié dans le paradis fiscal de Curaçao (Antilles néerlandaises). Curaçao est reconnue comme étant l'un des plus importants centres de blanchiment d'argent issu du narcotrafic. En opérant à partir de Curaçao, Soros garde le secret sur la nature de ses investisseurs ainsi que sur l'utilisation de l'argent du fonds d'investissement. Un homme de secret serait-il à même de sponsoriser le mouvement qui se donne pour but de révéler les malversations cachées ?

L'idée est controversée dans les rangs de WikiLeaks, mais elle n'est pas rejetée !

Les débuts sont difficiles. Les membres de WikiLeaks ne sont pas encore très sûrs d'eux, en ce qui concerne la rédaction des leaks. Ils sont friands de conseils, et Daniel Ellsberg n'a toujours pas répondu. Ils décident d'utiliser la voie postale.

Plus tard, ils reçoivent un e-mail d'un expert en communication qui les conseille sur la rédaction d'un leak sur la Somalie, venant de Chine. John Young, habituellement très discret dans la liste, met sérieusement l'équipe en garde sur ce leak. Et s'il était faux ? Il faut être plus vigilant.

Les échanges d'e-mails vont bon train. Une personne analyse le leak pour John Young : contenu, contexte local en Somalie, traduction, provenance (apparemment de la diplomatie chinoise). John Young est rassuré et donne ses conseils sur leur publication.

Assange le remercie en des termes lyriques et flatteurs :

John, tu te poses là en exemple pour nous tous, humble foule, et élèves nos esprits avec tes douces paroles.

Gardons haut nos espoirs, nos e-esprits corpusculaires; projetons nos colères, notre courage – et notre feu – pour lécher le papier moite de la barbarie jusqu'à ce qu'elle nous saisisse, et nos cœurs se réchaufferont par la conflagration (embrasement général, NDA) des mensonges qui gouvernent le monde. Que nos sourires soient réveillés par les fleurs de la transparence sortant des cendres du dessous.

Nous sommes déterminés à agir, au plus haut de nos capacités : un homme qui assiste à l'injustice, mais qui n'agit pas, devient une partie de la cascade d'injustice, par la diminution itérative et l'anéantissement de son personnage.

Nous constatons que le style d'écriture de Julian Assange est imagé, dramatique et grandiloquent. Tous les membres de WikiLeaks prennent en compte les considérations de mise en place d'un site avec des risques de répercussions qu'ils savent énormes, dangereuses et compromettantes pour chacun d'entre eux.

Voir passer un e-mail avec ces formulations tel un prêche, laisse songeur. Julian Assange nous semble soudain hors du réel, presque mystique, dans son désir fervent d'embraser le mensonge !

Noël 2006. Les membres de WikiLeaks se sentent prêts pour leur premier leak. Mais ils ont besoin d'appui, de relais d'informations, de connaisseurs. Julian réfléchit aux partenaires à utiliser pour diffuser les rapports de WikiLeaks. Il ne souhaite pas faire appel à la grande presse *Mainstream*. Il croit que l'avenir du journalisme se trouve sur Internet. Alors il pense à CounterPunch. CounterPunch est une newsletter bimensuelle qui paraît sur Internet. Ses éditeurs se targuent de raconter les histoires que la presse corporatiste ne raconte pas et d'être ainsi révélateurs de scandale. Ils apprécient particulièrement d'offrir des informations à leur lectorat pour se battre contre les machines de guerre, les grandes entreprises.

Julian ne s'arrête pas à sa première idée et demande à tous les membres de WikiLeaks de réfléchir aux autres alternatives à CounterPunch. D'autres propositions, comme « znet », « zmag », « csmonitor », « village voice », « aljazeera », arrivent, mais les décisions ne seront pas fermement prises. Ils se préoccupent plus des problèmes de traçage des documents par rapport au format utilisé (PDF, Word, etc.).

WikiLeaks bénéficie de soutiens en Chine qui leur fournissent cette information : le 26 décembre, un e-mail arrive reprenant une correspondance de Somalie vers leur ambassadeur en Chine. Cela les oblige à modifier le document qu'ils prévoyaient de publier. Ils s'épanchent sur le contenu des informations et l'un d'entre eux écrit : « Espérons que cela apporte le secours aux pauvres Somaliens. Ils en ont besoin. »

La recherche du comité consultatif continue au moyen d'un e-mail modèle, envoyé à toute personne susceptible de faire partie de celui-ci :

Sujet : Question comité consultatif (WikiLeaks)
XXXXXXX, merci de passer ceci à la personne pertinente (si ce n'est vous ?).

WikiLeaks développe une version non censurable de Wikipédia pour la fuite massive et non traçable de documents. Nos premières cibles sont les régimes hautement oppressifs en Chine, Russie et Asie centrale, mais nous nous attendons aussi à avoir l'aide de ceux qui à l'ouest souhaitent révéler les comportements non éthiques dans leurs gouvernements et corporations. Nous visons un impact politique maximum.

Les moyens technologiques sont (comme Wikipédia) rapides et utilisables par des personnes sans connaissances techniques.

Nous avons reçu plus d'un million de documents. [...]

(http://wikileaks.org/)

Nous pensons qu'assurer une manière, fiable, simple et encensée par tous, de diffuser massivement des documents non censurables et analyses top secret est le moyen le plus efficace et rentable de générer une bonne gouvernance.

Nous recherchons une bonne gouvernance, car une bonne gouvernance ne se contente pas de veiller à ce que les trains arrivent à l'heure. Une bonne gouvernance répond à la souffrance des gens. Une bonne gouvernance répond à l'injustice. Nous cherchons les membres de notre comité consultatif pour nous conseiller politiquement puisque notre force se révèle être dans la construction de large projet technique tel que Wikipédia. En particulier, nous attendons des conseils sur :

1. Comment WikiLeaks peut vous aider en tant que journaliste et utilisateur de fuites ?

2. Comment WikiLeaks peut motiver, protéger et aider vos sources et les personnes assimilées comme telles ?

3. Qui sont les autres « bonnes » personnes à approcher, en tant que prête-noms et en tant que volontaires ?

4. Quel est votre conseil sur le cadre politique et les levées de fonds possibles ?

Nous nous attendons à des réponses féroces à moins que WikiLeaks puisse donner un cadre plus noble (centré sur les droits humains, la démocratie, la bonne gouvernance et en cerise sur le gâteau le projet de liberté de la presse versus les hackers font encore des siennes.)

Notre réputation initiale nous vient du succès de Wikipédia, mais nous ne sentons pas que cette association peut nous protéger suffisamment par elle-même. Une organisation d'appui public comme FAS (Federation of American Scientists), qui est en plusieurs points, honorable et vitale pour notre survie. Une condition de poste dans le comité consultatif, au moins initialement, sera en tant que

bénévole, mais nous espérons que la fonction puisse avoir
un intérêt considérable pour vous.

Cet e-mail nous montre combien les questions de sécurité préoccupent les membres de WikiLeaks dès le début. Ils savent tous qu'ils s'engagent avec du matériel hautement « inflammable ». Les informations qu'ils détiennent sont des bombes à retardement, ils en ont une grande conscience.

Quelques jours plus tard, ils reçoivent un e-mail avec des questions sur leur approche éditoriale. Serait-il contre le fait de publier des données privées? Leur réponse rapide promet une autocensure collaborative à la manière de Wikipédia. WikiLeaks n'a donc pas réellement d'approche éditoriale, mais essaie d'avoir une éthique partagée entre tous ses membres. Ces derniers expliquent la nécessité de communiquer massivement au plus vite.

Le 29 décembre 2006, WikiLeaks dispose seulement d'un comité consultatif potentiel. Julian Assange propose donc de contacter Soros. Les membres sont ouverts à l'idée, mais John Young leur explique que Soros s'engage seulement en fonction de qui fait déjà partie du comité. WikiLeaks tourne en rond. Et à cette date, il ne comporte fermement que trois personnes, dont John Young. Daniel Ellsberg n'a toujours pas répondu.

12

LE PREMIER LEAK

Des documents sont arrivés d'un contact de Chine quelques semaines auparavant. Le sujet : la Somalie.

Ce pays d'Afrique de l'Est a subi en juin 2006, une série d'affrontements entre l'Union des tribunaux islamiques et les membres de l'Alliance pour la Restauration de la Paix et Contre le Terrorisme. L'ARPCT, alliance entre les chefs de guerre et le gouvernement de la Somalie, est soutenue par Washington. L'Union des tribunaux islamiques a remporté la victoire et pris le contrôle de la capitale Mogadiscio.

Fin décembre 2006, l'armée éthiopienne intervient et les tribunaux islamiques fuient la capitale. L'armée prend ainsi le contrôle de la majeure partie du territoire et le gouvernement de transition se déclare gouvernement de facto du pays.

Ce premier leak, au style d'écriture universitaire, est rédigé par un membre de WikiLeaks. Il explique :

« Le document présente en détail des stratégies pour ébranler et vaincre des factions rivales, incluant des assassinats et une coopération avec des criminels. Le secret de ce document est accentué par sa dernière assertion : "Peu importe l'origine de cette information, la personne trouvée coupable devrait être fusillée". L'absence de scrupules pour certaines des stratégies recommandées est sûrement la justification d'un secret aussi lourd. Mais si ce secret peut être considéré au pied de la lettre comme une déclaration stratégique et politique, il jette le doute sur les allégations des États-Unis affirmant que l'Union des tribunaux islamiques est une organisation terroriste qui planifie des attentats suicides au Kenya et en Éthiopie, et démontre que la situation en Somalie est plus compliquée que ce que les États-Unis, l'ONU ou les porte-paroles islamiques voudraient nous le faire croire. »

Il se trouve en proie au doute par rapport à l'écriture de son article, et se livre dans une note, aux membres de WikiLeaks, en ces termes : « J'ai trouvé assez difficile d'écrire cela. Pas sûr de quelle approche prendre. J'ai fini par quelque chose de long ». Effectivement, l'article comporte quatorze pages.

Le voici confronté à l'information et à ses réalités. Comment la comprendre dans son contexte ? Il précise : « Pour discuter le document significativement, je pense qu'il faut retracer l'historique avant. Je pense aussi que les gens devraient être renseignés à propos de toute l'affaire. Malheureusement, cela signifie qu'il faut faire un détour, que nous ne pouvons relater directement dans notre document. Il est un point sur la stratégie des Tribunaux Islamiques depuis 2005, et les Tribunaux sont devenus une force militaire seulement depuis 2006. »

L'idée phare de WikiLeaks est de diffuser la fuite reçue. Ainsi, l'auteur de l'article poursuit : « tu dois commencer avec la pertinence du document ; alors faire un retour et discuter de l'histoire ; ensuite discuter le document et ses significations. Cela signifie que la structure est un peu déplaisante. Et il ne sait pas quoi faire d'autre », avoue-t-il dans son introduction.

Le document-fuite en lui-même ne signifie rien, sans connaissance des interactions politiques qui se jouent entre la Somalie et les pays alliés et ennemis. Par ailleurs, plongé dans une réalité politique, il devient tout à coup plus difficile d'orienter un point de vue. Notre rédacteur se sent obligé d'aller vers un message du genre : « c'est plus compliqué que ça ». Car il ne trouve aucune « belle » doctrine dans ce document. Raisonnablement, il ne veut pas glorifier un mouvement à doctrine islamiste ni le dénoncer comme terroriste, quand ce n'est pas complètement le cas, ce qui ne ferait que lancer de l'huile sur le feu de la propagande américaine.

Le 19 décembre, les membres de WikiLeaks reçoivent un message d'un expert en communication qui délivre ses conseils pour la publication du leak et de son contenu. Il les conseille sur l'accroche du lecteur pour s'assurer d'être lu jusqu'au bout : être percutant dans son style et dans le ton dès le début, ajouter d'éventuelles connexions avec des événements récents ou marquants, impliquer le lecteur par des questions, optimiser la lisibilité en évitant les acronymes peu connus.

Le choix des mots devient délicat et questionnant. « J'ai mentionné la partie "should be shot" mais seulement quelques fois. Le faire plus pour un but sensationnaliste ? En faire moins pour protéger les victimes potentielles en Somalie ? Comme nous en avons discuté, le temps des conséquences quelles qu'elles soient est probablement passé, mais cela reste à considérer. », dit-il. WikiLeaks a décidé que l'heure de vérité était arrivée. Ses membres savent donc bien le risque qui peut découler de ces activités pour les protagonistes liés au document. Mais le choix entre protection et vérité est entériné.

Pour qui et comment écrire ce document ? Pour donner certes, de l'information de qualité, mais à qui ? Un public de journalistes, de citoyens ? Comment introduire le document brut ? Écrire, c'est communiquer. Et communiquer demande un choix de style. Or, à ce moment-là, WikiLeaks ne sait pas encore où publier ses documents, à qui va servir le site et ce qu'il adviendra des informations qui y seront déposées.

Lorsque notre auteur propose son article aux autres membres de WikiLeaks, il y inclut des notes en bas de page, précisant qu'elles permettent aux membres de connaître ses références et qu'elles ne doivent pas forcément apparaître dans la version publiée. Cela nous permet de constater que les sources, excepté celles de Wikipédia, sont bien souvent journalistiques, en particulier celles de la BBC pour cet article-ci. BBC qui est reconnue pour son journalisme de qualité et ses investigations.

L'écart se réduit entre WikiLeaks et le journalisme, car il s'agit bien là d'un article, qui pour être compris dans son ensemble, nécessite non seulement des références et la compréhension d'un contexte déjà expliqué par des journalistes, mais également une écriture qui tient compte du lecteur.

Le document est approuvé, et fin décembre, les membres de WikiLeaks envoient leur premier document sur la Somalie aux partenaires sélectionnés : CounterPunch et les autres. Mais aucun d'eux ne publie l'article.

Julian s'étonne de n'avoir ni accord, ni rejet. Cette période de l'année n'est pas propice, et la longueur de l'écrit est trop importante. De plus, WikiLeaks n'est pas reconnu comme fournisseur habituel d'articles. Assange doit trouver un intermédiaire.

Cependant, le 3 janvier 2007, ce premier article est posté sur un blog édité par Steven Aftergood. Depuis 1991, Aftergood est éditeur de la newsletter « *Secrecy news* ». Il est directeur de la Fédération des Scientifiques Américains (FAS). S'appuyant sur le premier amendement de la constitution américaine (loi qui interdit au Congrès des États-Unis d'adopter des lois limitant la liberté de religion, d'expression, la liberté de la presse ou le droit de rassemblement pacifique), il milite contre l'arbitraire du gouvernement américain dans la classification de documents jugés secrets. Il publie sur son site des informations sensibles ou prétendues comme telles. Il estime contribuer ainsi au bon fonctionnement de la démocratie, tout en précisant qu'il n'est pas un ennemi du gouvernement.

Il n'est pas d'accord avec la ligne éditoriale de WikiLeaks et en fait directement état dans son blog : « Pour moi, la transparence est un moyen, pas une fin. La fin est de vivifier la vie politique, les institutions responsables. C'est une opportunité pour l'engagement du public. Pour eux, la transparence et l'exposition semblent être une fin en soi ». Il décline donc son engagement dans le comité consultatif en divulguant certains passages des échanges d'e-mails qu'il a entretenus avec les membres de l'organisation.

Il soutient néanmoins l'action en faisant un lien sur son blog vers ce premier post sur la Somalie.

À partir du 4 janvier 2007, WikiLeaks reçoit des e-mails de journalistes qui ont entendu parler du site. C'est le début d'une série de requêtes d'informations de la part de la presse (principalement des journalistes indépendants qui travaillent pour des journaux scientifiques, mais aussi des correspondants du *Federal Times*, *Technology Daily*, *Wired News*).

Ils s'aperçoivent que le post dans le blog suscite déjà beaucoup d'intérêt auprès de la presse. Ils doivent très vite préparer des réponses à toutes ces questions. Les demandes portent principalement sur eux et sur WikiLeaks, et très peu sur l'information qu'ils ont mise à disposition.

Ils sont heureux des bénéfices que cette mise en ligne peut apporter, notamment pour la visibilité. Mais les risques qui peuvent en découler les effraient quelque peu : la surveillance par le gouvernement entrainant d'éventuelles poursuites qui nécessiteraient l'appui d'avocats. Ils n'ont d'ailleurs toujours pas de comité consultatif conséquent pour répondre aux attaques. Au départ, ils décident de donner suite aux questions au cas par cas. Mais la tâche demande trop de temps et les questions se recoupent. Alors, ils préparent un e-mail formaté reprenant toutes les ambitions de WikiLeaks. Ensuite, ils choisiront l'option de rédiger un communiqué de presse et de le diffuser.

John Young est déçu par l'attitude de Steven Aftergood. Il n'aurait pas dû annoncer que le site wikileaks.org était actif ni que le premier document était libre d'accès. Aftergood a lâché l'information, suivi de propos contre la vocation de WikiLeaks. En effet, il fait des commentaires dédaigneux envers WikiLeaks et laisse paraître que sa propre activité est plus honorable et respectable. « Les reporters sont en compétition avec WikiLeaks en tant que gardiens du secret et colporteurs de l'information. Ils veulent apparaître comme étant les arbitres décisionnaires de quelle information doit être publiée ou pas. », dit John Young. Il ajoute : « Certains d'entre eux promettent de donner l'information et font le contraire. » Il livre, lui aussi, sur son propre site, de l'information brute comme WikiLeaks. La discorde se joue donc au niveau rédactionnel.

Young est vraiment fâché du fait qu'Aftergood ait divulgué des informations internes à WikiLeaks, alors que l'organisation l'a contacté en toute bonne foi. Lui a répondu publiquement en les accusant de mettre des informations non filtrées et donc dangereuses. Par ailleurs, dans l'appel au comité consultatif, l'équipe fait référence à John Young et à Daniel Ellsberg. Aftergood devient maintenant « dangereux » avec les informations qu'il a reçues. John Young met l'organisation en garde contre l'utilisation des informations privées comme moyen de recrutement.

Des agents des autorités gouvernementales scrutent l'intérieur de WikiLeaks par l'entremise de journalistes, supporters, donateurs ou membres du comité consultatif. C'est coutumier pour ceux qui espèrent constituer une force d'opposition. Ils doivent s'attendre au mensonge, à la contrefaçon, à la traîtrise et à toutes les méthodes employées pour supprimer les dissidents. Ils doivent s'attendre au persiflage, aux insultes, au ridicule, à l'admiration, au scepticisme. Pour John Young, il faut garder un maximum de discrétion, sinon WikiLeaks sera condamné. L'anonymat doit être conservé pour chaque communication avec la presse et les recrues potentielles.

C'est Young qui a déposé le nom de domaine wikileaks.org. Le nom du site est enregistré à la NSI Network Solutions qui gère les noms de domaines Internet. En tant que « propriétaire », ses coordonnées sont dans les listes WHOIS (littéralement : *Who is*, soit, qui est-ce, base de données des sites existants consultables par le public) de cette société privée. Alors, moins il dispose d'informations sur les membres de WikiLeaks, mieux c'est.

Les membres de WikiLeaks paniquent devant l'intérêt soudain des journalistes. Ils ne s'y sont pas réellement préparés. Ils répondent aux reporters se justifiant de n'être pour la plupart que des mathématiciens.

Il leur est demandé si les documents en leur possession sont des documents émanant directement des gouvernements occidentaux. Mais ce n'est pas le cas. Les journalistes occidentaux seraient-ils à tout prix à la recherche d'un scandale? Ils reçoivent des retours de sites comme POGO (*Project On Government Oversight*, association américaine non lucrative, indépendante, qui enquête et expose sur son site pogo.org, les corruptions et les malversations dans le but de construire un gouvernement fédéral efficace, responsable, ouvert et éthique), réputé pour sa critique. Ils leur demandent leur soutien suivi d'une requête de participation au comité consultatif. Des journalistes leur envoient leur article sur WikiLeaks. Ils sont satisfaits des premiers échos, mais souhaitent être plus vigilants quant à leur communication. Ils doivent surveiller l'utilisation de leur déclaration. L'amélioration proposée est la réponse aux questions, avant qu'elles ne soient posées.

Le 5 janvier 2007, ils décident de publier une Foire Aux Questions (FAQ) au plus vite pour répondre aux questions non encore posées et rattraper certaines interprétations exagérées ou erronées déjà publiées.

À cette même date, les membres de WikiLeaks s'aperçoivent que quelqu'un a enregistré le nom de domaine wikileaks.net. Au début, toujours très ouverts, ils pensent que cette personne veut les aider et devenir un relais. Il s'agit en fait de Jimmy Wales, cofondateur de Wikipédia, qui s'est empressé de réserver ce nom pour monter un coup commercial.

Ils reçoivent aussi une offre d'une jeune start-up qui leur propose de créer un outil de commentaires en ligne. Bien qu'ils soient assez experts pour créer ce qu'ils veulent comme outils, ils ne dénigrent pas l'offre et restent très courtois. Toute forme d'aide est la bienvenue, car le travail est d'une ampleur considérable.

Ils reçoivent une réponse à « Question comité consultatif » du coordonnateur du site de *Freedom House*, une ONG qui aide à l'établissement d'institutions libres dans le monde. Elle est cependant subventionnée par la NED[1] et accusée d'être un bouclier de la CIA.

Freedom House trouve la demande intéressante et précise qu'elle va y réfléchir.

L'e-mail de requête a été envoyé par Julian sans l'accord des autres membres avec l'idée de tester la fondation qu'il considère quelque peu « conspirationnelle ». Celle-ci pourrait très bien se retrouver victime de fuites sur WikiLeaks ! Connaître ses ennemis de l'intérieur pour mieux les combattre est une technique de manipulation bien connue des stratèges. Et Julian en est un. La connaissance du milieu des organisations, de leurs liaisons et de leurs sponsors est nécessaire pour mener justement son action. Qui ment ? Qui dit la vérité ? Qui est transparent ? Qui manie le secret dans le but de gripper les machines gouvernementales ? Les liens entre pouvoir, fondations et organisations sont à démêler pour faire des choix judicieux.

Parfois, les réponses à la demande de participation au comité consultatif sont étonnantes. Assange informe donc les autres membres de WikiLeaks de cet envoi, puis donne ses commentaires sur leur réponse en ces termes :

---

1 Le National Endowment for democracy ou dotation nationale en faveur de la démocratie, est une association à but non lucratif des États-Unis qui a pour fonction d'éduquer et de former à la démocratie à travers le monde. Fondée en 1983, la majorité de ses fonds provient du département d'État des États-Unis, avec approbation du congrès. Par cette approbation, le gouvernement se dégage de toute responsabilité directe des agissements de la NED. Source Wikipédia.

Désarmant. FH avec la NED sont des blanchisseurs notoires de l'argent des US et de la CIA. Le but n'est pas de les accepter bien que cela puisse être intéressant, mais de leur faire sentir que nous sommes du même côté par notre première approche et les ennemis de mes ennemis sont mes amis.

Le 7 janvier 2007, les membres effectuent les dernières retouches au site de WikiLeaks et demandent encore de l'aide, car ils sont débordés. Ils préparent le lancement en mettant en place un réseau de correspondants téléphoniques dans le monde entier pour répondre à la presse.

Ce même jour, Julian fait circuler un e-mail qui établit un point sur l'entreprise WikiLeaks : « Si elle reste petite comme aujourd'hui (un budget de USD $ 50.000 par an et des bénévoles), le résultat sera intéressant mais loin des ambitions de chacun. Le but serait plutôt de partir avec de "l'artillerie lourde (sic)" et envisager un budget de USD $ 5 millions avant fin juillet. »

John Young répond violemment :

Ce chiffre est de la folie. Il fera passer WikiLeaks pour une escroquerie. Ce montant pourrait faire suspecter des objectifs suspects. Soros vous bottera hors de son bureau avec une telle demande. Les fondations sont inondées de beaux parleurs avec de grandes requêtes vantant des noms connus et promettant des résultats spectaculaires !

Je dis la même chose au sujet des prétendus 1.1 million de documents prêts à fuiter. C'est trop incroyable sans preuve. Je ne crois pas ce nombre. Jusqu'ici, nous avons un document d'une origine hautement suspecte.

[...]

À ce moment-ci, il n'y a pas de raison de croire que WikiLeaks peut tenir ses promesses. Grandes paroles et pas d'action, diront les sceptiques.

Les plus grands escrocs se vantent de l'éthique de leurs opérations. Évitez les promesses éthiques, elles ont trop souvent été utilisées pour voler les victimes. Montrer un comportement éthique, ne pas le colporter.

La CIA serait le plus vraisemblable donateur de 5 M$. Soros est suspecté de blanchiment d'argent.

Maintenant, c'est peut-être ça l'intention de WikiLeaks, parce que ses comportements en prennent jusqu'ici la forme.

Si rançonner la CIA est le but, je vous presse de mettre l'objectif beaucoup plus haut, dans les 100 M$ et plus. Les agences d'intelligence américaines sont inondées de fonds qu'elles ne peuvent dépenser assez vite pour garder le robinet du congrès largement ouvert. Académies, dissidents, firmes, espions, toutes les agences d'espions des autres nations, tous les pays, sont tombés sous eux pour taper l'abondant flot. Mais la compétition est féroce, et les accusations de *déceptions font rage même si les rançonneurs travaillent de concert.*

[...]

Solidaires, pour tous les entuber.

Tout de suite, John Young décide de publier sur Cryptome tous les e-mails qu'il a reçus, afin de se décharger de la responsabilité de la suite de WikiLeaks.

En interne, les secrets existent aussi puisque les membres de la mailing-list n'ont pas le loisir de vérifier l'existence et le nombre des fuites reçues.

Le couperet tombe, John Young quitte l'aventure. L'équipe essaie de le récupérer, mais c'est trop tard. Assange lui écrit un e-mail personnellement pour le rappeler auprès d'eux, mais il est perdu pour WikiLeaks. L'ambition fait peur.

13

JULIAN VU PAR ÉLISE

Assange et les femmes

Publié le 30 novembre 2010 by sophox | Laisser un commentaire |

 *Ø* Rate This

Célibataire depuis cinq mois, j'ai hésité à m'inscrire sur un site de rencontres du genre Meetic ou Loveday.ch, plus local. Il y a cinq ans, je trouvais ça débile, mais maintenant que la trentaine se pointe, le boulot qui prend tout mon temps, les rencontres se font rares. Quel tableau, j'arrête là.

En tout cas, au moment même où cette question se pose, au moment même où je passe plusieurs soirées par semaine sur Internet à étudier le personnage de Julian Assange, au moment même où des allégations sont portées contre lui par deux jeunes femmes suédoises, qu'est-ce que je lis dans Mashable ? Julian Assange est sur OkCupid, le site international de rencontres gratuit.

Il est tout sourire sur son profil. Apparemment, le profil est réel. Il a pris pour pseudo Harry Harrison, célèbre auteur de science-fiction. C'est tout à fait probable et tout le monde utilise des pseudos sur ces sites. [UPDATE : J'ai vu qu'il citait ce pseudo dans des exemples de l'ALP, *Australian Labour Parti*, dans la <u>mailing-list de WikiLeaks</u> en 2006 ; corrélation ?]. Le fondateur du site a été interrogé et le profil aurait été créé en 2006 et a été visité pour la dernière fois en décembre de la même année. C'est techniquement peu probable que quelqu'un l'ait créé ces derniers jours. Et Assange n'était pas vraiment connu en 2006. Donc ce serait lui-même qui se serait inscrit sur ce site de *dating*. Voyons ça de plus près.

La description qu'il fait de lui-même et du genre de femme qu'il souhaite est intéressante : « Tu cherches un type banal, qui a les pieds sur terre ? Passe ton chemin. Je ne suis pas le gentil papa que tu cherches. Épargne-nous tous les deux tant qu'il en est encore temps. Intellectuel militant, passionné, souvent têtu cherche sirène pour relation amoureuse, enfants et association de malfaiteurs occasionnelle. Elle sera vive et enjouée, d'une grande intelligence, même si elle n'a pas nécessairement fait d'études, elle aura du cran, de la classe, une force intérieure et sera capable de penser le monde et les personnes auxquelles elle tient en termes stratégiques. J'aime les femmes originaires de pays perpétuellement agités. La culture occidentale semble produire des femmes sans aucune valeur et idiotes. OK. Bien que passablement bagarreur intellectuellement et physiquement, je suis très protecteur à l'égard des femmes et des enfants. Je suis DANGEREUX, ACHTUNG ??????????! »

Mais c'est moi ça ?!!! À part pour le pays. D'ailleurs, qu'est-ce qu'il veut dire par là ? Il préfère les Asiatiques ? Ou des filles du bloc de l'Est ? Comme le laisse sous-entendre une experte en rencontres (je ne savais même pas que c'était un métier !) : elles sont tristes et donc plus dociles. Il les console, leur apporte un peu de réconfort et hop, c'est dans la poche. Goujat !!!

Il explique plus loin qu'il dirige un obsédant et dangereux projet sur les Droits de l'homme.

Finalement, il a un peu l'âme du sauveur de la veuve et de l'orphelin : secourir, défendre, combattre *l'Establishment international*. Tu es un héros Julian, mon Robin des bois.

Malin, ça. Aventurier cherche aventurière ! Ça peut marcher dans ce genre de site.

Sur OkCupid, il recherche « des femmes spirituelles, érotiques et non-conformistes. Le non-conformisme n'est pas adopter quelque culture alternative préexistante. Je cherche l'inné, la clairvoyance et le cran ». Et encore : « ne m'écrivez pas si vous êtes timide. Je suis trop occupé. Écrivez-moi si vous êtes courageuse. »

Un peu direct ça !! Il ne veut donc pas une relation de longue durée, apparemment. Faut que ça aille vite. Pas étonnant quand on connaît aujourd'hui sa vie. D'ailleurs, il dit préférer, lors de ses voyages, aller dormir chez des sympathisants que dans les hôtels. Pour faire cela, il lui faut de nombreuses connexions dans tous les pays du monde. Ce profil allie-t-il l'utile à l'agréable ?

L'experte qui a analysé le profil sans savoir qu'il s'agit de Julian, le décrit comme un homme meurtri, avec de l'ego et de l'arrogance, et son profil dissuaderait toutes les femmes de « belle qualité ». Chaque femme est la même pour lui. C'est quelqu'un qui vit dans sa tête. Il veut une femme qui lui donne une opinion qu'il détestera probablement.

Ça rejoint plutôt la correspondance que j'ai trouvée sur Gawker, qui pourrait toucher sa susceptibilité. Je vous livre en substance l'article que j'ai trouvé.

En avril 2004, il fait une cour insistante à une jeune fille de dix-neuf ans dans un bar. Elle accepte de répondre aux questions du journaliste du média Internet sous condition d'être appelée Elizabeth.

Julian et Elizabeth sont à l'époque tous deux étudiants à l'Université de Melbourne. Julian a alors trente-trois ans. La jeune fille le remarque pour son look si particulier. Il est trop vieux pour elle, mais ses longs cheveux blancs et son assurance font apparaître un homme très différent de ceux que la jeune fille rencontre habituellement à l'université.

Elle commence à lui parler. Il a l'air calme et légèrement de style nerd[2]. Elle ne le trouve pas vraiment sexy au premier abord, juste étrange et intrigant pour une jeune fille de son âge. Assange flirte un moment avec Elizabeth, frimant en lui expliquant des équations complexes et se moquant de son ignorance mathématique. Ils parlent jusqu'à la fermeture du bar. Assange la raccompagne chez ses parents. Avant de la laisser partir, Julian l'embrasse. Elle n'est pas très émotionnée,

---

2 Nerd désigne celui qui occupe le plus clair de son temps devant son écran d'ordinateur.

mais elle ne le repousse pas. Il reste calme et ne tente rien de particulier. Avant de se laisser, ils s'échangent leurs adresses e-mail. Julian lui donne sa carte avec ses coordonnées et une image de phare, probablement un symbole primaire de sa quête de la transparence. Ils se quittent.

Quelques jours tard, Julian envoie un e-mail à la jeune fille, l'invitant à un rendez-vous :

> *Chère Mademoiselle Elizabeth,*
> *J'ai trouvé votre compagnie et vos baisers très charmants. Je veux les explorer plus avant. Êtes-vous occupée lundi soir ?*
> *Julian*

Elizabeth ne se souvient pas de quelle manière elle a répondu, mais elle a décliné. Ils n'avaient échangé que leur adresse e-mail, et elle pensait ne plus entendre parler de Julian Assange lorsqu'elle reçoit un coup de téléphone le jour suivant, chez ses parents. Elizabeth est très choquée et Assange ne lui répond pas lorsqu'elle lui demande froidement de quelle manière il a obtenu son numéro personnel. La discussion tourne au fiasco, mais Julian ne se décourage pas. Il envoie un nouvel e-mail attestant de sa froideur et de son manque de politesse au téléphone :

> *Chère Elizabeth,*
> *Ta réaction à mon appel téléphonique manque de dignité et m'a piqué au vif. Tu semblais au-dessus de certaines*

trivialités. Cela m'attriste de t'avoir méjugée. Je m'étais réjoui de notre balade au clair de lune et de la simple intimité de notre interaction. J'avais espéré que cette sorte d'interaction aurait produit une amitié intéressante sinon plus.

Réponds, s'il te plaît.
Julian

Cette lettre attendrit un peu Elizabeth et elle y répond de façon sympathique. Le même jour, Julian Assange lui renvoie un message avec son style si singulier :

Re: imaginary world syndrome   Back to messages   ⬇ ⬆
To see messages related to this one, group messages by conversation.

◻ **Julian Assange**   Add to contacts   6/04/2004 ▽
To ▮▮▮▮▮ j.assange@ugrad.unimelb.edu.au   Reply ▼

Dear ▮▮▮▮▮▮

It is not so hard to thaw. Or to be drawn.

Our intimacy seems like the memory of a strange dream to me. A dream that probably would not translate to the real world, but this was never my desire. There was something unusual about our interaction. It is almost as if I had scripted it and left my fingerprints in the ink. I'm not concerned with your messy reality. I don't want to see it and I confess I could not place you in mine. But I still want to see you in insolation. I am unconcerned with the context since time and your silence has made me philosophical; but when I first wrote the heat of your breast pressed against me was still vivid in my mind.

Julian.

Re : syndrome du monde imaginaire
Chère ....,

Il n'est pas difficile de fondre. Ou de se noyer.

Notre intimité me semble être comme le souvenir d'un rêve étrange. Un rêve qui ne pourrait sans doute pas se transposer dans le monde réel, mais je n'en ai jamais eu le désir. Notre interaction avait quelque chose d'inhabituel. C'est presque comme si je l'avais écrite et avais laissé l'empreinte de mes doigts dans l'encre. Je n'ai rien à voir avec les complications de ta réalité. Je n'ai pas envie de voir ta réalité et j'avoue que je ne pourrais te faire une place dans la mienne. Mais je veux encore te voir dans un espace abstrait. Peu m'importe le contexte, car le temps et ton silence m'ont rendu philosophe; mais lorsque j'ai écrit la première fois, la chaleur de ton sein pressé contre moi brûlait encore dans mon esprit.

Julian.

Julian nous livre ici sa vision de la vie. Il ne participe pas à la réalité de quelqu'un d'autre, il n'en veut pas. Il préfère créer son monde à lui. Il garde une ferveur philosophique à exprimer sa vision de sa propre expérience à cette jeune fille.

Quelques jours après, il tente une fois encore de joindre Elizabeth par téléphone. Elle se fait alors passer pour quelqu'un d'autre, car la persistance d'Assange commence à l'inquiéter sérieusement.

Après quelques autres e-mails sans réponse d'Elizabeth, Julian Assange décide de changer de tactique. Au lieu d'appeler Elizabeth, il souhaite que ce soit Elizabeth qui l'appelle. Cependant, aux yeux de la jeune fille, il ne choisit pas les bonnes méthodes pour transmettre son numéro de téléphone. Il prend le numéro de la plaque d'immatriculation de celle-ci et en fait une énigme, qui une fois résolue, doit révéler son numéro de téléphone. Il lui envoie un e-mail avec l'intitulé de l'énigme. Elizabeth lui répond qu'elle ne l'appellera pas parce son étrange énigme ne lui a pas fourni son numéro de téléphone.

Alors, une nouvelle fois, Assange décide de lui téléphoner, et plus tard dans la journée, il lui renvoie un message lui demandant très cordialement à quelle heure il pourrait appeler sans déranger ses parents. Nous sommes le 12 avril 2004, à peine une dizaine de jours après leur première rencontre au bar.

Elizabeth lui répond, fatiguée, d'arrêter d'appeler chez elle. Julian, quelque peu humilié par cette affaire, lui envoie cette phrase : « si tu es chanceuse tu peux aussi me trouver sur http:// iq.org/julian ». Il signe alors d'un simple – J.

Il laisse tomber, mais avant cela, il envoie un dernier e-mail plein de rancœur :

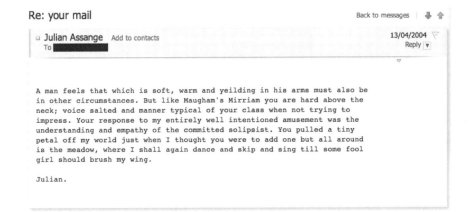

Re: your mail   Back to messages | ⬇ ⬆

☐ Julian Assange Add to contacts   13/04/2004 ▽
To █████████████   Reply ▾

                                                              ▽

A man feels that which is soft, warm and yeilding in his arms must also be
in other circumstances. But like Maugham's Mirriam you are hard above the
neck; voice salted and manner typical of your class when not trying to
impress. Your response to my entirely well intentioned amusement was the
understanding and empathy of the committed solipsist. You pulled a tiny
petal off my world just when I thought you were to add one but all around
is the meadow, where I shall again dance and skip and sing till some fool
girl should brush my wing.

Julian.

Re : ton message

Un homme sent que ce qui est tendre, chaud et s'abandonne entre ses bras sera tendre et chaud et s'abandonnera aussi en d'autres circonstances. Mais comme la Mirriam de Maugham, tu es raide dans la tête ; ta voix a un goût de sel, et tes manières sont typiques de ta classe lorsque tu n'essaies pas d'impressionner. Je voulais nous amuser sans aucune mauvaise intention : tu as réagi avec la compréhension et l'empathie du solipsisme convaincu. Tu as arraché un petit pétale de mon monde juste au moment où je pensais que tu en ajouterais un, mais, à l'entour, tout est une prairie où j'irai à nouveau danser, gambader et chanter jusqu'à ce qu'une idiote vienne effleurer mon aile.

Julian.

Son profil OkCupid révèle un style « Don Juan » avec les femmes et cet épisode avec Elizabeth montre à quel point il n'apprécie pas qu'on lui résiste. Elizabeth précise au journal *Gawker* qu'elle ne s'est jamais sentie menacée par le comportement d'Assange. Elle y voit plutôt un comportement de *nerd* socialement maladroit qui guide mal sa tactique de drague. Elle dit de lui : « Je ne crois pas qu'il soit mauvais. C'est juste un pauvre type un peu bizarre. »

Pourtant, je dirais que c'est un homme qui dégage un certain mystère.

Niveau look, au début de WikiLeaks, ses cheveux, d'une telle blancheur, nous le présentent entre le chanteur pop et le savant fou. Aujourd'hui, il a revu son apparence, il est stylé journaliste de terrain en baroudeur moderne avec son blouson de cuir (quel blouson !!) ou style homme politique en costume comme à la TSR. Je l'ai vu aussi en costume taillé style italien avec des lunettes de soleil, genre « James Bond ». Il multiplie les genres comme une star dans la presse people. D'ailleurs, *Rolling Stone* Italie l'a déclaré rock star de l'année 2010 !

L'homme a différentes facettes : simple et accessible parfois, respectable en bon gendre, ou agent secret prêt à faire tomber les femmes. Sur les photos, qu'il sourit ou non il a le regard franc et scrutateur. Je sens qu'il veut comprendre, aller au fond des questions et percer les mystères.

C'est un personnage historique majeur dans l'histoire du journalisme et de l'information. Que dira-t-on de Julian Assange dans quelques années ? Julian Assange, l'homme qui a redéfini le journalisme au vingt et unième siècle. Sera-t-il cité comme Gutenberg et l'avènement de l'imprimerie ou Ed Bradley, premier correspondant noir à avoir couvert les informations de la Maison-Blanche, vingt-cinq ans de reportage sur CBS ?

Julian Assange est peut-être un héros, mais il n'en est pas moins un homme avec ses imperfections et son caractère. Un peu monomaniaque tout de même à ne penser qu'aux secrets des dirigeants. Projet obsédant sur lequel il se concentre comme un rayon laser prêt à pénétrer l'information cachée.

Il peut faire tomber les filles comme une rock star alors : attention danger ! « Achtung », comme il dit. C'est un charmeur en toute occasion. Un article du *The First Post* rapporte l'anecdote suivante :

Un journaliste rencontre Assange dans un restaurant en Suède. Le journaliste vient accompagné de sa petite amie. Après un moment de discussion, la petite amie et Julian Assange sortent pour fumer. Quelques instants plus tard, le journaliste sort les rejoindre, se demandant à quoi ils sont occupés. Il est très surpris de voir Assange parler à l'oreille de sa petite amie. Alors que le journaliste proteste, Assange se met en position de combat les poings prêts du visage. La jeune femme confie qu'Assange lui avait proposé de passer la nuit avec lui. Le journaliste commente : « Assange semblait prendre plaisir à m'humilier ».

Il aime jouer avec le feu en toutes circonstances. Il est persuadé d'une certaine supériorité. Son intelligence. Sa culture.

Son charisme. Son bagout. On dit toutes qu'on n'aime pas ce genre de garçon, mais on est nombreuses à craquer.

Pour ma part, son mystère m'intéresse. Plus je m'intéresse au personnage, plus il a un petit côté attendrissant. Julian est comme un enfant surdoué au bord de l'autisme. Il voit le monde à sa manière et tente d'y faire entrer ceux qu'il veut voir y participer.

Dans son blog Iq.org, on voit qu'il souffre parfois de solitude et d'incompréhension. Il cite cette phrase d'Aldous Huxley au sujet d'Isaac Newton à laquelle il semble bien s'identifier : « Newton a payé le prix d'être d'une intelligence suprême […] incapable d'avoir des amis, de connaître l'amour, la paternité, et beaucoup de choses désirables. Comme homme c'était un échec, comme monstre, il était superbe. »

Et dans un autre billet de juin 2006, il écrit ceci : « j'ai une certaine tendresse pour les femmes prises dans les orages » et on revoit ici son côté protecteur. Il a cette capacité à aller très loin pour une femme. Dans le même billet de juin 2006, il explique qu'il sortait avec une fille qui était accroc à la caféine. Elle buvait énormément de café. Il la regardait déguster son café avec une telle envie qu'il s'imaginait être dans la tasse. Il est allé jusqu'à s'enduire le cou et les épaules avec du marc de café pour enivrer la jeune femme.

Pathétique et poétique à la fois. Sous ses allures de « Don Juan » qui aborde n'importe quelle fille en mini-jupe, je me dis que ce garçon-là a besoin d'une « femme de qualité » !

Je vais aller m'inscrire sur OkCupid !!

 Be the first to like this post.

PREMIÈRES
ÉPREUVES

*Il est facile de vivre les yeux fermés
en interprétant de travers tout ce que l'on voit.*
– John Lennon

14

Enchaînement de fuites

La couverture médiatique de WikiLeaks est prudente lors de son lancement et de la mise en ligne de la première fuite sur la Somalie début 2007. Comme l'envisage un membre de l'organisation, les sociétés de presse ne les connaissent pas et ne sont pas accoutumées à ce genre de sources. Quelques sites Internet relaient alors leur communiqué de presse ou quelques passages du site. Le *Washington Post* pousse l'analyse un peu plus loin. Une journaliste du journal américain échange des e-mails avec les organisateurs qui présentent le site comme suit : « WikiLeaks est en passe de devenir, comme prévu, bien que rapidement, un mouvement international de personnes qui facilitent les fuites éthiques et une gouvernance ouverte. »

Steven Aftergood de Secrecy News, également interrogé, avoue que les membres de WikiLeaks « ont le potentiel pour faire la différence ». Il met en garde sur le fait qu' « une révélation sans discernement peut être aussi problématique qu'un secret sans discernement. » « Nous verrons dans quelle direction ils iront », finit-il par dire.

Les organisateurs contactés par e-mail se défendent en exprimant que le site s'« autocontrôle ». Ils écrivent : « WikiLeaks fournira un forum pour la communauté internationale tout entière qui pourra examiner chaque document, et ce, sans répit, pour vérifier leur crédibilité, plausibilité, véracité et falsifiabilité. »

Le *Washington Post* termine avec quelques phrases sur la première fuite, dont le lien Internet est offert en guise de conclusion.

Le *Time Magazine* choisit plutôt de commenter le lancement du site en interrogeant un professeur de la Rutgers University, spécialisé en histoire de l'Afrique. Celui-ci déclare que l'article est bien écrit, mais obsolète en regard des événements qui ont suivi.

Peu d'effet donc pour le lancement du site et cette première fuite.

La mise en ligne des échanges d'e-mails entre l'organisation et John Young par Cryptome fait plus parler d'elle et est mieux relayée. Le magazine *Wired* titre « WikiLeaks debordé » et débute son article ironiquement par « La première grosse fuite est sortie de WikiLeaks – des archives de leur mailing-list interne. » tandis que les premières suspicions conspirationnistes sont proposées sur d'autres sites. La très sérieuse BBC émet aussi certains doutes par la voix de Bill Thompson, journaliste indépendant et spécialiste du numérique. Ne connaissant pas ses sources, cette organisation ne peut vérifier la véracité des documents reçus. Il avoue par ailleurs ne pas faire confiance aux personnes du site et même si la confiance était là, il doute que le site puisse assurer la sécurité, l'anonymat et l'inviolabilité qu'il promet.

Les débuts de WikiLeaks se font timidement durant les premiers mois, et les fuites ont un rayonnement modéré. En août 2007, un rapport de l'agence internationale d'analyse de crise Kroll est publié sur le site. Ce rapport avait été remis en 2004 au gouvernement kenyan qui l'avait rejeté, le jugeant incomplet. Il concerne pourtant la corruption perpétrée par l'ancien leader du pays, Daniel Arap Moi qui aurait détourné près de trois milliards de dollars. Le rapport fournit également la liste de ses richesses disséminées à travers le monde. Le journal britannique *The Guardian* se sert du matériel fourni pour faire un article sur l'ancien président kenyan, mais ne fait aucune référence à WikiLeaks.

Postée sur le site trois mois avant des élections présidentielles au Kenya, cette fuite entraîne des événements tragiques, faisant mille-cinq-cents morts et près de six-cent-mille exilés. WikiLeaks est critiqué, car jugé responsable, mais Julian Assange se défend auprès du *Guardian* : « Environ 1300 personnes ont été tuées, et 350 000 ont été déplacés. Ce fut le résultat de notre fuite », dit Assange. [...] « D'un autre côté, les Kényans avaient droit à cette information et 40 000 enfants meurent chaque année de la malaria au Kenya. Et plus encore meurent parce que l'argent est retiré du Kenya, ce qui a pour résultat de déprécier le shilling kényan. »

Bien qu'ayant une incidence faible sur l'intérêt du public, ces fuites propulsent WikiLeaks au rang de média mondial.

En septembre 2007, WikiLeaks publie une base de données regroupant les achats d'équipement de l'armée américaine pour l'Afghanistan. Cette publication donne un éclairage sur l'utilisation du budget de l'armée, mais bien au-delà, elle montre également que des équipements chimiques sont utilisés pendant cette guerre.

La base de données est publiée sur le site dans son format original, SQL. Sa lecture nécessite un logiciel professionnel. Néanmoins, il est lisible dans un éditeur texte basique non sans être difficilement déchiffrable. C'est une liste de codes et de noms de matériel et pour le comprendre il faut être spécialiste du jargon militaire.

Le journal *The New York Sun* analyse les informations comme suit : « Ils fournissent une fenêtre objective du fonctionnement des différentes unités américaines des "PSYOPS" (psychological operations) au quartier général de Kaboul. Elles indiquent que l'Amérique utilise deux sortes d'armes chimiques dans le pays, comprenant 72 lance-grenades M7 – des grenades de gaz – et huit FN303s, "qui peuvent lancer des projectiles imprégnés de gaz-poivre" selon les articles non signés de Wikileaks. »

Novembre 2007. La mise en ligne du manuel des procédures standard d'opérations de Guantanamo a enfin un retentissement mondial. On y lit par exemple, des instructions sur la manipulation des prisonniers, sur le supplément de papier toilette utilisé comme récompense, ou sur l'utilisation des chiens accompagnant chaque garde, car comme l'expliquait en 2005 le lieutenant général Ricardo A. Sanchez, « les Arabes craignent les chiens ! » Dans le magazine *Wired*, Jamil Dakwar, le directeur du programme des Droits de l'homme de ACLU, s'inquiète à propos du chapitre concernant le CICR (Comité international de la Croix-Rouge) : les prisonniers étaient classés en quatre niveaux d'accès. Certains étant dissimulés au représentant de la Croix-Rouge. Il déclare : « Cela soulève beaucoup de préoccupations sur la sincérité de l'administration quant à autoriser l'accès complet au CICR, comme cela a été promis au monde entier. »

À la fin d'une première année finalement prometteuse, WikiLeaks publie la première information qui lui vaudra des répercussions judiciaires. En décembre 2007, Rudolf Elmer, ancien *Chief Operation Officer* de la filiale des îles Caïman de la banque suisse Julius Baer Group leur remet la preuve que la banque le surveille, lui et sa famille. Elmer a tenté de diffuser les données de comptes de clients en 2002 puis en 2005, mais sans grande répercussion. Le *Wall Street Journal* couvre l'affaire, mais refuse de diffuser des données personnelles. C'est donc naturellement qu'il se tourne vers WikiLeaks qui publie la totalité des documents en sa possession.

L'affaire ne fait pas grand bruit jusqu'en février 2008 où la banque envoie une injonction au fournisseur d'accès américain Dynadot, gestionnaire du nom de domaine de WikiLeaks.

Même si ce procès est éprouvant pour l'organisation, Julian Assange plaisante quelques mois plus tard sur cette affaire. Il raconte la bagarre entre les avocats de la banque spécialisés dans le show-business (avocats de Céline Dion et Arnold Schwarzenegger) et un collectif de défenseurs de la liberté d'expression incluant, entre autres, la *Electronic Frontier*

Foundation (EFF), l'*American Civil Liberties Union* (ACLU), et le *Project On Government Oversight* (POGO).

L'injonction au fournisseur d'accès Dynadot n'aboutit finalement pas, car elle provoque en un mois une telle mobilisation sur Internet qu'elle devient obsolète après la réplication des données de WikiLeaks sur des dizaines d'autres serveurs.

En mars 2008, fort de sa visibilité, WikiLeaks publie sur un sujet phare de l'Internet et du monde du secret : l'Église de Scientologie. La livraison comprend des notes de l'Office des Affaires Spéciales de l'Église et le manuel complet des niveaux du Thétan, graduation de l'évolution de l'esprit humain selon le créateur de l'Église, Ron Hubbard. Cette mise en ligne des critères d'évolution hiérarchique au sein de cette organisation éclaire les débats perpétuels de tous les opposants de la secte.

Durant le même mois, le site ajoute la publication d'une version complète du projet de loi internationale ACTA (Anti-Counterfeiting Trade Agreement). Ce projet regroupe plusieurs pays qui travaillent sur la propriété des droits intellectuels. Il s'agirait de créer une nouvelle instance supplantant les organismes existants comme les Nations Unies ou l'organisation mondiale de propriété intellectuelle. La partie concernant des services de téléchargement comme Pirate Bay entraîne beaucoup de débats entre les internautes.

Mais le site doit chercher de nouveaux moyens de financement pour être en mesure de continuer sa mission. Ainsi, en août

2008, WikiLeaks tente de proposer des enchères sur des fuites concernant le Venezuela. L'idée est de vendre au meilleur offrant l'exclusivité sur ces documents durant une certaine période.

Les organes de presse contactés sont réticents. Il n'y a pas une assurance de qualité sur l'information et la primeur dans le monde actuel des médias ne dure que trop peu de temps pour vraiment rentabiliser de substantielles dépenses. L'offre ne sera pas suivie. Julian Assange déclare cependant que l'idée n'est pas totalement enterrée, mais qu'il leur faudrait une meilleure structure et plus de ressources pour organiser ce genre d'opérations.

Le site de fuites est, à ce moment, reconnu dans le monde comme une référence intéressante avec quelques belles publications, mais sa visibilité dépasse rarement le cadre du sujet qu'il traite et l'impact n'est pas encore vraiment mesurable.

Pourtant, en septembre 2008, le nom de WikiLeaks se retrouve dans une dimension plus globale, car plus tapageuse. L'organisation vise un personnage haut en couleur qui n'hésite pas à crier haut et fort. Ces menaces feront le tour du globe. En effet, le site publie les e-mails du compte Yahoo! de Sarah Palin, gouverneure républicaine de l'État d'Alaska.

Le problème soulevé est qu'elle utilise un compte e-mail personnel pour régler des affaires d'État. Par le passé, une affaire similaire avait fait scandale ; l'équipe de George W Bush avait communiqué en dehors des systèmes gouvernementaux, ce qui est contraire aux règles élémentaires américaines, qui exigent l'enregistrement de toutes les communications d'entreprises de l'État. Pour détourner l'attention, Sarah Palin crie au scandale d'atteinte à sa vie privée, car les e-mails contiennent aussi des photos de sa famille.

Toujours à la recherche d'impact plus important, WikiLeaks tente en janvier 2009, une nouvelle expérience de publication de données privées. La copie du dossier médical de Steve Jobs, PDG d'Apple est visible sur le site. Cette copie se révèle fausse et la crédibilité de WikiLeaks est remise en cause.

Le mois de février 2009 voit la question de l'accès à l'information des citoyens américains reprendre le devant de la scène. WikiLeaks publie les six-mille-sept-cent-quatre-vingts rapports du Service de Recherche du Congrès américain (CRS), considéré comme le cerveau du Congrès. Seuls ses membres sont autorisés à lire les rapports de ce service dont le budget avoisine les cent millions de dollars. Un mouvement se bat pourtant, depuis 1998, pour en libérer l'accès à tout citoyen. Mais les gouvernements ne sont pas prêts à tout dévoiler. Leur mode de fonctionnement ne permet pas la transparence.

Cet étalage d'informations les rend nerveux.

C'est comme si tout ce que contient votre maison était soudainement exposé au grand jour, jusqu'à vos conversations familiales. Vous seriez en situation délicate ; et bien que vous n'ayez rien à vous reprocher, vous vous sentiriez probablement tendu.

En mars 2009, un événement confronte Julian Assange à ses responsabilités et les sources de son organisation vont faire face à la dangerosité de leur action.

Nairobi, Kenya. Deux activistes des Droits de l'homme sont assassinés en pleine rue après avoir transmis des preuves de brutalités policières à un enquêteur des Nations Unies. Ces activistes étaient également impliqués dans la rédaction d'un rapport appelé « *Cry of freedom* » dénonçant les meurtres et tortures perpétrés par le gouvernement kenyan. Ce rapport a été publié par WikiLeaks en novembre 2008.

L'opinion publique se sert de ces meurtres pour mettre l'accent sur le manque de capacité de l'organisation à protéger ses sources. Julian Assange s'en défend en relevant le peu de lien direct entre la publication et l'assassinat de ces deux personnes. Néanmoins, il se sert de ces faits pour argumenter les pressions sur son groupe.

La mission que se donne WikiLeaks implique la dénonciation de toutes formes de censure perpétrée par les États. L'année 2009 est alors marquée par plusieurs révélations dans ce registre et notamment la censure de l'Internet.

Ainsi, le site publie la liste des pages Web bloquées par le gouvernement australien en mars et italien en juin. Ces « listes noires » sont censées agir contre la pornographie, la pédophilie et la violence extrême. La mise en ligne de ces informations révèle cependant que nombre de ces liens ne répondent pas à ces critères et incluent même des fuites de WikiLeaks. Là encore, un nuage de protestation cache le message activiste de l'organisation :

l'action d'exposer ces liens interdits est taxée de scandaleuse par la ligue australienne de la protection de l'enfance.

En novembre 2009, le site brave la censure thaïlandaise en mettant en ligne une vidéo d'une fête d'anniversaire scandaleuse en l'honneur du caniche du prince de Thaïlande. On y voit le prince attablé avec une femme nue, entouré d'une décoration luxuriante de la villa et de sa piscine. Un déluge de futilité pour le futur chef du gouvernement. Une vidéo publiée pour combattre un régime qui élimine toute critique sur la famille royale au moyen de ses lois de lèse-majesté.

En novembre 2009, la publication de cinq-cent-soixante-treize-mille messages textes du 11 septembre 2001 est de nouveau mal interprétée. WikiLeaks publie ces informations comme témoignage de l'histoire. Cela n'apporte aucune révélation et n'a pas d'objectifs journalistiques, et est assimilé à du voyeurisme. Cependant, à notre connaissance, aucune des familles n'a porté plainte.

C'est en 2010 que WikiLeaks va connaître la notoriété en entamant un répertoire de documents relatifs à la plus grande puissance mondiale.

En mars 2010, la fuite d'un rapport de la CIA analyse comment le gouvernement américain pourrait mieux manipuler l'opinion publique d'Allemagne et de France pour que ces pays continuent à s'engager en Afghanistan. L'idée est d'utiliser l'empathie, notamment en France, sur le statut des femmes afghanes comme motivation à la guerre. Le rapport rappelle que le président Obama doit profiter de son aura dans ces pays pour vendre la guerre.

À cette occasion, Glenn Greenwald de salon.com parle à Julian Assange, qui déclare : « Si vous voulez améliorer la civilisation, vous devez éliminer quelques-unes des contraintes de base, qui est [le manque de] la qualité de l'information que cette civilisation tient à sa disposition pour prendre des décisions. Bien sûr, il y a une psychologie personnelle à tout ça, je prends plaisir à écraser les salauds, j'aime un bon défi, comme beaucoup d'autres personnes impliquées dans WikiLeaks. Nous aimons le défi. »

Le défi est la nouvelle politique de l'organisation. Il faut frapper fort, sortir de l'anonymat, faire parler de soi, sinon l'équipe de WikiLeaks risque d'être stoppée dans son élan sans que personne y prenne garde. En effet, WikiLeaks a de réelles raisons de s'inquiéter.

En mars 2010, le site publie un rapport du service de contre-espionnage de l'armée américaine, datant de 2008, concernant WikiLeaks. On peut y lire les craintes, les risques, une analyse détaillée des fuites et de déclarations. Dans un chapitre intitulé « Est-ce de la liberté d'expression ou de l'expression illégale ? » le rapport mentionne que dans certains pays, l'illégalité ne résulte pas seulement de la livraison de l'information au site, mais aussi de sa consultation. Ce rapport précise que déjà les gouvernements de Chine, Israël, Corée du Nord, Russie, Vietnam et Zimbabwe ont cherché à bloquer ou au moins entraver l'accès au site. Il fait la liste des révélations dues à WikiLeaks. Apparemment, selon Glenn Greenwald, WikiLeaks aurait d'autres rapports de ce genre non encore publiés : renseignements de la Marine américaine ou une analyse des forces américaines basées en Allemagne.

La surveillance des activités de WikiLeaks a commencé dès la mise en fonctionnement du site. Les chocs entre WikiLeaks et le gouvernement américains sont nombreux, ils auront des conséquences. C'est à ce moment que la question se pose : reculer ou aller plus en avant dans la recherche et l'exposition de la vérité. Tout ceci a nourri le déterminisme de Julian Assange à continuer sa quête. Il ouvre alors son combat à de multiples domaines : l'anéantissement des conspirations, la liberté de l'information, le réveil des citoyens, le combat contre l'injustice.

Pour mener à bien ces défis, il doit améliorer la visibilité de WikiLeaks en même temps que la protection en se déclarant journaliste. Pour ce faire, il doit s'exposer plus souvent dans la presse *Mainstream* et collaborer avec des journalistes de haut vol.

Lorsqu'au printemps 2010, il reçoit des images d'une force capitale, il y voit le moyen pour WikiLeaks d'accéder à sa mission mondiale. Il décide de monter les images sous forme de film et de les diffuser sur un site Internet créé pour cette occasion. Il met tout en place pour que la couverture médiatique soit importante. Il lance le film lors d'une conférence de presse à Washington. Il permet au journaliste du *New Yorker*, Raffi Khatchadourian de suivre l'équipe pendant tout le montage de la vidéo. Cet article qui reprend une brève histoire de Julian Assange et WikiLeaks devient un article de référence pour beaucoup. Khatchadourian rapporte par ailleurs en maints détails, dialogues à l'appui, le montage de ce qui sera appelé « le projet B ».

15

LE PROJET B[3]

Deux voitures roulent lentement dans la ville colorée de Reykjavik. Elles s'engagent sur Grettisgata et se garent dans cette jolie rue dont la perpendiculaire descend directement vers la mer. Bien que le printemps soit là, il neige encore près de l'Atlantique Nord. Quelques silhouettes quittent les véhicules. Ils contemplent un instant la vue sur les falaises islandaises. Les lanceurs d'alarme marchent en silence dans le vent du nord, en ce 30 mars 2010. Ils s'approchent calmement d'une petite maison blanche vieille de plus de cent ans.

Julian se détache du groupe et sonne pour se présenter au propriétaire des lieux. Il faut maintenant forcer l'allure.

– Bonjour, nous sommes journalistes et nous venons écrire au sujet du volcan Eyjafjallajokull qui vient de se réveiller.

Les transactions de location effectuées, le propriétaire se retire rapidement devant le peu de loquacité de ces personnes. À peine l'homme est-il sorti que Julian ferme les rideaux d'un geste vif. La maison, maintenant fermée à clé jour et nuit, va servir de chambre de guerre. Une douzaine d'ordinateurs sont rapidement installés dans ce living austère.

---

3 No secrets, Julian Assange's mission for a total transparency de Raffi Khatchadourian sur www.newyorker.com.

Peu de temps après, les activistes islandais arrivent. Sans attendre, ils commencent à travailler, plus ou moins sous la direction de Julian Assange. Presque tous savent ce qu'ils ont à faire. C'est une guerre contre le temps qui débute. Elle se nomme « Projet B ».

Projet B est le nom de code que Julian donne aux trente-huit minutes de vidéo prises en 2007 à partir du cockpit d'un hélicoptère militaire Apache, en Irak.

La réception de cette vidéo a fait l'effet d'une bombe dans les rangs de WikiLeaks. Au-delà de l'erreur humaine, les images de ce soldat américain ouvrant le feu sur dix-huit personnes dans les rues de Bagdad sont un secret militaire intimement gardé dans les hautes sphères gouvernementales. Elles sont une représentation flagrante des guerres d'aujourd'hui, ambiguës et cruelles, comme toujours. Grâce à elles, Julian et son équipe espèrent bien relancer le débat mondial sur les guerres d'Irak et d'Afghanistan.

Deux journalistes de l'agence Reuters ont péri parmi les citoyens irakiens au cours de cette lourde bavure. Reuters cherche depuis trois ans à récupérer la vidéo auprès de l'armée. Mais même en vertu du principe de la liberté de l'information, loi de 1966 qui oblige les agences fédérales à transmettre leurs documents à quiconque en fait la demande, et cela, quelle que soit sa nationalité, l'agence de presse n'a jamais reçu les images, compromettantes pour l'armée américaine. Aujourd'hui, les redresseurs de torts du virtuel ont les moyens de lever le voile sur la dictature du secret, avec le soutien naturel des journalistes.

À Julian Assange de jouer ses cartes au bon moment. Tête pensante du mouvement WikiLeaks, il prévoit de dévoiler les images devant un groupe de reporters du *National Press Club* (NPC), le 5 avril, à Washington.

Pour réussir leur effet, Assange et les bénévoles de WikiLeaks doivent analyser les images brutes, en faire un court montage, créer un site Web pour le diffuser, préparer de la documentation et lancer une campagne médiatique autour du film. Tout cela en moins d'une semaine. L'ambiance est presque religieuse, car chacun comprend l'impact que va avoir ce film. Ils dormiront peu.

Assange est assis à une petite table. Il est vêtu d'une combinaison de ski. Bien qu'il travaille depuis plusieurs heures dans une maison chauffée, il la porte toujours. Rop Gonggrijp est assis en face de lui, il lui jette un regard bienveillant. Julian peut rester concentré des heures durant sans se préoccuper de dormir, et à peine de manger ou de boire. Rop est devenu le manager non officiel de Julian depuis que ce dernier a remarqué qu'il était suivi. Si sa peur de la surveillance augmente, elle va contaminer les autres. WikiLeaks est une ruche pleine d'individus et chacun a ses limites. Même Assange.

C'est pourquoi le rôle qu'endosse Rop Gonggrijp est essentiel. Cela fait plusieurs années déjà qu'il connaît Julian. Il a tout de suite été informé de la réception des images. Assange n'a pas révélé la source du document classé « secret défense », disant simplement que la vidéo venait de quelqu'un qui était mécontent de cette attaque. Les images étaient cryptées et cela a pris trois mois à Julian Assange pour « scraper » ce code qu'il juge de difficulté moyenne. Ses dons de cryptographe sont exceptionnels. Chaque code est pour lui un défi, comme un duel avec son concepteur. Il peut s'y consacrer des heures et des jours durant. Il se plonge dans le monde informatique.

Rop Gonggrijp s'est vite aperçu que Julian tirait sur la corde et il a décidé de faire quelque chose de sensé pour lui. Il a avancé dix mille euros à WikiLeaks pour financer l'affaire. Il est devenu le trésorier du Projet B, il s'occupe des agendas de chacun et veille à ce que la cuisine soit approvisionnée en suffisance.

Vers quinze heures, Birgitta Jónsdóttir, la parlementaire islandaise, arrive. La quarantenaire a de longs cheveux bruns et une frange, elle est habillée en noir. Elle sort un t-shirt WikiLeaks de son sac et le lance à Julian.

– Tiens, c'est pour toi, tu as besoin de te changer !

Julian attrape le t-shirt, le pose sur le dossier de la chaise et se remet à travailler. Il s'affaire sur l'un des seuls ordinateurs qui n'est pas relié à Internet. Il contient en effet beaucoup d'informations qu'il s'agit pour eux de garder jusqu'à la diffusion sur leur site. Birgitta sort son ordinateur et demande à Julian comment il a l'intention de répartir le travail sur le Projet B.

– Que quelqu'un prenne contact avec Google pour s'assurer que YouTube acceptera d'être l'hôte de ce film.

– S'assurer, n'est-ce pas décrocher sous la pression ? demande-t-elle avec un sourire.

– Ils ont des règles en ce qui concerne la violence gratuite, répond-il. Dans ce cas, la violence n'est pas gratuite, mais, néanmoins, ils pourraient considérer les choses de cette manière. C'est trop important pour que nous soyons face à ce genre de problème au moment de la diffusion.

Birgitta Jónsdóttir était sans emploi avant de devenir parlementaire. Elle se considère comme une artiste, poète et activiste. Ses opinions politiques sont pour la plupart de tendance anarchiste. Cette bloggeuse, fan du Net, a proposé cette même année un projet de loi pour faire de l'Islande un paradis de l'information. Son idée est d'aller jusqu'à la transparence totale. Laisser la possibilité aux journalistes de révéler au monde l'état de la société. En cela, elle a tout de suite adhéré au mouvement.

– Que puis-je demander à N de faire ?

Julian, complètement absorbé dans ce qu'il fait, ne réagit pas. Son téléphone se met soudain à sonner, il répond de sa voix grave et parle tranquillement. Au bout du fil, c'est la police islandaise. Assange essaie d'en savoir un peu plus sur une histoire survenue quelques jours auparavant.

Un jeune volontaire de WikiLeaks Islande a été surpris en train d'entrer dans l'usine dans laquelle son père travaille. Arrêté par la police, il a été mis en garde à vue. La police l'a alors longuement interrogé sur le Projet B. Le jeune homme avait été vu en photo devant un restaurant en compagnie de Julian Assange et d'autres partisans. En effet, ce jour-là, Assange et son équipe préparaient l'opération du Projet B. Le restaurant avait mis une salle privée à la disposition de WikiLeaks pour cette réunion. Les raisons pour lesquelles le jeune homme a tenté une incursion dans l'usine ne sont pas très claires. Julian Assange aime comprendre les choses, et il a un mauvais pressentiment sur cette affaire. Le 26 mars, il a écrit un e-mail détonant, décrivant l'histoire du jeune homme détenu plus de vingt heures par la police. Il l'a titré : « Quelque chose de pourri dans l'État d'Islande ».

Julian raccroche.

– Notre jeune ami a parlé avec un des policiers. J'allais avoir quelques détails, mais ma batterie est morte !

Il sourit et va brancher son téléphone.

– Nous sommes tous des paranoïaques schizophrènes, dit Birgitta en regardant Julian s'éloigner. Regardez comment il est habillé.

Julian n'a en effet pas encore ôté sa combinaison de ski. Gonggrijp se lève brusquement et se dirige vers la fenêtre. Il écarte légèrement le rideau et regarde longuement à l'extérieur.

– Quelqu'un ? demande Birgitta.

– Juste la camionnette de reportage, dit-il. Prête à manipuler les esprits, ajoute-t-il sarcastiquement.

Un haussement d'épaules et il relâche le rideau. Les autres n'ont pas bougé. C'est leur lot quotidien d'être poursuivis par les médias et soupçonnés par la police. Certains ont déjà dû abandonner le mouvement ou s'impliquer différemment de peur des représailles. Chaque jour, le choix doit être repensé. Passer une vie tranquille, cachée, ou s'employer à montrer le monde tel qu'il est vraiment. Dans quel but ?

Chacun a sa réponse et il n'y a pas de débat là-dessus. Si tu es là, tu travailles pour la cause, c'est tout. Julian est si sûr de lui qu'il incite les autres à se concentrer sur l'action.

Au premier visionnage de la vidéo de l'hélicoptère Apache, il prépare tout le monde au choc, mais il sait que pour les membres de WikiLeaks, ce film est essentiel. Impossible de ne pas s'impliquer à cent pour cent après avoir vu ces images.

Tout le monde se réunit devant l'ordinateur pour voir le film.

Assange lance la vidéo, mais il appuie rapidement sur pause pour prendre la parole.

– Dans cette vidéo, vous allez voir un certain nombre de personnes tuées. Le film est en trois phases. Dans la première, vous allez voir une attaque basée sur une erreur, mais certainement une erreur irréfléchie. Dans la deuxième phase, l'erreur se transforme clairement en meurtre, si l'on se place dans le jugement d'un homme moyen. Et dans la troisième partie, vous pourrez visionner le meurtre de plusieurs civils innocents qui, dans l'opération des soldats, sont devenus des cibles légitimes.

Dans la mesure où WikiLeaks publie toutes ses sources matérielles, Julian considère qu'ils sont libres d'en faire une analyse propre.

– Cette vidéo montre ce que les guerres modernes sont devenues, et je pense qu'après avoir vu ça, les gens comprendront de quoi il s'agit lorsqu'ils entendent d'autres cas provenant de combats avec un soutien aérien.

– Pour ce projet, nous éditons un montage qui étayera nos propres commentaires et analyses. Nous pourrions l'appeler

Permission d'engager, ou peut-être quelque chose de plus choc encore.

Deux minutes plus tard, il dit à Gonggrijp :

– Mettons à mal ce doux euphémisme de « dommage collatéral » et appelons le film *Collatéral Murder*.

La vidéo, au départ, n'est qu'une sorte de puzzle, avec des évidences et des images à comprendre dans leur contexte. Assange et toute l'équipe passent beaucoup de temps à reconstruire tout le scénario en en appréhendant chaque détail. Les groupes travaillent chacun sur un point précis : la structure de commandement, les règles de l'engagement armé, le jargon utilisé par les soldats à la radio et, le plus important, si et comment les Irakiens au sol étaient armés.

– L'un d'entre eux a une arme, dit Assange en fixant un film flou sur lequel on voit un homme descendre une rue. Regardez tous ces gens debout, là.

– Et il y a un gars avec un RPG[4] sous son bras, ajoute Gonggrijp. – Je ne suis pas sûr, rétorque Assange. Cela semble un peu petit pour un RPG.

Ils visionnent ensemble le film encore une fois.

– Je vais vous dire, c'est bizarre, lance-t-il. S'il y a un RPG, alors il y en a juste un, mais où sont les autres armes ? Et tous ces gars, là. C'est tout de même étrange.

– C'est vraiment délicat comme boulot, soupire Gonggrijp. Tu aurais peut-être dû accepter l'invitation des militaires officiels pour avoir quelques éclaircissements, non ?

---

4 *Rocket-propelled grenade,* sorte de bazooka.

– Écoute, je pense qu'ils auraient été plus nuisibles qu'utiles. De toute façon, dès que c'est WikiLeaks, ils ne sont plus très coopératifs. Revoyons ça encore une fois.

Assange a préparé le Projet B comme une attaque-surprise. Si sa guerre à lui se joue sur un autre terrain, il s'agit, comme toutes les guerres, d'une guerre des nerfs. Rapidité de décision, d'action et beaucoup de stratégie en amont.

Il a encouragé les rumeurs disant que la vidéo avait été prise en Afghanistan en 2009, dans l'espoir que le département de la Défense serait pris au dépourvu. Assange pense que les militaires sont très soupçonneux par rapport aux médias. Mais pour lui, il n'y a rien de juste à ce que ces institutions connaissent l'histoire avant le public.

– N'y a-t-il pas de risque pour toi d'être incarcéré à ton arrivée aux États-Unis ? demande un activiste. – Après cela, ce sera beaucoup plus risqué pour moi d'y aller. Pour l'instant, c'est encore assez sûr, répond Assange.

– Ils disent que Gitmo[5] est très agréable en cette période de l'année, plaisante Gonggrijp.

La conversation s'arrête là, et chacun s'en retourne à son écran.

Julian n'entretient pas de grande conversation pendant le travail. Il parle même à l'équipe en style télégraphique.

---

5 Nom raccourci pour Guantanamo.

Si la foi en leur action donne aux membres de WikiLeaks une capacité de travail décuplée, Assange possède quant à lui une capacité de concentration hors du commun. Il est possible de quitter la maison dans la nuit et de le retrouver au lever du jour exactement à la même place.

Pour gérer au mieux le « qui fait quoi », Gonggrijp et un autre activiste organisent le plan de travail grâce à des Post-it collés sur les éléments de cuisine.

Ailleurs, certains traduisent les sous-titres en différentes langues, pendant que d'autres s'assurent que les serveurs vont tenir le coup malgré le trafic que va engendrer l'annonce de la vidéo.

Assange veut que les familles des Irakiens morts dans cette attaque soient contactées pour les préparer à l'assaut inévitable des médias, qui souhaiteront le maximum d'informations supplémentaires. En accord avec le service des chaînes de télévision islandaise, il envoie deux journalistes islandais à Bagdad pour les retrouver.

À la fin de la semaine, le film est quasiment complet. À l'examen image par image, il révèle des détails invisibles lors d'un simple visionnage.

Plus de sourire chez les monteurs d'images, ils viennent de passer plusieurs jours en compagnie de ces gens des rues de Bagdad vivant leurs derniers instants. Ça finit par agir sur le moral et il est temps pour l'équipe d'arriver au bout de cette mission.

Le film montre un manque évident de dimension humaine dans cette attaque. Il dure dix-huit minutes. Il commence par une citation de George Orwell qui colle parfaitement aux images, et que Julian Assange a faite sienne depuis bien longtemps déjà : « Le langage politique est destiné à rendre vraisemblables les mensonges, respectables les meurtres et à donner l'apparence de la solidité à ce qui n'est que vent. »

Ce film présente des informations sur les deux journalistes tués et les explications officielles au sujet de l'attaque.

Pour la bande-son, Assange travaille avec le monteur et activiste islandais, Gudmundur Gudmundsson. Ce dernier lui demande l'autorisation de montrer le dialogue entre les soldats des hélicoptères.

— Cela donnera une accroche émotionnelle, dit-il.

— C'est très découpé et très déformé, commente Assange.

— Je me permets d'insister, c'est tout le temps utilisé pour déclencher l'émotion.

— En même temps, on montre déjà les soldats comme des monstres. Doit-on en rajouter ? dit le monteur.

— Mais l'émotion est toujours vraie. J'ai bossé sur la bande-son d'un film qui fut nominé aux Oscars, je parle d'expérience ! rétorque Gudmundsson.

— Bien, quelle est ta proposition ? demande Assange.

— Dialogues et bruits d'hélico interrompus par du silence, dit l'activiste.

Le monteur opère les changements : il ôte les voix des soldats pendant l'ouverture mais garde les sons de radio, les grésillements et quelques distorsions de voix. Assange donne son accord final.

Parallèlement au montage du film, Assange se consacre à l'une de ses préoccupations constantes : celle de la sécurité. Une fois la vidéo mise en ligne, elle doit être impossible à retirer. Le site www.collateralmurder.com doit être un système inviolable et intraçable. La question de la sécurité de WikiLeaks est permanente. Mais elle est aussi bien gérée grâce à la vingtaine de serveurs placés à travers le monde ; des sites miroirs tournent également pour empêcher la traçabilité des informations. Un gouvernement qui souhaiterait retirer du contenu du site de WikiLeaks devrait pratiquement démanteler le réseau mondial d'Internet. La protection doit être maximale autant pour ceux qui envoient des informations que pour tous les bénévoles qui travaillent dessus.

Tard le samedi soir, peu de temps avant que le travail soit enfin fini, Julian reçoit un e-mail des deux envoyés spéciaux islandais à Bagdad : les soldats venus sur place après l'attaque avaient trouvé deux enfants dans la camionnette. Les enfants habitaient dans le quartier et étaient sur le chemin de l'école avec leur père, ce matin-là. Les journalistes ont aussi trouvé le propriétaire du building attaqué, qui leur a précisé que plusieurs familles habitaient là et que sept résidents ont péri pendant l'attaque. Le propriétaire, un professeur d'anglais à la retraite, a perdu sa femme et sa fille.

Dans le bunker, la discussion devient plus vive. Que faire avec ces nouvelles de dernière minute ? Est-ce important de donner ces informations tout de suite, ou est-ce plus judicieux de les garder pour l'instant ? Si les militaires justifient les tirs des missiles Hellfire en arguant qu'il n'y a pas eu de victimes civiles, WikiLeaks pourra répondre en dévoilant ces informations. Garder l'info pour tendre l'embuscade.

Soudain, Jónsdóttir se tourne vers Rop et dit :

— Tu pleures ?

— Oui, je pleure, ce ne sont que deux enfants, mais ça fait mal, répond-il.

Il se ressaisit rapidement et résume la conversation par un : « Et merde ! » – Oui, c'est ça, laissons-les dans leur merde, dit un des activistes.

— Là, ils vont devoir marcher dedans, c'est la suite logique, n'est-ce pas ? dit Gonggrijp.

— Maintenant, je veux remonter le film et placer l'attaque des Hellfire, dit vivement Assange.

Les regards épuisés de l'équipe se tournent tous vers Julian. Plusieurs sont au bord des larmes, harassés, choqués. Le silence qui suit semble être suspendu au plafond blanc de la petite maison islandaise.

— Il y avait trois familles qui vivaient dans le fond... on ne peut pas abandonner.

S'ensuit la discussion de la raison ; remonter le film est impossible. L'équipe n'en peut plus, ils ont travaillé au maximum de leur capacité, et dans quelques heures, c'est Pâques.

Les sympathisants quittent la petite maison blanche en silence dans un mélange de sentiments. Ils croient fermement à l'action qu'ils mènent, mais les dernières informations reçues des journalistes dépêchés à Bagdad les jettent tout de même dans le désarroi. Pourquoi faire ça ? Cela va-t-il changer quelque chose ? Quelle va être la réaction de l'opinion publique par rapport au film ? Et celle des politiques américains ? Le terrain est miné, et ils le savent bien. Le site a déjà reçu plus d'une centaine de menaces légales, mais aucune n'a encore abouti.

Cette fois-ci, les images qui seront mises sur le site auront un impact que même Julian ne peut encore mesurer. Il a travaillé sans relâche pour montrer la partialité du gouvernement américain dans cette affaire, pour mettre tout un chacun au cœur du monde des secrets d'État.

Dix heures trente le lendemain matin. Rop Gonggrijp ouvre les rideaux et laisse entrer la lumière dans la maison. Il porte un long t-shirt et un pantalon noir fraîchement lavés. Il lutte pour que chacun respecte les délais. Les dernières minutes sont consacrées à chercher parmi eux un contact avec un avocat de défense criminelle aux États-Unis.

Assange, vissé à son ordinateur, tape constamment.

– Sommes-nous dans les temps ? demande-t-il à la volée.

– Il nous reste trois heures, répond Gonggrijp.

Assange, l'air soucieux, retourne à son écran. Il consulte une copie des règles d'engagement en Irak depuis 2006. C'est un des documents classés « secret défense » de l'armée américaine qu'il prévoit de poster sur le site avec la vidéo. WikiLeaks doit s'assurer qu'il n'y a pas de traces numériques qui permettraient d'identifier leurs sources. Assange purge les documents le plus rapidement possible.

Les rues de Reykjavik sont vides, les cloches de la cathédrale se mettent à retentir. Assange est encore devant son ordinateur.

Gonggrijp ramasse tous les Post-it dans la cuisine, effaçant ainsi toute trace de leur travail. Peu avant midi, ils s'éloigneront des derniers vestiges du Projet B et repartiront vers l'aéroport. Assange n'est pas tout à fait prêt, il n'est pas rasé et ses cheveux portent les traces des jours qui viennent de s'écouler. C'est le moment du largage et il écrit maintenant à la presse, le détonateur. Jónsdóttir voudrait l'aider. Julian lui lance :

– Tu veux me couper les cheveux pendant que je fais ça ?

Mais elle répond :

– Bien sûr que non, je ne vais pas te couper les cheveux pendant que tu travailles.

Elle se dirige vers la cuisine pour faire un thé. Assange continue de taper rapidement sur son clavier. Après quelques minutes, elle commence à lui tailler les cheveux avec un peu d'hésitation. Elle s'arrête un moment et demande :

– Si tu es arrêté, tu resteras en contact avec moi ?

Assange acquiesce. Pendant ce temps, Gonggrijp a regroupé les affaires de Julian dans un sac. Il a réglé la note au propriétaire. La vaisselle a été lavée. Les meubles ont été remis à leur place initiale.

L'équipe s'entasse dans une seule voiture et disparaît en un instant.

Des informations de plus en plus importantes lui arrivent de ses sources. Il a gagné le respect de ceux à qui on impose le silence. Les témoins d'un invisible si réel que leur intégrité d'homme pousse à l'action. Il est fin prêt à faire face aux adversaires de la vérité.

Choc direct

Publié le <u>25 novembre 2010</u> by <u>sophox</u> | <u>Laisser un commentaire</u> |

 **Rate This**

J'en sais déjà plus sur Assange. Voilà la vidéo qui fait trembler l'Amérique et qui a fait entrer Monsieur WikiLeaks en guerre contre la politique américaine. Je peux comprendre… C'est une vraie bombe. C'était caché, ils l'ont révélé.

Je ne sais pas sur quelle planète je vivais ces derniers mois. Je viens juste de voir le film *Collateral Murder* édité par WikiLeaks. Il est en ligne depuis le mois d'avril. Il y a plusieurs versions que vous trouverez facilement. Le film complet fait environ dix-huit minutes, et c'est le choc.

Petit rappel pour les habitants de la planète « métro, boulot, dodo ». C'est une vidéo qui montre quelques gars de l'armée américaine tirant sur des gens en Irak sans être certains qu'ils ont des armes. Au final, ils se mettent à tirer dans le tas.

Je suis encore sous le choc. On est dans l'hélicoptère. Le son est angoissant, avec beaucoup de friture et des échanges limités. Ça coupe de temps en temps et on entend le silence. Ça fait réfléchir.

Les images sont relativement floues. Au départ, je me suis dit que vu de là-haut, sur leurs écrans, ce n'est pas évident d'apprécier si un passant porte une arme ou pas. Mais bon, ils sont entraînés, non ?

Dès qu'ils commencent à tirer, c'est comme s'ils basculaient dans un autre monde. Un monde dans lequel ce n'est pas grave de tuer un humain. Les gars sont tellement cool, à se féliciter, qu'un instant on pense que les civils allongés dans la poussière vont se relever. Mais ce premier *shot* fait huit morts, dont deux journalistes.

Morceaux choisis pour vous : « Demande permission d'ouvrir le feu »… Après la fusillade, l'un d'eux constate qu'il y a « un tas de cadavres » au sol. « Oh, ouais, regardez un peu ces pourritures crevées », ajoute-t-il. « Joli », réplique son coéquipier. La conversation s'achève ainsi à l'annonce : « Ben, c'est de leur faute s'ils emmènent leurs gosses au combat »…

Après qu'ils ont tiré sur les civils, une camionnette arrive pour les secourir. Deux types en sortent, on voit qu'il y a encore quelqu'un dedans. Ce sont deux enfants.

C'est quoi cette vie où les enfants deviennent des victimes en une fraction de seconde ? C'est pour quoi cette guerre en Irak, déjà ? D'ailleurs, qui s'en souvient ? Je pense simplement que l'absurdité est à son comble dans ce genre d'histoire.

Il y a des jours, je comprends pourquoi je vis dans un pays neutre.

Je pose sérieusement la question. Était-il possible pour eux de voir une menace dans ce groupe d'hommes ? C'est vrai que le gros appareil photo peut faire penser à une arme, mais le groupe n'a pas du tout l'air menaçant. Suis-je naïve, là ? Dites-moi ce que vous en pensez.

Encore plus forts que les images, ce sont les dialogues. On comprend bien à quoi ces hommes sont entraînés. Ils ne doutent pas, ils taillent dans le vif directement. Pour eux, cela semble être un exercice de routine.

À aucun moment, le groupe d'hommes dans la rue ne semble craindre cet hélicoptère qui tourne autour d'eux. Ils ne se cachent pas, ils ne courent pas pour s'abriter derrière des murs. Ils paraissent très tranquilles, ne se doutant de rien. L'hélico est vraiment très loin dans le ciel, ou alors ils sont tellement habitués à cette parade qu'ils n'y font plus attention.

Le combat, pour ces types, ne se joue pas dans la question de tirer ou pas, mais consiste plutôt à montrer qu'ils sont de bons petits soldats en atteignant la « cible » en un minimum de balles ou de temps, je ne sais pas. Et puis le vocabulaire, humiliant, blessant. Je comprends qu'on puisse être un peu direct dans l'exercice de ses fonctions, mais cela montre qu'ils ne pensent plus qu'ils traitent avec leurs égaux, des humains.

L'une des « pourritures » n'est pas morte, elle tente de se relever. Il s'agit de l'un des membres de l'équipe Reuters. On voit le viseur du canon se balader sur le corps du blessé, il ne semble pas avoir d'arme sur lui et ne paraît pas se soucier d'en chercher une. On entend alors :

« Allez, mon gars ! Tout ce que tu as à faire est de ramasser une arme ! »

Je fais le constat qu'il y a quelque chose d'étrange dans le fait de confier le maintien de la paix à des militaires. Ces gars sont formés pour tirer, ils veulent tirer. Ils n'espèrent que ça. Et après la bavure, que se passe-t-il ?

Cette bavure a coûté la vie à une quinzaine de personnes, toutes civiles, dont deux membres de l'agence Reuters, un photographe et son chauffeur. J'ai lu qu'il est très probable, d'ailleurs, que personne ne se serait intéressé à l'affaire si Reuters n'avait pas tout tenté auprès des autorités incompétentes pour savoir ce qui s'était réellement passé.

WikiLeaks a mis en ligne la fameuse vidéo tant demandée par Reuters pendant des années. Grâce à une fuite. Bravo au type qui a eu le courage de faire fuiter ces images ! Mais comment peut-on couvrir des images comme celles-là et bien dormir la nuit ? À mon avis, les gars qui doivent couvrir cela ont sûrement la vie dure. Et ces militaires ? Toute la hiérarchie est impliquée.

D'ailleurs, leur a-t-elle dit qu'ils ont tué uniquement des civils. Ont-ils été entendus, jugés, ont-ils reçu des pénalités, été internés en hôpital psy, ou alors croient-ils sincèrement en leur « belle » armée toute puissante et n'en être que le bras.

Sept millions de personnes ont déjà vu le film. Il faut continuer à le diffuser. Je connais pas mal de gens qui ne l'ont pas vu ou qui n'en parlent pas. Voici le lien vers la vidéo principale : www. collateralmurder.com

WikiLeaks, Assange, continuez à nous montrer la vraie face de l'homme et de nos gouvernements. Je vous suis…

Cette entrée a été publiée dans <u>Assange</u>. Vous pouvez la mettre en favori avec <u>ce permalien</u>.

 Be the first to like this post.

ALLIÉS,
ENNEMIS,
DISSIDENTS

Un homme ne peut être trop soigneux dans le choix de ses ennemis.

– Oscar Wilde

16

L'ISLANDE POUR BASE

L'Islande pourrait devenir le pays d'adoption de Julian Assange. En effet, l'histoire du pays et celle de Julian sont inexorablement liées depuis l'été 2009.

L'Islande est habitée depuis le neuvième siècle, et moins d'un siècle plus tard, en 930, les Islandais considèrent leur état libre et constituent le plus vieux parlement du monde. Cette république dure jusqu'au treizième siècle au moment où l'Islande se place sous la tutelle de la Norvège, puis du Danemark, auquel l'île reste liée jusqu'en 1944. L'Islande devient alors une république indépendante. Son économie est basée sur un système mixte, c'est-à-dire une économie qui possède de nombreuses entreprises privées et un secteur public puissant. Selon l'indice de développement humain de 2006, l'Islande se place au deuxième rang des pays les plus développés du monde, après la Norvège.

En 2008 pourtant, l'Islande traverse une crise très grave, les banques sont au bord de la faillite. En octobre de cette année-là, l'autorité de surveillance financière islandaise a pris le contrôle de Kaupthing, la plus grande banque du pays, après avoir nationalisé les deux autres banques islandaises Glitnir et Landsbankinn. Le pays est alors en faillite potentielle avec une inflation de 15 % et une monnaie qui a perdu 60 % de sa valeur en un an. La crise n'est pas vraiment visible et c'est parfaitement éberlué que les Islandais apprennent la situation de leurs banques.

Fin juillet 2009, la banque Kaupthing n'est pas déclarée en faillite, même si elle a reçu un moratoire sur les paiements de la part de la cour de justice de Reykjavik. L'État injecte plusieurs centaines de millions d'euros dans la banque.

Les dirigeants des banques sont reconnus responsables de la crise financière qui s'aggrave depuis un an. Un enquête est alors ouverte pour savoir s'ils ont violé la loi pour leur enrichissement personnel.

Kristinn Hrafnsson est à ce moment-là un journaliste d'investigation à la télévision publique RUV. Il reçoit un jour un court message anonyme suivi d'un lien: www.wikileaks.org. Il ne connaît pas le site. Le message l'informe que celui-ci délivre des documents compromettants sur les banquiers islandais en faillite.Il clique sur le lien et reste abasourdi. Se déroulent sous ses yeux, les livres de comptes de la banque Kaupthing, des e-mails, des comptes-rendus de réunions secrètes.

Le site a mis en ligne un document interne de la banque décrivant des accords de prêts de qualité douteuse et sans couverture. Ces emprunts ont été accordés aux principaux actionnaires de la banque ainsi qu'à ses dirigeants, quelques jours seulement avant la nationalisation, et cela pour des montants extrêmement importants.

Kristinn Hrafnsson a devant lui les preuves que les plus gros emprunteurs de la banque sont les propriétaires eux-mêmes et qu'ils se sont porté garants de leurs propres prêts.

Le journaliste se sent flotter en plein délire ! Après vérification de l'authenticité des documents, il prépare une série de reportages sur cette affaire. Au même moment, la banque Kaupthing envoie une mise en demeure à WikiLeaks, exigeant que le document soit retiré. Voici la réponse, simple, à l'injonction :

« Non. Nous n'assisterons pas les vestiges de Kaupthing, ou ses clients, à cacher leur linge sale de la communauté internationale. Tenter de découvrir la source du document en question, par Kaupthing ou ses agents, peut s'avérer une infraction criminelle de loi sur la protection des sources de Belgique ainsi que de la constitution suédoise.

Qui est votre avocat américain ? »

Le 2 août 2009, peu avant le lancement du journal télévisé, la RUV reçoit une injonction du tribunal de Reykjavik interdisant la diffusion de l'un des reportages pour violation du secret bancaire. Les journalistes expliquent à l'antenne ce qui vient de se passer, et montrent au public l'adresse du site Internet de WikiLeaks.

La faillite des banques est un sujet ultrasensible et Kristinn Hrafnsson sait que l'effet sera immédiat. Toute la population se rue sur Internet pour télécharger les documents. Quatre jours plus tard, le mouvement des citoyens a raison du pouvoir des puissantes banques et le tribunal lève son interdiction. À ce moment-là, WikiLeaks est élevé au rang de héros national.

Suite à cette affaire, Kristinn Hrafnsson s'intéresse de plus près au site Wikileaks qui a pour ambition de s'imposer sur

Internet comme regroupement mondial des « lanceurs d'alerte », où des personnes peuvent dénoncer des actes illégaux commis par leur patron, leur supérieur ou un responsable politique.

Ils peuvent expédier en un clic des documents prouvant leurs accusations vers une page sécurisée du site. Tout cela, en restant anonyme s'ils craignent les représailles.

Le document part alors pour un long voyage : « Il est d'abord crypté et extrait de son logiciel de fabrication, pour être stocké sur un serveur chez le fournisseur d'accès Internet PRQ en Suède afin de bénéficier de la loi suédoise sur la liberté de la presse. Là-bas, un journaliste ne peut être contraint de dévoiler ses sources, et s'il décide de le faire, la source démasquée peut l'attaquer en justice. Ensuite, une copie des documents est envoyée sur un serveur en Belgique, où la loi sur la protection des sources s'applique aussi aux techniciens qui manipulent le document. Enfin, il est chargé sur un serveur situé dans un troisième pays, que WikiLeaks garde secret. C'est là qu'il est décrypté et publié. WikiLeaks a mis en place un réseau planétaire de serveurs relais anonymes, dont la seule fonction est de brouiller les pistes[1]. »

Kristinn Hrafnsson apprend alors que le site a déjà un passé chargé en ses deux ans d'existence. Des milliers de documents ont déjà été publiés dénonçant des cas de corruptions ou de malversations : banques suisses aux îles Caïmans, fichiers compromettant pour l'Église de Scientologie ou documents

---

1 Source : « contrebandiers de l'information de Jean Eudes » paru dans *Le Monde*.

américains classés secret-défense sur le sort des prisonniers à Guantanamo.

Kristinn se rend compte de la mine d'informations qu'un tel site peut représenter pour un journaliste d'investigation comme lui. Il s'intéresse alors d'un peu plus près aux personnes à l'initiative de l'organisation et rencontre Julian Assange. Il entame une collaboration avec WikiLeaks. Collaboration indéfectible jusqu'à aujourd'hui, puisqu'il est considéré comme le porte-parole de l'organisation en l'absence de Julian Assange.

Kristinn est une personne agréable et facile d'accès. Nous avons parlé avec lui au téléphone, même s'il n'est pas très porté sur les commentaires au sujet de la personnalité de Julian, il reste ouvert et plein d'humour. Depuis la tourmente dans laquelle est prise Julian Assange, il est resté concentré sur l'organisation, expliquant qu'elle souhaite mettre en évidence les fuites plutôt que WikiLeaks et mettre davantage l'accent sur l'organisation que sur son fondateur. Il préfère croire que l'impact de l'arrestation de Julian n'aura pas l'effet que beaucoup redoutent. « Ce n'est pas l'organisation d'un seul homme, dit-il, nous continuons le travail. »

Kristinn est un journaliste de conviction. Alors qu'il travaille avec toute l'équipe de WikiLeaks sur *Collateral Murder*, il demande à sa chaîne de télévision de l'envoyer en Irak pour vérifier les faits et authentifier les dégâts décrits dans le film. RUV accepte et le dépêche à Bagdad. Néanmoins, la chaîne n'accepte pas de diffuser le film-bombe. Trois mois plus tard, Kristinn est remercié et quitte la RUV. Raison invoquée :

incompatibilité personnelle avec ses supérieurs au sujet du contexte journalistique.

Rien ne permet de relier les faits. La question reste cependant posée.

Retour en 2009. L'histoire d'amour ente WikiLeaks et l'Islande ne fait que commencer lorsque Kristinn prépare ses sujets sur Kaupthing pour la RUV.

En décembre, Smari McCarthy, responsable de l'association universitaire *Icelandic Digital Freedom Society*, invite les deux têtes de WikiLeaks, Julian Assange et Daniel Domscheit-Berg, sous le nom de Schmitt, pour une conférence à Reykjavik : la *Reykjavik Digital Freedoms Conference.*

Smari McCarthy est un jeune activiste et un anarchiste convaincu. En 2008, il fonde cette association avec un groupe de personnes liées à l'Internet. Une première conférence très volontaire et offensive a lieu la même année sur les libertés dans le cadre d'Internet. L'année suivante, Julian et Daniel fournissent lors de leur venue la liste des lois qui protègent WikiLeaks dans différents pays. Mais Julian vient avec plus que ça ; un ambitieux projet qui ferait de l'Islande « un sanctuaire inviolable pour les documents numériques menacés de censure ou de destruction dans d'autres pays. Pour arriver à cela, il faut commencer par changer en profondeur la législation nationale en matière de liberté d'expression[2]. » Les propositions de Julian trouvent écho en Smari McCarthy, ainsi qu'en Birgitta Jónsdóttir.

---

2 Source : « contrebandiers de l'information de Jean Eudes » paru dans *Le Monde*.

Birgitta Jónsdóttir est une parlementaire de caractère. Elle est fan d'Internet et bloggeuse de talent, elle est aussi artiste et en particulier poète. On retrouve quelques-uns de ses poèmes sur son blog, sur lequel elle est représentée comme un chevalier en roller ! Elle est rebelle aussi. Depuis 2009, elle conduit un parti nommé « le mouvement ». Le parti a trois députés au parlement islandais. Elle est séduite par le projet proposé par Julian Assange, autant que par l'homme au charisme magnétique. Ils se mettent tout se suite au travail avec des bénévoles. Ils se penchent sur l'*Icelandic Modern Media Initiative* (IMMI), un projet de loi visant à faire de l'Islande un paradis pour les médias modernes.

« Leur première tâche consiste à recenser les meilleures lois sur la liberté d'expression existant dans le monde. Ils retiennent les lois suédoise et belge sur la protection des sources ; une loi estonienne sur la transparence de l'administration ; une loi de l'état de New York interdisant d'attaquer en justice un média dans un pays non concerné par l'affaire ; une loi californienne protégeant les médias contre les procès injustifiés ; ainsi qu'une loi française sur la prescription des délits de presse au bout de quatre-vingt-dix jours[3]. »

« Au-delà du travail législatif et technique, c'est un but quasi philosophique que l'IMMI s'assigne. La volonté affichée est de définir la liberté de l'information et d'expression au temps présent, en tenant compte de l'ensemble des nouveaux outils d'information et de communication à disposition.

---

3 Source : « contrebandiers de l'information de Jean Eudes » paru dans *Le Monde*.

L'idée originale avancée est qu'Internet pourrait être envisagé comme un « pays distinct », les autres pays – physiques ceux-là – auraient alors le droit de contrôler qui en passe les frontières, mais pas de s'immiscer dans les règles internes du « pays Internet ». L'idée revient à concevoir que ce qui se passe dans la « vraie vie » relève des états et éventuellement de leur justice, mais que leur représentation sur Internet ne devrait pas être censurée en tant que tel.

Smari McCarthy cite en exemple les images pédophiles diffusées sur Internet. Il estime que ce qui doit être condamné est l'acte commis, sa diffusion sur Internet n'étant pas le cœur du problème et permettant même parfois de remonter les filières. Il met en garde sur les visées de censure et de contrôle politique de l'Internet qui bride par là, la liberté d'expression. Elles démontrent souvent la méconnaissance d'Internet et des nouveaux moyens de communication par la classe politique. »

Birgitta Jónsdóttir entreprend de convaincre la classe politique[4] que l'Islande doit adopter une série de lois inspirées de ces exemples étrangers. Suite à cela, « un groupe de travail se constitue autour d'avocats, de juristes, d'activistes en libertés civiles et en nouvelles technologies. Ils ont collaboré avec des représentants du ministère de l'Éducation, des Sciences, et de la Culture afin de pouvoir mettre en œuvre ce programme[5]. »

« La période est propice, car le pays est gouverné depuis 2009 par une coalition rassemblant les sociaux-démocrates et les Verts de gauche, ouverts à ce genre d'aventure. Dix-neuf

---

4 Propos rapportés par Orsola Veille dans *Media*.
5 Propos rapportés par Orsola Veille dans *Media*.

députés, appartenant aux cinq partis représentés au parlement, cosignent une résolution visant à ordonner au gouvernement de rédiger les textes nécessaires.

Les Islandais espèrent que de nombreux médias étrangers, harcelés dans leur propre pays, viendront ouvrir des filiales de publication électronique[6]. »

Restent les problèmes logistiques assez conséquents, comme l'absence d'un centre d'alerte et de réaction aux attaques informatiques, mais rien n'est insurmontable pour l'équipe islandaise hypermotivée.

C'est comme si Julian leur avait donné une énergie incroyable pour faire une action en faveur de la liberté que les utilisateurs d'Internet veulent sauvegarder. Julian, lui, vient de créer son équipe islandaise. Une équipe à laquelle il a apporté ce qu'elle demandait et qui va lui rendre la pareille quand le moment sera venu. Ils ont effectivement tous été là lorsque Julian, Daniel, Rop et les autres sont venus monter le film *Collateral Murder*.

Suite à cela, les choix de Julian n'ont pas toujours été acceptés. Kristinn est resté actif dans WikiLeaks, Smari s'en est retourné au mouvement anarchiste Fab lab qui promeut les sciences auprès des enfants en concevant des programmes animés adaptés aux plus jeunes. Il suit par ailleurs de près le IMMI. Birgitta, elle, finit par trouver qu'il n'y avait pas assez de transparence dans l'organisation, en particulier autour des

---

6 Source : « contrebandiers de l'information de Jean Eudes » paru dans *Le Monde*.

décisions et pas assez de communication non plus. Pour que le flux de communications soit optimal, il faut avoir une bonne structure. Selon elle, au-delà du printemps 2010, elle n'est plus très claire. Birgitta souhaite définir les rôles attribués à chacun, elle tente d'engager le débat à plusieurs reprises, mais cela n'a pas fonctionné. Elle s'est alors écartée du mouvement[7].

Par ailleurs, une des plus virulentes critiques au sujet de WikiLeaks, site qui se bat pour la transparence, est justement le manque de transparence sur son système de financement. Bien que Birgitta pense qu'il n'y a aucune raison de suspecter quoi que ce soit d'obscur, elle estime simplement que cela doit être plus transparent[8].

Malgré tout, même hors de l'organisation WikiLeaks, elle a toujours apporté son soutien à Julian Assange. C'est ce qui lui vaut d'être, en janvier 2011, dans la tourmente avec le gouvernement américain dans l'affaire des messages Twitter. En effet, elle a été informée que Twitter a reçu une demande émanant du gouvernement américain afin d'examiner les messages de Julian et de ses plus proches amis et collaborateurs. Birgitta est parlementaire, elle a donc les moyens de se battre au nom de la liberté individuelle, au nom de son pays et avec son adhésion. Elle est légalement protégée par son immunité parlementaire, et tire une sonnette d'alarme quant aux termes utilisés, notamment

---

7 Source : interview de Birgitta Jónsdóttir dans *The National Post*.
http://news.nationalpost.com/2011/01/15/qa-former-wikileaks-spokeswoman-birgittajónsdóttir/

8 Source : interview de Birgitta Jónsdóttir dans *The National Post*.
http://news.nationalpost.com/2011/01/15/qa-former-wikileaks-spokeswoman-birgittajónsdóttir/

par Sarah Palin, gouverneure de l'État d'Alaska, et tous ceux qui ont appelé à l'assassinat de Julian Assange. Birgitta souhaite que les personnes comprennent la portée et la force des mots, et que « s'ils utilisent ces mots appelant à l'assassinat de Julian Assange, d'elle ou de quiconque associés à WikiLeaks, qu'ils aient la volonté de vivre avec les conséquences de la mort éventuelle d'une de ces personnes. »

« Je ne suis pas d'accord avec ce que vous dites, mais je me battrais pour que vous puissiez le dire. » Ces mots du célèbre écrivain et journaliste français Émile Zola ont trouvé leur écho dans le premier amendement de la constitution américaine. Et ils sont un formidable respect à l'expression humaine que certains tentent de préserver aujourd'hui, fut-ce sur un média virtuel.

17

Un compagnon de route

WikiLeaks n'aura jamais de siège, jamais de « quartier général ». Son existence est virtuelle, et elle le restera.

Julian, dans l'avion qui le mène à Stockholm, laisse un instant vagabonder ses pensées. Il est un être de chair et de sang qui peut se dissoudre dans les machines.

Sa vie est présentée sur le réseau depuis plus de vingt ans déjà : Mendax, Harry Harrison, John Shipton… Tant de personnalités différentes. Il se souvient de chacune d'entre elles.

Julian les connaît si bien. Il endosse à loisir le manteau de l'une ou de l'autre. Il se sent toujours vrai, mais s'avance masqué. Sa vie, c'est l'Internet ; les conférences ; les interviews ; les avions ; les nuits chez des sympathisants ; les bénévoles, amis pour certains, au moins pour un temps ; les gouvernements ; les « fuiteurs »… Sa vie est comme un grand bal à Venise. Le jeu est de démasquer l'autre avant d'être reconnu. Il est très fort pour cela.

Qui le connaît vraiment, lui, Julian Assange, l'homme avec sa chair et ses envies d'homme ?

Tous ceux qui le connaissent soulignent avant tout sa capacité à se focaliser sur les idées, à en oublier de manger, de boire et même de dormir. Rares sont ceux qui peuvent le suivre. Il a tout de même constitué autour de lui une garde rapprochée.

Rop Gonggrijp fait partie de ceux-là. Rop se considère comme l'ami de Julian Assange. Il vient de passer une extraordinaire année 2010 à ses côtés.

Il connaît Julian depuis plusieurs années. Entre octobre 2009 et novembre 2010, il a voyagé avec lui, plus que dans les dix années précédentes.

L'aventure, la vraie, a commencé, à Kuala Lumpur, en Malaisie. Julian et Rop sont invités en tant qu'intervenants aux conférences du Hack In The Box (HITB). Le mouvement HITB est un mouvement de hackers qui prône la connaissance libre et partagée. Il organise des conférences plusieurs fois par an dans le monde entier. Dans l'ambiance confortable des grands hôtels, des hackers, des membres d'organisations et travailleurs de l'Internet de tous pays s'y rencontrent.

Chacun parle de son action. Devant l'assemblée, Rop démontre la non-fiabilité des machines électroniques de vote et de quelle façon, il est possible de les rendre plus sûres. Certains pays ont pu en faire un système de confiance comme au Brésil, et d'autres, une possibilité de manipulation de l'expression directe et démocratique des citoyens, comme c'est le cas en Inde.

Julian lui, présente WikiLeaks. Il a une place de choix dans cet événement : il est le dernier conférencier et le plus attendu de tous. La salle est comble pour assister à son exposé : « publier l'impubliable ». Il développe son projet de permettre aux journaux, aux organisations pour les droits de l'homme, aux enquêteurs et autres, de télécharger des informations à partir du site WikiLeaks. Il y explique, par ailleurs, qu'il offre la possibilité aux potentiels lanceurs d'alertes de diffuser des documents sensibles, grâce à leur connexion hypersécurisée. Les nouvelles arrivant sur le site subissent une période d'embargo pendant laquelle le « matériel » est analysé puis livré au public.

La conférence remporte un grand succès. À Kuala Lumpur, dans ce milieu de hackers, Rop et Julian sont des stars. Rop y est présenté comme un hacker de renom et un activiste connu. Julian y apparaît comme chef d'escadron prêt à risquer beaucoup pour défendre sa cause.

Après cet événement de quatre jours, ils voyagent ensemble, pendant un mois, à travers la Malaisie, la Thaïlande et le Cambodge. Durant ce voyage, leur amitié a réellement pris naissance. Partageant le regard de cet autre, Rop a adhéré aux idées de Julian. Il a tant d'énergie et de passion pour son projet. Tout est possible pour lui. Il voit les écueils et le voyage est long, mais il se sent parfaitement capable de les surmonter, d'améliorer encore et encore son système, de réveiller l'opinion. Rendre les hommes libres par l'accès à la connaissance : Julian a dit qu'il le fera et il s'y applique désormais, jour après jour sans faillir. Cette détermination touche Rop profondément. Il le suit donc jusqu'en Islande, en décembre 2009, pour la *Reykjavik Digital Freedoms Conference*. Daniel Domscheit-Berg y parle sous le nom de Daniel Schmitt. À ce moment-là, WikiLeaks n'est encore qu'une obscure organisation techno maniaque, mais aussi un ambitieux projet journalistique. Daniel et Julian sont ovationnés lorsqu'ils montent sur scène. La consécration du projet d'Assange se réalise au moins dans cette petite île de trois cent mille habitants. WikiLeaks a rendu service au peuple islandais lors de l'affaire avec la banque Kaupthing, et depuis lors, WikiLeaks et son fondateur Julian Assange y font figure de héros.

Julian et Daniel sont bien différents face au succès. Daniel reste concentré sur le message, les lèvres serrées, l'œil rivé sur les *slides* qui s'affichent en même temps sur son ordinateur et sur le grand écran déployé sur la scène. Il laisse passer les applaudissements d'un air sérieux. Julian est détendu et souriant, plaisantant au passage.

Au moment où ils expliquent que WikiLeaks peut apporter de nouvelles opportunités pour protéger la liberté de la presse en Islande, la salle se lève pour une salve d'applaudissements. Rop est emporté par ce mouvement, Julian et tous les autres aussi. Mais Julian ne restera que peu de temps dans cette belle euphorie. Il se met déjà à réfléchir au moyen qu'a l'Islande de devenir le paradis des informateurs de la réalité. Il construit déjà les prémices de la future loi appelée IMMI, the *Icelandic Modern Media Initiative*. Rop veut participer à l'aventure et il reviendra à Reykjavik quelques semaines après la conférence pour aider à la rédaction de ce projet de loi.

Après quelques autres voyages et conférences au sujet des machines de vote électronique, Rop aurait bien passé quelques semaines à Amsterdam, chez lui, mais son ami Assange réclame de l'aide. Il n'était pas prévu que Rop revienne en Islande pour travailler sur ce projet, qui est passé d'un coup au premier plan des préoccupations de l'équipe. Mais en lisant les messages Twitter de WikiLeaks, il en a conclu que Julian réclamait de l'aide. Sa fibre amicale a été touchée. Quelques heures plus tard, il se trouve rue Grettisgata pour organiser le planning et l'intendance de l'équipe du projet B avec un prêt de dix mille euros à WikiLeaks pour lancer le travail. Cette semaine islandaises a été intense et agitée. Il a joué le rôle d'ange gardien pour Julian. Tellement impliqué qu'il en a oublié de dormir et de se nourrir.

En tant que coproducteur du film, Rop accompagne Julian à la conférence de presse qu'ils ont organisée à Washington. Il faut donner le plus de visibilité possible à cette vidéo et Julian a décidé de frapper fort : livrer cette vidéo sur les deux hélicoptères américains ouvrant le feu sur des civils et journalistes à Bagdad et en même temps organiser une conférence de presse à Washington pour que les médias transmettent l'information.

WikiLeaks existe depuis fin 2006, et en 2010, l'organisation n'a pas encore rempli la mission que Julian lui a donnée : changer le monde, réveiller l'opinion, mettre les gouvernements face à eux-mêmes. Au fil du temps, il a compris qu'il ne pouvait le faire sans se servir du relais de la presse. Il doit maintenant s'exposer et Rop le soutient dans cette démarche.

Ils en ont souvent discuté. WikiLeaks ne remplit pas sa mission. Les leaks sortent sur le site et n'ont pas l'impact qu'ils souhaitent. Comme un hacker, il considère l'organisation comme un système à améliorer et l'option qu'il a choisie est de donner un visage humain à WikiLeaks.

Les échos sur l'organisation sont très favorables à ce moment-là. L'accueil est chaleureux, voire triomphal, pendant les conférences. En 2008, *The Economist* décerne à Wikileaks un « *Index on Censorship Award* ». En 2009, il reçoit « l'*Amnesty International Media Award* », au nom de WikiLeaks. Toute cette attention nourrit Julian dans son approche. Il est sur la bonne voie. Sa fierté et son plaisir sont réels, mais toujours, son esprit prend le relais sur son émotion et lui souffle : « encore plus, encore plus loin, encore mieux ».

Il apparaît alors, pour la première fois, hors des milieux informatiques, avec un film fort qui va toucher l'opinion.

Rop se souvient de ce matin-là. « Julian, nous y sommes... dans la gueule du loup », dit-il, alors que le taxi les menant vers le *National Press Club* descend la Massachusetts Avenue. Le taxi longe les immeubles de bureaux. « Pas de regard trop félin », répond Julian avec un sourire. Le reste du trajet se passe en silence. Quelques minutes plus tard, Julian Assange, qui n'est alors présenté que comme un des porte-paroles du mouvement « fuiteur d'informations », se tient debout devant le lutrin du *National Press Club*. Il est prêt à présenter *Collateral Murder* à une bonne quarantaine de journalistes. Comme à son habitude, il a du style. Il porte un blazer brun sur une chemise noire assortie d'une cravate rouge[9].

Il montre le film, l'arrêtant çà et là pour donner quelques détails. Il expose ainsi son implication, sa connaissance du sujet, et peut préparer et guider les émotions du public journalistique.

---

9 « No secrets, Julian Assange's mission for a total transparency » de Raffi Khatchadourian sur www.newyorker.com.

Une fois la projection terminée, il repasse le film de l'attaque des *Hellfire* qui n'a pas été monté dans *Collateral Murder*. Une femme du public laisse échapper un cri, alors que le premier missile explose un bâtiment. Julian lit l'e-mail envoyé de l'Irak par Kristinn. L'émotion est palpable dans l'auditoire.

Julian laisse écouler quelques secondes de silence. Il prépare sa voix, solennelle. Il voudrait disparaître pour laisser juste le message s'échapper : « Cette fuite envoie un message que les gens du corps militaire n'aiment pas[10]. »

Il explique encore qu'un site a été mis en place spécialement pour ce film, et qu'il passe également sur YouTube et sur de nombreux autres sites.

Quelques minutes après la conférence de presse, Julian est invité au « quartier général » d'*Al Jazeera* à Washington, la chaîne de télévision qatarie, surnommée la « CNN arabe », devenue en très peu de temps un média mondial très écouté. Il y passe la moitié de la journée à donner des interviews. Le soir, la chaîne *MSNBC* fait un long sujet sur le film. La presse a relayé l'information dans le monde entier et sur YouTube, plus de sept millions de personnes ont vu le film *Collateral Murder*[11].

Son message, le travail déjà accompli par l'organisation, et son style particulier font de Julian, une des figures médiatiques de l'année 2010. Le magazine *Forbes* le désigne comme une des personnes les plus puissantes de la planète ; *Times* comme

---

10 « No secrets, Julian Assange's mission for a total transparency » de Raffi Khat-chadourian sur www.newyorker.com.
11 « No secrets, Julian Assange's mission for a total transparency » de Raffi Khat-chadourian sur www.newyorker.com.

une des personnalités de l'année ; et la politique américaine, très irritée par le film et tout ce qui suit, en fait l'ennemi public numéro un, en tant que terroriste cybernétique !

Pour Rop, tous ces jours autour de *Collateral Murder* sont comme une tempête qui se transforme en cyclone. D'abord le concret, les images, le montage, et l'équipe à gérer dans la petite maison islandaise. Ensuite, il faut aussi oser, aller jusqu'au bout, faire face aux puissants, quitte à déchaîner les foudres. Même en tant que proche observateur, ce temps a été pour Rop une épreuve. Il a connu la traversée du seuil de l'autre monde, mais il n'a pas souhaité continuer. Il est reparti dans la réalité des machines de vote. Il est resté bien sûr disponible pour WikiLeaks, au besoin, mais personne ne l'a appelé. En fait, il a pris peur devant l'avenir qui se traçait-là. Le courage n'est pas toujours contagieux ! Il ne veut pas vivre un sac sur le dos en permanence, à parcourir le monde, et médiatiquement, le style de Julian et sa voix douce font plus d'effet. Ils participent tous deux au même combat, mais Julian est magnétique. Il est fait pour être vu et faire partie des grands hommes du monde. Julian Assange a l'étoffe pour faire face aux dieux du monde et il a réveillé leurs colères.

Prophète du journalisme et de la vérité, Julian marche désormais à découvert. Tout est là depuis le début, dans son blog, I.Q. *Isaac Quest* : la quête d'Isaac, celui qui est prêt à être sacrifié pour une cause plus grande. Fin 2010, il y est confronté.

Depuis longtemps déjà, la liberté de l'Internet inquiète. Les gouvernements ont attendu l'homme à sacrifier pour réguler cette force Internet où les individualités s'expriment. Julian est venu, et le combat a commencé. Le monde du dessous se déchaîne. Les « Anonymous », ceintures noires de l'informatique, dirigent leur action en faveur de WikiLeaks pour sauvegarder le partage de la connaissance.

Birgitta Jónsdóttir, parlementaire islandaise prônant la transparence de l'information, pose durant une interview près du Parlement islandais, à Reykjavik, le 3 août 2010.

Christine Assange, la mère du fondateur de WikiLeaks, lors de son arrivée à la High Court à Londres, le 16 décembre 2010.

Julian Assange, à sa sortie de la High Court à Londres, le 16 décembre 2010. Il vient d'être relâché, après que le Tribunal de grande instance londonien lui ait accordé la liberté provisoire.

END THESE
WARS!
Not tomorro
Not next ye
NOW

AFP / Photographer: Karen Bleier

Daniel Ellsberg, analyste militaire connu pour l'affaire des Pentagon Papers, photographié lors d'une manifestation antiguerre devant la Maison-Blanche, le 16 décembre 2010.

Christine Assange appelle la population dans les rues de Melbourne, pour organiser une « Bikini March » en réponse à une parole sexiste d'un leader islamiste de la ville, en 2006.

Vaughan Smith, le fondateur du Frontline Club, quitte la Belmarsh Magistrates' Court, après avoir soutenu Julian Assange, le 11 janvier 2011, à Londres.

Julian Assange arrive à la Belmarsh Magistrates' Court, accompagné de son avocate Jennifer Robinson et de son porte-parole Kristinn Hrafnsson, le 11 février 2011 à Londres.

Julian Assange quitte la Belmarsh Magistrates' Court, avec l'un de ses avocats, Geoffrey Robertson, le 11 février 2011.

Getty Images News / Photographer: Peter Macdiarmid

AFP / Photographer: Ben Stansall

Julian Assange et son avocate, Jennifer Robinson, arrivant à la
Belmarsh Magistrates' Court, le 24 février 2011.

Les policiers dispersent les manifestants pro-Assange devant la Belmarsh Magistrates' Court, le 24 février 2011.

←Namir about to
shoulder camera.

↑ Saeed talking
on the phone

Light 'em all up.
Come on, fire!

← Saeed's body

All right. There were uh approximately four to five individual in that truck, so I'm counting about twelve to fifteen.

Rickard Falkvinge, le leader du Parti Pirate.

Daniel Domscheit-Berg, ex-collaborateur de WikiLeaks, lors du congrès du Chaos Computer Club, le 29 décembre 2010 à Berlin.

18

L'AMI QUI VOUS VEUT DU BIEN

Dès le mois d'août 2010, le gouvernement des États-Unis ainsi que l'Australie font pression sur Moneybookers – un service en ligne qui offre sensiblement les mêmes fonctionnalités que PayPal – pour qu'il supprime de ses clients le site WikiLeaks. Les gouvernements susmentionnés préviennent qu'ils ont placé le service en ligne sur une liste de surveillance les forçant inévitablement à coopérer. Ils entament ainsi des mesures à l'encontre du site « fuiteur ».

Par le passé, WikiLeaks a souvent fait face à d'importantes difficultés financières. En décembre 2009, victime de son succès, le site voit ses coûts exploser, tandis que ses recettes stagnent. Les dirigeants décident alors de fermer le site temporairement, obligeant les militants à se lancer plus sérieusement dans la collecte de dons. Fin mai 2010, WikiLeaks réunit plus de cinq cent soixante-dix mille euros (environ sept cent mille dollars) et le site a pu rouvrir.

Le site fonctionne entièrement avec les fonds de donateurs privés, et bien souvent, en cumulant des petites sommes de « simples » partisans. Les dons se font via des sites sécurisés comme Moneybookers, PayPal, Visa et Mastercard.

La cascade de blocages des versements à destination de WikiLeaks entraîne directement d'énormes difficultés pour la survie du site. Lorsque Julian Assange passe en Suisse à l'occasion de la conférence qu'il donne à l'ONU en novembre 2010, il ouvre un compte à la banque postale helvète. Il envisage à ce moment-là de demander l'asile politique dans ce pays.

Mi-novembre 2010, Julian quitte la Suisse pour la Grande-Bretagne afin de préparer le lancement des câbles diplomatiques. Il y reste plusieurs mois.

Début décembre, WikiLeaks explique que le fonds de défense de Julian, créé pour faire face aux frais d'avocats s'occupant des charges suédoises à l'encontre de ce dernier, ainsi que ses avoirs personnels ont été gelés par la banque postale suisse. PostFinance a pris cette mesure lorsque la banque a découvert que Julian a déclaré l'adresse de ses avocats vivant à Genève, puisqu'il ne possède pas lui-même de résidence en Suisse.

Les sites de paiement en ligne, quant à eux, évoquent que WikiLeaks a violé leurs conditions d'utilisation en diffusant des documents volés et pouvant mettre potentiellement la vie d'autres personnes en danger. Avec ces mesures, l'existence du site est remise en question très rapidement.

Dès le 7 décembre, le mouvement « Anonymous » réagit en lançant un DDoS sur les sites Web de PayPal et de MasterCard. Les sites ont donc été indisponibles pendant quelques heures, l'infrastructure sous-jacente qui permet les paiements en ligne n'ayant pas été touchée.

Le principal moyen d'action des « Anonymous » est, outre les manifestations « physiques », le DDoS : le *Distributed Denial of Service* ou déni de service distribué. Ce type d'attaque évoluée vise à faire « planter » ou rendre muette une machine en la submergeant de trafic inutile. Il est assez simple de télécharger un programme sur votre ordinateur comme le LOIC (*Low Orbit Ion Cannon*), par exemple. Celui-ci vous permet de diriger des accès incessants vers la machine de votre choix ; les coordonnées du site à cibler passant sur des sites de chat IRC (*Internet Relay Chat*). Tout un chacun peut venir rejoindre ces salles de discussions virtuelles, qu'ils soient amis ou ennemis.

La force de l'attaque DDoS se précise dans le nombre d'ordinateurs envoyant des demandes de connexions inutiles au site ciblé. Si plusieurs machines à la fois sont à l'origine de cette attaque – c'est alors une attaque distribuée –, un serveur, un sous-réseau ou autre, peut être mis hors service. D'autre part, cette attaque reste difficile à contrer ou à éviter étant donné le nombre de machines mises en cause et réparties inévitablement sur toute la planète.

Dès le mois d'octobre 2010, et plus particulièrement après l'arrestation de Julian Assange, en décembre, « Anonymous » s'est publiquement déclaré solidaire et actif avec le réseau WikiLeaks pour défendre la liberté d'information et de diffusion des fuites, ainsi que l'existence et le droit de financement de l'organisation. « Anonymous » a alors déclaré ouverte « l'opération Payback » : plusieurs DDoS vont être opérés sur les différents sites qui ont accablé WikiLeaks et Julian Assange.

Les « Anonymous » n'ont pourtant aucun lien particulier avec l'organisation. Mais leur combat est en quelques points semblables : « Anonymous » se bat pour la liberté de l'Internet et la gratuité de l'information qui y circule.

Les « Anonymous » jouent avec le feu, leur action est considérée dans certains pays comme illégale et le glissement vers un danger pour la sécurité nationale peut assez facilement être démontré par les gouvernements.

Pour cette raison, WikiLeaks a pris ses distances avec le mouvement « Anonymous », sans pour autant approuver ni condamner leur action. Mais ce dernier se déclare clairement en faveur de l'organisation WikiLeaks et de son dirigeant, Julian Assange.

19

Un comité holographique

Julian a longtemps cherché son comité consultatif. Pour que WikiLeaks soit reconnu comme une organisation mondiale respectable et structurée, un comité qui conseille la direction est requis. Il est d'autant plus nécessaire, car l'organisation est inconnue, sa direction anonyme, et sa mission potentiellement sujette aux critiques et attaques. Julian cherche des personnes qui apportent leur soutien, éventuellement leurs conseils, tout en restant dans le strict périmètre d'un comité consultatif, sans autorité sur les actions et le contenu.

Comme *advisory board*[12] idéal, il faut regrouper : expertise, notoriété, expérience, multiculturalisme et respectabilité. Julian a envoyé beaucoup d'invitations, il a reçu certaines réponses, pas toujours positives. Il faut des noms à placer dans la liste à communiquer au lancement du site.

Voici les noms qu'on peut alors y lire :

Julian Assange :

La plupart des informations produites sur le site de WikiLeaks sont difficilement vérifiables ou parfois exagérées comme : « il est le plus célèbre hacker "éthique"

---

12 Comité consultatif.

australien ». Cette citation provient d'*Underground*, livre dont il est lui-même coauteur.

Tashi Namgyal Khamsitsang :

Dissident tibétain, exilé de la première heure avec le Dalaï-Lama en 1960, il a passé vingt-cinq ans au service du gouvernement tibétain en exil.

Enfui du Tibet à l'âge de cinq ans, il n'y est retourné que quarante-cinq ans plus tard, en 2005, pour revoir sa famille et d'autres dissidents. Il est président de l'association Washington Tibet (*Tibetan Association of Washington* ou TAW). Tashi dit se souvenir à peine d'avoir un jour reçu un e-mail de WikiLeaks. Il n'a jamais été contacté pour quelque conseil que ce soit.

Wang Youcai :

Né le 29 juin 1966, il est dissident actif du mouvement de la démocratie chinoise. Il est l'un des étudiants leaders des événements de la place Tian'anmen en 1989. Alors qu'il est étudiant diplômé en physique de l'Université de Pékin, il est arrêté en 1989 et condamné en 1991 pour « conspiration en vue de renverser le gouvernement chinois ».

En 1998, il organise avec des collègues le parti démocrate chinois. Ce parti est interdit par le gouvernement chinois qui le condamne à la fin de la même année, à onze ans de prison pour subversion. Il est exilé en 2004, sous les pressions internationales, notamment celle des États-Unis, où il est depuis lors réfugié.

Xiao Qiang :

Fondateur et rédacteur en chef de *China Digital Times* (site Internet bilingue d'information sur la Chine). Il est professeur à l'École de journalisme et à l'École de l'information de l'Université de Californie à Berkeley. Xiao y enseigne l'activisme numérique et le blogging.

Il est devenu lui-même activiste des Droits de l'homme à la suite du massacre de la place Tian'anmen en 1989.

Le *China Digital Times* est supporté par la NED (*National Endowment for Democracy*) dont les fonds proviennent du département d'État des États-Unis.

Il est aussi à l'origine de *Radio Free Asia*. Cette radio est soutenue par le Broadcasting Board of Governors (BBG) qui se décrit lui-même comme une organisation qui surveille les médias américains à l'étranger pour assurer la crédibilité des États-Unis. Huit des neuf membres de ce conseil sont appointés par le président et confirmés par le Sénat américain. Le neuvième membre est tout simplement le secrétaire d'État américain.

Wang Dan :

Il est un des dirigeants du mouvement démocratique chinois après avoir été un des leaders étudiants les plus médiatiques lors des manifestations de la place Tian'anmen en 1989. Wang est diplômé d'un doctorat en histoire de l'Université de Harvard.

Entre août 2009 et février 2010, Wang enseigne l'histoire à l'Université nationale de Chengchi à Taïwan. Il est également actif dans la promotion de la démocratie et de la liberté en Chine. Il voyage à travers le monde pour recueillir le soutien des diasporas chinoises autant que du grand public.

Il fait partie par ailleurs, du conseil éditorial de *Beijing spring*, magazine fondé par la NED.

CJ Hinke :

Dans les années 1970, il est l'organisateur du mouvement pacifiste qui s'oppose à la guerre du Vietnam aux États-Unis. Il est arrêté plus de trente-cinq fois lors des manifestations de désobéissance civile. Il déserte et part au Canada en 1976.

Aujourd'hui, il est traducteur, éditeur, et bibliographe de livres pour enfants en alphabet latin et thaï. Il vit en Thaïlande depuis 1989. Il a créé en 2006, le mouvement FACT (*Freedom Against Censorship Thailand*) pour combattre la censure dans la société thaïe. FACT est aidé par des organisations américaines et fait partie de la Privacy International, soutenue par le *Fund for Constitutional Government* de Washington dont un des membres, Steven Aftergood, a été aussi invité à rejoindre le conseil consultatif de WikiLeaks.

Chico Whitaker :

Il est né au Brésil en 1931. Architecte de formation, il est militant altermondialiste au parti des travailleurs brésilien. Il est l'un des organisateurs du forum social mondial de Porto Alegre et secrétaire administratif de la commission brésilienne Justice et Paix, organisme émanant de l'épiscopat brésilien. Il est lauréat du prix Nobel alternatif 2006.

Il est également conseiller du Conseil pour l'avenir du monde et membre du comité de parrainage du Tribunal Russell sur la Palestine. Ce tribunal d'opinion a été fondé en mars 2009 pour mobiliser les opinions publiques afin que les états membres des Nations Unies prennent les mesures indispensables pour aboutir à un règlement juste et durable du conflit israélo-palestinien.

Ben Laurie :

Il est directeur de la sécurité chez The BUNKER Secure Hosting et membre ou fondateur de différentes organisations travaillant à la promotion de l'*open source*.

Laurie indique au journal *Mother Jones* en riant : « WikiLeaks a un soi-disant comité consultatif, et j'en suis prétendument membre. »

Il avoue ensuite avoir vu Assange quelquefois, alors que ce dernier était en recherche de conseils afin de sécuriser les envois de documents confidentiels. Il dit de lui : « C'est un type étrange. Il semble être assez nomade, et je ne sais pas comment il fait pour vivre comme cela, pour être honnête. Il arrive avec un sac à dos, et je soupçonne que c'est tout ce qu'il possède ».

Phillip Adams:

Écrivain australien, présentateur de télévision et animateur de radio de l'émission *Late Night Live* sur ABC depuis vingt ans. Il est également producteur de cinéma. Il a plus de trente livres et films à son actif et maintes fois récompensés. Il est élu humaniste australien de l'année en 1987. Il est membre de divers comités consultatifs, dont celui du *Centre for the Mind*, à l'Université de Sydney et à la National University, créé par Allan Snyder, professeur en neurobiologie. Son but est d'étudier scientifiquement la créativité et la fabrication des champions. Il fait aussi partie de la Commission for the Future australienne, commission de prédictions sociales et politiques.

Il est donc un artiste engagé socialement et politiquement, et un expert en communication. Il a également tenu plusieurs postes dans l'administration gouvernementale australienne des médias. Il a contribué aux journaux *Times*, *Financial Times* et *New York Times*. Il est le représentant du Comité international de l'index de censure. WikiLeaks a d'ailleurs été honoré en 2008 du *Economist Index on Censorship*.

Le plus étonnant est que selon un article de *The Australian*, Adams n'a jamais rencontré Assange et n'a jamais mis les pieds à une réunion du comité consultatif de WikiLeaks.

Cette liste sur le site est la seule à présenter des noms de personnes réelles. Il est donc évident que, lorsque WikiLeaks a commencé à défrayer la chronique, certains journalistes ont été curieux (ou seulement professionnels) et ont contacté ces personnes. Les réponses du journaliste de *Mother Jones*, journal américain d'investigation, sont quelque peu surprenantes.

Depuis janvier 2011, la liste n'existe plus et on ne parle plus d'*advisory board*. Doit-on supposer que ces personnes ne sont plus (si elles l'on été) proches de WikiLeaks ? Pourquoi communiquer une liste de personnes alors qu'elles ne sont pas clairement engagées et dévouées à leur rôle ? La mise en orbite d'une entreprise comme celle de WikiLeaks est inédite. Elle est de fait empirique, et Julian Assange et sa jeune équipe font leur expérience au jour le jour.

En tout cas, WikiLeaks doit trouver d'autres couvertures que ces hommes de paille. Si en période de crise les rangs se resserrent, Julian Assange n'est tout de même pas un homme seul. Il peut compter sur ses « amis » islandais, et quelques autres avec lesquels il partage une même vision du monde et de ses réalités qui semblent au novice parfaitement utopiques. Jacob Appelbaum, que personne ne connaissait jusqu'alors, fait son apparition sur le devant de la scène alors que le gouvernement américain veut examiner son compte Twitter, au même titre que ceux de Birgitta Jónsdóttir et de Rop Gonggrijp, en janvier 2011. Appelbaum est alors reconnu comme un proche de Julian Assange.

20

Le double[13]

Jacob Appelbaum est un passionné. Ce n'est pas le *nerd* qu'on imagine dans le fond de sa cave, accroché à son ordinateur. Il est hacker, photographe, activiste, et spécialiste en sécurité pour des ONG. Il aime les motos, les documentaires, les voyages, la robotique, plonger, piloter, voyager et écrire. Il s'intéresse au monde et tente de le changer où qu'il soit.

Il garde encore, à près de trente ans, les caractéristiques de l'enfant des rues : anarchiste, élevé par un père junky, laissé par une mère schizophrène, et molesté très jeune par tous les membres de sa famille.

Appelbaum a laissé tomber les études, et appris par lui-même les complexités du code informatique qu'il s'est mis à développer avec une polarisation paranoïaque. Il dit que programmer et hacker lui permettent de sentir que le monde n'est pas un endroit perdu. L'Internet est sa raison de vivre.

Il vit de peu. Son appartement de San Francisco n'a presque pas de meubles : un canapé, une chaise, une table. Les photos de ses voyages couvrent les murs de son bureau et il a dans un coin

---

13 http://www.wikileaksdocument.com/most-dangerous-man-jacob-appelbaum-after-julian-assange-in-wikileaks-org-website.html.

des petits sacs contenant des monnaies et billets des pays qu'il a traversés. C'est un citoyen du monde.

Appelbaum est comme un double de Julian. « Je veux qu'on me laisse tranquille le plus possible, dit-il, je ne veux pas de données qui racontent une histoire fausse sur moi ». Il ajoute : « Vous ne trouverez rien qui circule sur mon enfance. »

Appelbaum explique que nous avons transformé toutes nos données intimes comme nos numéros de compte en banque, nos e-mails, nos conversations téléphoniques et nos données médicales en faisant confiance au système et en pensant qu'elles sont bloquées dans un langage crypté. Mais il sait que ces informations ne sont pas vraiment protégées. Lui le sait, car il peut les trouver.

Hacker ultradoué, il a la possibilité de rentrer dans pratiquement tous les ordinateurs de la planète. Il a donc décidé de dédier son temps à la protection de la vie privée.

Appelbaum a voyagé autour du monde pour enseigner aux dissidents politiques, aux activistes en Droits de l'homme et autres « fantômes », comment utiliser le programme Tor et rendre anonyme leurs échanges Internet aux yeux de ceux qui voudraient les empêcher de poursuivre leur action.

Jacob se considère lui-même comme un absolutiste de la liberté d'expression : « La seule possibilité de faire progresser la race humaine est d'avoir du dialogue, dit-il, chacun devrait honorer la charte des Droits de l'homme des Nations Unies qui dit que la liberté d'expression est un droit universel. L'anonymat des communications est un moyen pour que cela arrive et le projet Tor est simplement une implémentation qui aide à diffuser cette idée. »

En distribuant Tor de par le monde, Appelbaum ne s'occupe pas de faire le tri entre les bons et les méchants : « Je ne fais pas la différence entre une théocratie et une autre en Iran ou ailleurs. Ce qui est important pour moi est que les gens puissent communiquer librement et sans surveillance. Le système Tor ne devrait pas être pensé comme subversif, il devrait être pensé comme une nécessité. Quiconque où qu'il soit doit avoir la possibilité de parler, de lire et de se forger ses propres croyances sans être contrôlé. Tor n'est pas une menace, mais il doit reposer sur tous les niveaux de la société. Quand cela arrivera, nous aurons gagné. »

Tout comme Julian, Jacob est un homme qui met en œuvre ses idées. Bien au-delà des belles paroles, il met la main à la pâte pour imprimer une action dans le monde. Il veut rester anonyme et savoir à qui et comment il délivre des informations sur lui-même. Lorsqu'il voyage, si son ordinateur reste hors de surveillance pendant un temps, il le détruit et le jette. Quelqu'un aurait pu s'y introduire et la méfiance est de rigueur chez lui. Les mesures sont radicales et l'anonymat très difficile à conserver à ce niveau d'implication.

En juillet 2010, peu de temps avant que WikiLeaks ne sorte les documents classés secrets sur la guerre en Afghanistan, Julian Assange est annoncé pour donner une conférence au *Hackers On Planet Earth* (HOPE) dans un hôtel à New York. Des agents fédéraux se présentent dans la salle, probablement pour attendre l'apparition de Julian. Les lumières de la scène s'éteignent le temps que le conférencier prenne place. Un homme entre avec une capuche noire recouvrant sa tête. La mise en scène est judicieuse, les lumières s'allument au moment où l'homme découvre son visage. À la surprise générale, ce n'est pas Assange qui est là, mais Jacob Appelbaum. « Bonjour à tous mes amis et fans de la surveillance domestique et internationale. Je suis ici aujourd'hui parce que je crois que nous pouvons faire de ce monde un monde meilleur. Julian, ne peut malheureusement pas être présent parce que nous ne vivons pas dans ce monde meilleur pour le moment, parce que nous ne l'avons pas encore rendu meilleur. Je voudrais faire une petite déclaration aux agents fédéraux qui se tiennent debout dans le fond de la salle et à ceux qui se trouvent ici devant, et être bien clair. J'ai sur moi, un peu d'argent, la charte des Droits américaine et mon permis de conduire et c'est tout. Je n'ai pas d'ordinateur, pas de téléphone, pas de clé, pas d'accès à quoi que ce soit. Il n'y a donc pas de raison pour que vous m'arrêtiez ou m'importuniez. Et, juste au cas où vous ne le sauriez pas, je suis un citoyen américain de souche qui n'est pas content. Je ne suis pas content de voir comment les choses se passent. » Il fait une pause, interrompu par une salve d'applaudissements. « C'est une citation de *Tron*[14] : "Je me bats pour l'utilisateur" ».

Il parle ensuite de WikiLeaks, de leur besoin de bénévoles, de l'intérêt de la cause. Lorsque les lumières s'éteignent, il remet sa capuche sur son visage et quitte la scène, escorté de bénévoles.

---

14 *Tron*, film de science-fiction américain, réalisé par Steven Lisberger, en 1982. Le héros du film est un hacker.

Le groupe se dirige vers la réception de l'hôtel. L'homme encapuchonné se découvre alors. Il ne s'agit pas de Jacob Appelbaum, mais d'un autre jeune homme. Le vrai Appelbaum a glissé dans les coulisses et s'est échappé de l'hôtel par la porte de sécurité. Il s'est pressé vers l'aéroport pour prendre un avion pour Berlin !

Moins de deux semaines plus tard, Appelbaum est arrêté et détenu quelques heures par les autorités à l'aéroport de Newark, New Jersey aux États-Unis. Entre-temps, les journaux ont rapporté que les documents sur la guerre en Afghanistan « fuités » par WikiLeaks ont permis d'identifier des dizaines d'informateurs afghans ainsi que de potentiels transfuges coopérants avec l'armée américaine. La réaction des politiques américains ne s'était pas fait attendre.

Appelbaum est donc interrogé quelques heures sur ses relations avec WikiLeaks et Julian Assange, sur ses propres idées au sujet de l'Irak et de l'Afghanistan. Il se voit confisquer son ordinateur et ses trois téléphones portables. Bien qu'il soit menacé de se voir interdire l'entrée dans son pays, l'interrogatoire ne mène à rien et il est relâché.

Deux jours plus tard, alors qu'il est attendu en tant qu'intervenant à une conférence de hackers à Las Vegas, Appelbaum est approché par deux agents du FBI : « Nous voudrions vous parler quelques minutes. Nous nous doutons que vous ne le souhaitez pas, mais parfois il est bon d'avoir une conversation pour éclaircir les choses. »

Le 10 janvier 2011, à Seattle cette fois, revenant d'Islande, il est arrêté puis fouillé sans son consentement et malgré sa demande d'appeler son avocat. Puis il est interrogé sur la nature de son voyage en Islande. Les autorités sont visiblement déçues de ne trouver ni ordinateur ni téléphone portable. Appelbaum informe au plus vite ses amis de sa mésaventure via Twitter.

Selon le site WikiLeaks, Jacob Appelbaum est aujourd'hui devenu l'homme le plus dangereux après Julian Assange et le cauchemar des hommes politiques. Il est le seul activiste connu de WikiLeaks. Il n'est certainement pas seul pour faire fonctionner un site de cette ampleur. Les proies sont démasquées les unes après les autres. Combien parviennent encore à se cacher pour poursuivre l'action grâce à leur parfaite maîtrise du réseau Internet ?

21

CRYPTOME

Cryptome.org est un site Internet américain qui diffuse depuis 1996 des documents « qui sont interdits par les gouvernements à travers le monde, en particulier du matériel relatif à la liberté d'expression, la vie privée, la cryptologie, l'utilisation double des technologies, la sécurité nationale, les services secrets, et la gouvernance secrète, mais pas seulement. »

Le site Cryptome est architecturé avec des sites miroirs distants afin de pouvoir faire face aux attaques et d'assurer un service continu. L'archive est accessible via donation sous forme de DVD. Le site est gratuit et financé par des fonds propres et des dons. Il est considéré comme le Parrain des sites lanceurs d'alertes.

John Young, fondateur du site, est respecté par toutes les personnes travaillant sur le secret et la confidentialité. Il assure la gestion de son site, seul, aidé par sa femme, Deborah Natsios.

C'est donc tout naturellement que Julian Assange contacte Young en 2006 pour enregistrer le nom de domaine wikileaks.org. WikiLeaks avait besoin de personnifier le détenteur du nom sous les traits d'un homme qui assurerait une intégrité dans le monde de l'Internet.

Assange et Young ne se connaissent pas personnellement, mais ils sont tous deux membres de la mailing-list de Cypherpunk. Ce haut lieu d'échange entre tous les passionnés et activistes de la cryptographie dans les années 1990 a été créé par John Gilmore, fondateur de la *Electronic Frontier Foundation*, organisation qui intervient juridiquement dans des procès liés au monde digital et les questions de droits.

Ce forum a permis des avancées spectaculaires dans les technologies de cryptage et la libéralisation de logiciels *open source* de protection personnelle. C'est la première fois dans l'histoire de l'Âge électronique que des citoyens privés ont accès à des logiciels de cryptage puissants qui leur permettent de communiquer entre eux sans que les agences gouvernementales puissent les écouter. C'est d'ailleurs dans cette liste que John Young a proposé, en 1994, son espace Internet personnel pour que certains membres puissent publier des documents confidentiels, plantant alors la graine de son site Cryptome.

L'anonymat et l'utilisation de pseudonymes sont donc des thèmes majeurs de la mailing-list et c'est sans crainte que John Young (JYA) accepte de parrainer cette aventure naissante avec Proff alias Julian Assange. Il voit là une opportunité de consolider son engagement avec un nouveau partenaire dynamique et innovant. Le dessein de WikiLeaks est très proche, en apparence, de celui de Cryptome.

Il y a tellement de secrets à dévoiler, tellement de réalités à éclairer. Young aime à rappeler : « Il n'y a aucun secret qui ne puisse être publié ». Young ne supporte pas les manigances des services de renseignements et s'empresse de braquer ses projecteurs sur eux dès qu'il le peut.

Lorsque Young publie les contacts de cent agents du MI6 (services secrets britanniques) en 1999 ou de quatre cents agents des services secrets japonais en 2000, il reçoit à chaque fois la visite du FBI. Après une entrevue cordiale, il s'empresse de publier les noms et contacts des agents qui sortent de chez lui.

John Young a une idée claire de la confidentialité sur Internet : il n'y en a pas. Et délivrer des documents secrets ne met pas en danger les États, car leurs ennemis ont déjà eu accès à ces documents. C'est juste un service rendu au public.

Il réfute aussi les plaintes sur la sécurité des agents quand il cite des noms. Il a beaucoup discuté avec des anciens agents (son beau-père a travaillé à la CIA) et il explique : « Ils mentent tellement, mènent tellement de fausses opérations et disposent tellement de faux agents. Ils exposent tellement leurs propres agents – il n'y a absolument rien que vous puissiez faire qu'ils n'aient déjà fait. En fait, ils espèrent que vous le fassiez. Pour troubler un peu plus les eaux. »

D'ailleurs, il trouve d'abord un peu utopiques puis totalement frauduleuses les promesses faites par WikiLeaks quant à la protection de l'identité de leurs sources : « Il y a beaucoup de fumée sur leur site . Page après page après page sur comment ils vont vous protéger. Et là je dis Oh-Oh. C'est trop de promesses. Trop de promesses est un signe que ça ne marche pas. Et on le sait en regardant [...] comment les gouvernements opèrent. Quand ils font trop de promesses, vous savez qu'ils cachent quelque chose. Les gens qui sont vraiment dignes de confiance ne vont pas crier sur tous les toits à quel point ils sont dignes de confiance. »

Cryptome apparaît aujourd'hui vis-à-vis de WikiLeaks comme un artisan face à l'industrialisation d'un concept. Le site est des plus rudimentaires, listant les uns en dessous des autres les leaks sous forme de liens hypertextes classés par date de publication. Il délivre aussi des informations classées, mais se défend de dépendre exclusivement de fuites. La plus grosse partie de la collection de Cryptome émane de documents accessibles ailleurs, des renseignements *open source*, des documents du domaine public. C'est John Young lui-même qui se charge de poster les informations qu'il découvre ou qu'il reçoit de son réseau d'amis et de sympathisants.

Il lit tous les matins le *Federal Register*[1] et les dossiers de demande d'information à l'agence du FOIA (*Freedom of Information Act*, loi fédérale de 1966 qui établit le droit au public d'obtenir des informations des agences fédérales). Steven Aftergood, qui consulte tous les jours le site, dit de lui : « John Young voit des choses que d'autres ne voient pas, et publie des choses que d'autres ne publieraient pas. »

Pour John Young, toujours en activité en tant qu'architecte émérite à New York, c'est un loisir : « Ce n'est pas un énorme

---

1 Le *Federal Register* est la publication quotidienne officielle pour les lois, les lois proposées, et les avis des agences et organisations fédérales, ainsi que des ordres exécutifs et autres documents présidentiels.

travail. C'est quelque chose que je fais périodiquement. À partir du moment où il n'y a pas d'intention personnelle derrière, mon entreprise ne peut pas faillir. Elle suit tout simplement son chemin. Les passe-temps continuent encore et encore jusqu'à ce qu'ils se consument un jour. »

C'est un amateur dans le sens le plus noble du terme, au service de sa cause et de sa passion, simplement : « Je n'ai jamais eu le désir de renverser des gouvernements [...] ou de relever le journalisme. »

C'est bien pour cette différence cruciale que John Young n'a pas suivi Julian Assange. Alors qu'il est membre de la mailing-list de WikiLeaks, à l'aube du lancement du site en janvier 2007, John Young réagit brutalement – il est connu pour être totalement imprévisible – à un message de Julian Assange qui planifie un budget de cinq millions de dollars pour mener au plus haut WikiLeaks. Lui qui déclare que la tenue de son site ne lui coûte qu'une centaine de dollars par mois ne peut adhérer à cette ambition plus que suspecte. Il quitte l'organisation le 7 janvier 2007 et son compte JYA est retiré de la liste des membres.

Cependant, John Young avait pris soin de se créer un autre compte plus anonyme et continue ainsi de suivre les échanges de e-mails au sein du projet. Il publie régulièrement des messages qui relèvent de questions financières, éthiques, sur les actions et même les divisions discutées entre les membres. Il fait le bonheur de tous les opposants à WikiLeaks.

Pourtant, sa position est plus complexe. Lui qui rappelle régulièrement qu'il ne faut pas lui faire confiance, qu'on ne peut avoir confiance en personne ; il dira même : « Je suis un membre de WikiLeaks… Je suis un critique de WikiLeaks. Ma blague actuelle est de prétendre que je suis un opposant à WikiLeaks. C'est une opposition amicale. Se féliciter les uns les autres est totalement insipide. Vos parents vous félicitent. Vos amis ne le font pas ; ils savent que c'est une arnaque. Les louanges sont de la manipulation. La critique est plus franche. » Il ajoute avec une certaine ironie : « Assange ne m'a pas renvoyé l'ascenseur. »

Car selon John Young, le problème réside bien en ce que Julian Assange fait de WikiLeaks : « J'ai séparé WikiLeaks de Julian. Il a aujourd'hui décollé de son propre chemin... Il se lance dans une carrière en tant que Julian Assange. Il a utilisé WikiLeaks comme levier. Donc maintenant, WikiLeaks est désolidarisé de lui et d'autres wikis se montent par d'autres personnes déçues par sa mégalomanie. »

D'ailleurs, il a toujours été un peu suspicieux sur le personnage « sans humour », « ne faisant des blagues qu'aux gens prétentieux ». Il reconnaît son talent d'acteur. Il n'a donc pas été étonné de voir WikiLeaks récupéré par la presse *Mainstream* : « Les médias conventionnels ont utilisé la flatterie, l'attention et la corruption, toutes ces choses habituelles que vous insérez dans la poche et qui sont irrésistibles pour les gens qui ont un côté narcissique. »

Pour John Young, WikiLeaks a perdu de sa simplicité originelle et l'hémorragie vient de l'intérieur. Les membres n'ont pas su gérer les ambitions d'Assange et leur amateurisme naïf a été confronté à un monde du business acéré.

À propos de leur besoin continuel d'argent, Young dit : « Vous ne devriez jamais faire ça pour de l'argent. Simplement parce que ça contamine votre crédibilité et oriente votre projet vers des opportunités d'affaires où il y a traitrise et mensonge. Et WikiLeaks n'y échappera pas. » Il regrette : « Ils agissent comme un culte. Ils agissent comme une religion. Ils agissent comme un gouvernement. Ils agissent comme une bande d'espions. Ils cachent leur identité. Ils ne justifient pas leur argent. Ils promettent toutes sortes de belles choses. Ils disent rarement ce qu'ils sont en train de manigancer. Ils ont des rituels et toutes sortes de trucs magnifiques. Donc je les admire pour leur côté spectacle et leur valeur de divertissement. Mais je ne leur ferais certainement pas confiance si j'avais une information de valeur. »

Si John Young continue de diffuser toutes les informations qu'il reçoit, croise ou trouve à propos de WikiLeaks, c'est toujours dans un but de partage de la connaissance et pour offrir au public la possibilité de sa propre opinion. Il n'hésite donc pas à publier des e-mails très critiques envers Assange qu'il reçoit d'un étrange *WikiLeaks insider,* sans chercher à vérifier son identité.

Young n'hésite pas non plus à critiquer vertement les attaques faites par des magnats de la presse ou autres politiciens à l'encontre de Julian ou WikiLeaks.

Car, si John Young peut être considéré comme un opposant à Julian Assange, il reste un grand défenseur de la vérité et ne laissera jamais quiconque attaquer ces chevaliers de la transparence.

22

DDoS : Daniel Domscheit-Berg
or Schmitt

29 décembre 2007 : 24C3, vingt-quatrième congrès annuel
du Chaos Computer Club

Cette réunion berlinoise est devenue le principal rassemblement de hackers et hacktivistes en Europe. Le *Chaos Computer Club* ou CCC a été fondé le 12 septembre 1981 dans les bureaux du journal indépendant *Die Tageszeitung* communément appelé *Taz*. L'un des fondateurs du CCC est Herwart Holland-Moritz, connu sous le nom de Wau Holland, célèbre hacker allemand, des années 1980. Ce sera en hommage à ce héros national de l'hacktivisme, décédé en 2001 à quarante-neuf ans, que son nom sera utilisé pour la *Wau Holland Fondation*. Elle supporte plusieurs projets dans les champs chers au CCC : aspect social de l'évolution technologique, histoire de la technologie et liberté de l'information. Elle devient en octobre 2009 l'un des principaux bailleurs de fonds de WikiLeaks.

Le salon du congrès annuel *Chaos Computer Congress* (ou C3) a connu une croissance constante depuis son lancement. Il accueille, dans une ambiance toujours décontractée, des orateurs experts devant un public passionné. Les membres de WikiLeaks sont des habitués de l'événement.

En 2006, au 23C3, Jacob Appelbaum présente sa méthode pour contourner FileVault, le logiciel d'archive sécurisée d'Apple. Son coorateur est Ralf-Philip Weinmann, ancien acolyte de Julian Assange sur Rubberhose, le logiciel libre qu'ils ont créé ensemble en 1997.

En 2007, au 24C3, Rob Gonggrijp conduit un exposé sur les machines de vote aux Pays-Bas. Une autre conférence passionnante est donnée par Annie Machon, ancienne espionne du MI5, le FBI anglais. Elle raconte son histoire, ses déceptions, et sa vie de lanceur d'alerte recluse en France. Cette même Annie Machon sera invitée par Julian Assange, en 2008, aux conférences du *Hacking At Random* aux Pays-Bas.

Quatre jours de conférences sont prévus à ce vingt-quatrième congrès. Les thèmes abordés vont de la criminalité électronique aux logiciels libres, de la cryptographie à l'anonymat où la plateforme Tor sera abordée quatre fois.

En marge de ces conférences, des ateliers sont organisés sur différents thèmes émergents. Le 23 décembre 2007 à 21 h 30, un certain « Julien d'Assangé », membre de l'*advisory board* d'une organisation appelée WikiLeaks, présente « un lieu pour les journalistes, les diseurs de vérité et tous les autres ».

Dans l'assemblée, un informaticien allemand, nommé Daniel Berg assiste au congrès. Il est ingénieur réseau pour la société EDS, une société internationale de service de données électroniques. Il se présente dans son profil LinkedIn, réseau social professionnel, comme « *realityanalyzer, dreamshaper, freedomdefender, interestdetester, whalesaver, bookeater, overflower, underminer, wardriver, packetizer, hacker, assoffworker, motivator, creator[2]* ».

Au 24C3, « Julien d'Assangé » expose la mission de WikiLeaks, ses défis techniques, et la visibilité déjà réelle du projet grâce à des articles parus dans *The Guardian, The New York Times, Washington Post, Die Welt* et *Der Spiegel*. Il finit sa présentation par un appel à l'assemblée pour rejoindre le mouvement.

Les deux hommes se rencontrent et Daniel Berg s'engage.

Daniel est un technicien, diplômé en informatique de l'Université d'Éducation Coopérative de Mannheim. Cette université dispense une formation basée sur la pratique en immersion dans l'entreprise. Daniel aime courir, les balades en VTT, David Lynch, Alejandro Jodorowsky et c'est un acharné du travail. Il s'est, une fois, infligé quatre-cent-vingt heures de travail sur quatre semaines pour sauver un projet en péril à Moscou.

Pour WikiLeaks, en pleine ascension, une telle ressource est plus qu'attendue. Daniel s'engage comme analyste durant ses heures libres pour l'organisation.

Son engagement passionné et son extraordinaire capacité de travail vont très rapidement le rapprocher de Julian Assange.

---

2 « analyseur de réalité, façonneur de rêves, défenseur de la liberté, contempteur des intérêts, sauveur de baleine, dévoreur de livres, inondeur, saboteur, guerroyeur, livreur de paquets, pirate informatique, travailleur d'arrache-pied, motivateur, créateur ».

Le numéro un de l'organisation lui demande de l'accompagner au vingt-cinquième C3 pour présenter une conférence cette fois intitulée : « WikiLeaks contre le monde ». Julian Assange, sous son vrai nom, se présente en tant qu'*Investigative Editor* de l'organisation, alors que Daniel Domscheit-Berg se fera appeler « Berger ».

À cette date du 30 décembre 2008, WikiLeaks a déjà connu beaucoup d'événements douloureux liés au succès grandissant de leur action.

Ils ont essuyé au début de cette année-là le procès éprouvant intenté par le Julius Baer Group suite à la publication d'une liste de mille six cents clients fortunés ayant bénéficié de l'expertise de la banque en matière de fuite fiscale. Ils ont subi l'ire de Sarah Palin, gouverneure républicaine américaine, suite à la publication de sa messagerie personnelle Yahoo! en pleine campagne présidentielle. Enfin, ils ressentent encore les vibrations du séisme qu'ils ont occasionné en Grande-Bretagne après la publication de la liste de dix-mille membres du parti d'extrême droite BNP, *British National Party*, qui regroupe des policiers, des membres du clergé, et des enseignants.

Assange et Berger se présentent assez fatigués à Berlin au 25C3 pour relater ces faits. Le duo fonctionne harmonieusement, chacun ayant ses chapitres assignés. Julian explique les affaires, l'impact et l'enseignement à en tirer. Daniel présente certains fondements et les besoins techniques. L'assemblée est conquise. Julian reçoit une ovation quand il déclare solennellement, en prenant soin de laisser le silence encadrer chacun de ses mots : « Nous n'avons encore jamais eu une source exposée ou poursuivie ».

Le rôle de Daniel Berg se précise ensuite. Il quitte son entreprise et revêt le costume de Daniel Schmitt, porte-parole du mouvement. Son nom apparaît fin décembre 2008 dans des articles relatant les menaces faites au site, suite à la publication de documents secrets du BND (*Bundesnachrichtendienst*, services secrets allemands). À partir de 2009, Daniel donnera, en un peu plus d'un an, une centaine d'interviews à travers le monde.

C'est Daniel le visage public de Wikileaks pendant que Julian continue de sillonner le globe, de conférence en conférence. Il se prononce sur la publication des cinq-cent-mille messages émis des téléphones mobiles le 11 septembre 2001 lors de l'effondrement des deux tours du World Trade Center. Il prend la parole lors de la mise en ligne de six-mille-sept-cent-quatre-vingts rapports du CRS (*Congressional Research Service –* Service de Recherche du Congrès), rapports d'analyses sur différents sujets d'intérêt pour le Congrès américain. C'est avec Julian Assange qu'il couvre l'affaire islandaise liée à la faillite de la banque Kaupthing.

C'est aussi à deux que Julian et Daniel reviennent le 30 décembre 2009 au 26C3, vingt-sixième congrès du *Chaos Computer Club*. La vidéo de leur présentation sera reprise plus de cinquante fois sur YouTube. Cette conférence présente d'abord le projet WikiLeaks dans son concept originel, au meilleur de sa forme. Elle présente surtout un duo d'orateurs et de colégionnaires des plus captivants.

Devant une salle comble de quelques centaines de personnes, la grande scène du Centre des Congrès de Berlin accueille un pupitre sur le côté droit d'un grand écran. Il est 17 h 15. Daniel Schmitt est derrière le pupitre, regard sombre, pantalon noir, chemise noire. Sur la scène, Julian Assange, chemise blanche, chevelure argent, déambule, décontracté, les mains dans les poches d'un pantalon brun.

Le titre de la présentation est : « Wikileaks version 1.0 ». Cette numérotation est utilisée en programmation pour confirmer que le logiciel est dans sa version mature, épuré de toute imperfection, et prêt à être utilisé avant une nouvelle version ultérieure qui apportera des fonctionnalités supplémentaires.

La conférence débute par un bref résumé des fondements de WikiLeaks et Daniel Schmitt annonce : « Le *National* [journal en langue anglaise des Émirats Arabes Unis] a écrit que nous avions publié plus de scoops dans notre courte existence que ne l'a fait le *Washington Post* dans les trente dernières années ». La salle applaudit. Et Daniel de rajouter : « Merci, mais nous n'en sommes qu'à l'échauffement ». Pendant ce temps, Julian contemple cet auditoire déjà conquis et sourit.

Daniel n'est pas très à l'aise. Il a fait des relations avec la presse sa spécialité. Les conférences l'intimident vraisemblablement. Il a le souffle court et ses mains moites entrainent ses notes à terre quand il veut donner la parole à son acolyte. Julian lui a l'expérience d'une tournée mondiale, il n'a pas de notes, ne regarde jamais l'écran et détend l'atmosphère ou plutôt son ami par un petit : « Oui, on a rassemblé nos idées pour ce discours... un peu avant, dans la journée ».

Julian Assange introduit les événements de 2009 brièvement en plaisantant que le public peut avoir tous les détails sur Wikipédia. Daniel reprend ensuite très sérieusement la description des fuites publiées dans l'année : le meurtre de civils afghans à Kunduz perpétré par les forces allemandes supposées engagées dans une mission de maintien de la paix. Très impliqué, il entreprend un discours sur des rapports du Think Tank European Institute for Security Studies (groupe européen d'experts en sécurité).

Protégé derrière son pupitre, les mains proches de son ordinateur portable, il attire l'attention ; il commente ses notes qui envisagent le futur policé de l'Europe entourée d'un mur virtuel pour éviter toute immigration. Il déclare : « Devons-nous rester silencieux ? Est-ce que c'est le monde dans lequel nous voulons vivre à l'avenir ? »

Nous assistons là à un duo très équilibré, tel un yin et un yang, le noir solide sur ses positions, pragmatique et direct, et le blanc lyrique dans ses explications, se déplaçant sur la scène, plaisantant ici, théorisant là.

Les compères présentent les améliorations qu'ils souhaite-raient apporter au système : une ouverture aux citoyens et un tunnel d'accès à de « bons » journalistes pour créer plus de lisibilité sur cette masse d'informations qu'ils publient et en augmenter l'impact.

Ils entament ensuite une longue présentation du projet initié par Julian : un havre de l'information, basé sur l'idée des paradis fiscaux. Ils introduisent leur exposé par l'affaire islandaise. Julian raconte la mésaventure de la chaîne publique RUV. Cette chaîne n'a pas pu diffuser son reportage sur le scandale financier dévoilé par WikiLeaks, car elle a reçu une injonction judiciaire quelques minutes avant la diffusion. Julian révèle alors qu'à la place, elle a diffusé pendant plusieurs minutes la page d'accueil du site qui avait permis l'éclairage. L'assemblée s'emporte dans une salve d'applaudissements enthousiastes. La réaction des deux représentants devant cette ovation est typique du duo. Daniel se réfugie derrière l'écran de son ordinateur comme pour réfréner sa joie alors que Julian, le menton levé, s'emplit de cette énergie bienfaisante.

Julian explique son projet, seul, les mains croisées sur son abdomen, comme un prêcheur devant le peuple. Il sait qu'il maîtrise son discours. C'est son idée. Il n'a besoin de personne. Il tente à un moment d'impliquer Daniel qui bredouille en reposant la bouteille d'eau qu'il avait portée à sa bouche. Julian reprend la parole. Ce n'est qu'après ces dix minutes de monologue que Daniel Schmitt conclut par un appel humoristique : « il faut nous aider à convaincre ces Islandais qui n'ont pas encore compris l'importance de l'enjeu, vous savez, eux aussi ont un parti conservateur ». Rires dans la salle.

La conférence se termine par un hommage rendu par Julian à toutes les sources et leur courage. Il ajoute, sans éviter un silence gêné dans l'auditoire, qu'il remercie les médias traditionnels : « Il y a de très bonnes personnes, je vous assure ».

Comme à leur habitude, Daniel ferme le show par un « merci pour votre patience ». Après une *standing ovation* de quelques minutes, les questions sont ponctuées par un témoignage de Jérémie Zimmermann, porte-parole de La Quadrature du Net, une organisation française de défense des droits et libertés des citoyens sur Internet : « Tout d'abord, je voulais vous dire à quel point je vous admire. Vous êtes un de mes héros ». Une nouvelle fois, Julian se délecte tandis que Daniel réagit en disant : « le projet, s'il te plaît, le projet ».

À trente-deux ans, en ce début de l'année 2010, Daniel Schmitt a déjà passé deux ans au service de l'organisation ; il a quitté son emploi début 2009 pour s'y consacrer pleinement : « J'ai investi une énorme part de mon temps et de mon argent. » WikiLeaks a grandi de façon totalement exponentielle, « trop vite », confiera-t-il.

Les fuites arrivent tous les jours, Daniel en juge certaines très intéressantes pour un rayonnement local. Pour lui, la plateforme ne doit pas faire de discrimination et la vérité est bonne, qu'elle soit d'impact régional, national ou mondial. Mais un projet va occuper la plupart des ressources de la petite organisation.

Ils reçoivent en février une vidéo terrible sur l'attaque de civils par un hélicoptère de l'armée en Irak. Julian Assange voit ici le levier nécessaire pour porter aux nues l'entreprise. Une vidéo est toujours plus parlante que des centaines de pages de rapport. Il se plaint que les fuites ne sont pas facilement lues par les citoyens, il rêve d'*Impact maximization* (titre d'un *slide* de sa présentation au 26C3). Il détient là le moyen d'y arriver. Il recrute une équipe d'experts en communication, en vidéo, des monteurs-image, des monteurs-son pour un véritable projet médiatique. Ce sera la réalisation du documentaire *Collateral Murder* qui propulsera Julian Assange face au monde.

Daniel s'y implique modérément. Las de parcourir le monde, il assure son rôle de porte-parole en accordant des interviews à des journaux, principalement allemands. D'autre part, il fait face à un arrêt du site qu'il trouve éprouvant. À bout de ressources financières, le site ferme. Cette manœuvre vise à réveiller l'opinion publique et à motiver une collecte de dons. Elle cache aussi une réalité plus urgente. L'infrastructure du site avec ses multiples installations miroirs doit être revue pour passer à un modèle plus industriel. Cela nécessite des investissements et surtout des ressources. Lui l'ingénieur, le technicien qui travaille au sauvetage de projets informatiques en péril, veut que cela devienne une priorité. Mais l'attention est attirée sur le projet B. La mise en orbite de cette vidéo ; plus rien d'autre ne compte pour Julian Assange.

Le divorce s'annonce. Daniel Schmitt se présente seul le 22 avril au Re:publica 2010, un congrès allemand sur les nouveaux médias. Il débute sa présentation en annonçant l'absence de Julian, « notre représentant public », resté aux États-Unis après la conférence de presse qu'il a donné.

Que pense Daniel à ce moment ? Lui dont le rôle était de répondre à la presse, de représenter l'organisation et d'en être son porte-voix. Il se retrouve dans la position de l'orateur. Alors que

Julian prend maintenant le masque public de l'organisation, on parle autant de l'homme, captivant, mystérieux, magnétique, que de l'organisation ; Daniel, qui a toujours voulu s'effacer derrière le projet, garde une attitude discrète et un discours pragmatique pour ne pas attirer l'attention sur lui et n'être qu'une voix pour l'équipe.

Sa présentation, ce jour-là, est rapide, sur un ton assez monocorde. Daniel fait la liste des fuites importantes des six derniers mois, devant un public attentif, mais beaucoup moins enjoué que dans un C3. Il s'étonne de finir son exposé en trente cinq minutes. Les applaudissements sont tout de même chaleureux et la séance de questions-réponses dure près de quinze minutes. Elle lui permet de revenir sur les problèmes d'infrastructure qui visiblement le touchent. Il se fait aussi apostropher à propos de la vidéo. Les questions portent sur la frontière dangereuse entre la publication de sources brutes et une approche éditoriale moins objective de l'information. Quelqu'un prend le micro pour crier : « Vous vous cachez ».

Daniel reste calme, mais ses yeux s'arrondissent, son souffle se fait plus court, il répond : « Non, les noms sont clairement précisés à la fin de la vidéo. Et, je le répète, de mon point de vue, la frontière n'a pas été définie de façon assez claire. Il y a une incompréhension entre ce que WikiLeaks publie et ce produit, *Collateral Murder* ».

Il quitte la scène en remerciant l'auditoire et en lâchant : « Bon congrès. J'espère que vous aurez des choses plus importantes à écouter ».

Daniel apparaît donc à cette conférence dans un état d'esprit différent. Il sent que les choses lui échappent. Et la réalité va s'avérer plus cruelle encore.

En avril 2010, l'organisation n'a jamais eu une telle couverture médiatique, la presse a les yeux rivés sur elle. Il faut faire face à des questions de toutes parts, éviter de prendre trop au sérieux les attaques et théories fumeuses sur des liens avec des services secrets. Daniel répond toujours en tant que porte-parole.

Ils reçoivent près de vingt-cinq soumissions de documents par jour, mais ce qu'ils ont reçu en février avec la vidéo et un ensemble de documents américains, sont une telle quantité d'informations explosives que le temps leur manque pour y faire face.

Julian Assange sait qu'il faut profiter de l'énergie de la vidéo pour amener WikiLeaks au niveau qu'il ambitionne. Il décide de laisser de côté tous les autres documents reçus. Il faut se concentrer sur les fuites américaines et éditer le *Journal de guerre d'Afghanistan* connu sous le nom de *War Logs*. Les associés s'exécutent, ravalent leurs frustrations, personne n'a vraiment le temps de polémiquer.

C'est un travail énorme : revoir une base de données de quatre-vingt-douze-mille documents, et tenter d'ôter les noms des informateurs et collaborateurs afghans qui travaillaient avec les forces américaines pendant la période couverte par ces notes, de 2004 à 2009. Tout le monde y travaille : les bénévoles, les associés.

En juin, ils apprennent l'arrestation de la source présumée de la livraison de février. Il s'appelle Bradley Manning, jeune soldat de l'armée américaine en poste en Irak. Le choc est grand, c'est la première fois qu'une source serait identifiée et arrêtée. Daniel pense à la phrase de Julian lors du 25C3 : « Nous n'avons encore jamais eu une source exposée ou poursuivie », celle qui lui avait valu tant d'applaudissements.

Le *Journal de guerre d'Afghanistan* sort finalement le 25 juillet. Ils n'ont pas pu analyser tous les documents et quinze-mille sont laissés de côté pour une publication ultérieure. Les informations sont immédiatement reprises par de grands noms de la presse internationale : *The Guardian*, *The New York Times*, *Der Spiegel*. Daniel partage avec Julian cette idée qu'il est nécessaire de faire appel à la presse traditionnelle pour une meilleure couverture de leurs actions. Cependant, Julian est furieux de voir que *The New York Times* n'a pas inséré un lien vers la source de ses informations. Daniel ne s'en étonne pas, c'est justement le système qu'ils veulent automatiser dans l'avenir sur la plateforme, c'est une méthode de gestion de contenu appelée « syndication ».

Cependant, la tension commence à monter dans les rangs de WikiLeaks suite aux critiques d'organisations comme Reporters sans frontières ou même du Pentagone. Ils ont laissé passer quelques noms dans les documents, mettant en danger la vie des personnes citées. L'équipe est à cran. Tout va tellement vite.

Daniel pense aussi qu'il faudrait prendre un peu de recul. Revoir l'infrastructure, consolider l'organisation, travailler sur la communication des financements, publier des informations locales.

Julian lui est de moins en moins présent. Il est souvent à Londres, il participe à des conférences, des tables rondes, des plateaux télévisés. Il apparaît seul au TED, programme de conférences retransmises en vidéo sur Internet ; son apparence a changé, il a les cheveux coupés, il porte un costume gris de bonne facture.

L'été 2010 va être décisif pour WikiLeaks. En août, quand les allégations de viol et de harcèlement sexuel de Julian sur deux femmes en Suède sont confirmées, l'équipe panique. Quel impact cela va-t-il avoir pour WikiLeaks ? Il commençait tout juste à porter le projet à un niveau international vers une audience plus large qu'il est confronté à ces accusations. Daniel Schmitt contient la presse. Certains journalistes ont déjà oublié ce porte-parole. Karl Ritter, d'*Associate Press* le présente comme « un porte-parole de WikiLeaks, qui se présente sous le nom de Daniel Schmitt pour protéger son identité ». Daniel déclare : « Ce sont de très graves accusations. » Il dit qu'il ne sait pas où est vraiment Julian et « qu'il est assez intelligent pour savoir ce qu'il a à faire ».

Mais Daniel en a assez. Les quinze-mille *War Logs* d'Afghanistan sont prêts, mais Julian ne veut pas les publier. Pourquoi ? Personne ne le sait. Il vient aussi d'apprendre que

Julian a négocié une date de sortie des *War Logs* d'Irak qu'ils préparent depuis plusieurs semaines, mais là encore, il n'en sait pas plus. Il pense qu'il est temps que Julian se retire pour gérer son affaire personnelle.

Un article du *Newsweek* du 26 août 2010 déclenche la colère de Julian Assange. Cet article cite « un proche de WikiLeaks ». Ce dernier déclare qu'un certain nombre de collaborateurs s'inquiètent sur la défense que Julian utilise en parlant de diffamation et conspiration contre lui sans justification. Ces mêmes collaborateurs envisageraient de réfléchir à comment le persuader de s'écarter du mouvement pendant l'affaire suédoise.

Julian contacte Daniel par voie électronique. Le magazine *Wired* obtient les détails de la discussion, et même si Daniel Domscheit-Berg nie avoir donné ce document au journal, il confirme la teneur des propos suivants :

Daniel : Quels sont les arrangements sur l'Irak ? J'ai besoin de comprendre quel est le plan, et quelles sont les contraintes.
Julian répond par une copie de l'extrait de l'article du *Newsweek*.
Julian : « D'après quelqu'un de très proche d'autres activistes de WikiLeaks en Europe, et qui a demandé de rester anonyme lorsqu'un sujet sensible est abordé, bon nombre d'entre eux s'inquiétaient en privé de ce qu'Assange a continué de répandre des allégations de mauvais coups et d'évoquer des conspirations à son encontre sans justification. Des personnes

bien informées suggèrent que plusieurs collaborateurs du site Internet recherchent un moyen de persuader leur représentant de s'écarter, ou le cas échéant, de l'évincer. »

Daniel : Qu'est-ce que ça à voir avec moi ? Et ça vient d'où ?

Julian : Pourquoi penses-tu que ça aurait à voir avec toi ?

Daniel : Sans doute parce que tu penses que c'était moi.

Daniel : Comme déjà dit hier, c'est une discussion en cours à propos de laquelle beaucoup de personnes ont exprimé leur préoccupation.

Daniel : Tu devrais y faire face, plutôt que de tirer sur la seule personne qui soit encore honnête avec toi à propos de tout ça.

Julian : Est-ce que c'était toi ?

Daniel : Je n'ai pas parlé au *Newsweek* ni aucun autre média à propos de ça.

Daniel : J'ai parlé à des gens avec qui nous travaillons et qui se soucient du projet.

Daniel : Et il n'y a rien de mal à ça.

Daniel : Ça peut devenir de plus en plus nécessaire, et je ne peux que te recommander encore d'écouter ces préoccupations.

Julian : À qui as-tu parlé de ce sujet ?

Daniel : Je t'ai déjà dit plus haut.

Julian : Ce sont les seules personnes ?

Daniel : Quelques amis du Club [*Chaos Computer Club*] m'ont posé quelques questions et j'ai répondu que ça pourrait être la meilleure attitude à avoir.

Daniel : C'est mon opinion [...]

Daniel : Rends-toi compte que tu n'as plus trop de confiance dans l'équipe.

Daniel : Et démentir ou parler d'une campagne contre toi ne va pas changer le fait que c'est seulement la conséquence de tes actions.

Daniel : Et pas des miennes.

Daniel : Et je ne veux même pas penser combien de gens qui avaient du respect pour toi m'on dit qu'ils étaient déçus de tes réactions.

Daniel : J'ai essayé de t'en parler, mais avec toute ta fierté mal placée, tu t'en fous.

Daniel : Donc j'ai décidé de m'en foutre aussi.

Daniel : À part ça, j'avais des questions en premier lieu, j'ai besoin de réponses.

Daniel : Quels accords ont été faits ?

Daniel : J'ai besoin de comprendre pour qu'on puisse continuer à travailler.

Daniel : Tu continues à bloquer le travail de certains.

Julian : Combien de gens ont discuté avec toi ? Et quelles sont leurs positions au CCC ?

Daniel : Commence par répondre à mes questions Julian.

Julian : Es-tu en train de refuser de me répondre ?

Daniel : Je t'ai déjà dit que je ne vois pas pourquoi je devrais te répondre juste parce que tu veux des réponses, alors que tu refuses de répondre à tout ce que je te demande.

Daniel : Je ne suis pas un chien que tu peux commander comme tu veux Julian.

Julian : Je mène une enquête sur une sérieuse brèche dans notre sécurité. Est-ce que tu refuses de me répondre ?

Daniel : Et moi je mène une enquête sur une sérieuse brèche dans notre confiance. Est-ce que tu refuses de me répondre ?

Julian : Non. J'ai amorcé cette conversation. Réponds à ma question s'il te plaît. [...]

Daniel : Arrête de tirer sur l'ambulance.

Daniel : Et ce n'est pas valable que pour moi.

Julian : Si tu ne réponds pas à la question, tu seras démis.

Daniel : Tu n'es pas de ces rois ou dieux.

Daniel : Et tu ne remplis pas ton rôle de leader aujourd'hui.

Daniel : Un leader communique et cultive la confiance en lui.

Daniel : Tu es en train de faire exactement le contraire.

Daniel : Tu te comportes comme un empereur ou un marchand d'esclaves.

Julian : Tu es suspendu pour un mois, sanction effective immédiate.

Daniel : Haha.

Daniel : D'accord, pour quel motif ?

Daniel : Et d'ailleurs, qui dit ça ?

Daniel : Toi ? Encore une décision ad hoc ?

Julian : Si tu veux faire appel, tu seras entendu mardi.

L'appel ne sera jamais entendu, Daniel démissionne le samedi suivant déclenchant une onde de choc dans WikiLeaks.

Julian annonce qu'il a convenu avec la presse de publier le *Journal de guerre d'Irak* pour fin octobre. Ils ne sont pas prêts. Ils ne veulent pas avoir les mêmes réactions que précédemment.

Herbert Snorrason, étudiant islandais de vingt-cinq ans qui participe à la sécurité de la zone de collaboration entre tous les bénévoles, s'insurge : « La date est complètement irréaliste. Nous avons vu avec l'Afghanistan que notre niveau de relecture était insuffisant. Je vous dis que si la prochaine fournée n'a pas toute l'attention nécessaire, je ne veux pas y collaborer ». Sa requête remonte à Julian qui lui répond : « Je suis le cœur et l'âme de cette organisation, son fondateur, philosophe, porte-parole, concepteur originel, organisateur, financier et tout le reste. Si tu as un problème avec moi, fous le camp ».

Herbert Snorrason part. Il déclare à wired.com : « je pense que Julian a poussé tous les gens capables dehors. Son attitude n'est pas celle qui peut intéresser longtemps les gens qui ont l'esprit indépendant ».

Daniel donne une interview très rapidement à *Der Spiegel* pour commenter :

« Nous avons grandi à une vitesse folle ces derniers mois et il nous faut d'urgence devenir plus professionnels et plus transparents dans tous les domaines. Cette évolution rencontre des obstacles internes. Même moi je ne vois plus clairement qui prend réellement les décisions et qui a des comptes à rendre. J'ai essayé plusieurs fois de parler de ça, mais Julian Assange réagissait à toute critique en m'accusant de lui être désobéissant et déloyal à l'égard du projet. [...] il m'a suspendu – assumant à lui seul le rôle de plaignant, de juge et de bourreau. Depuis lors, par exemple, je n'ai plus eu accès à mon courrier WikiLeaks. Il y a donc plein de boulot qui attend et d'autres collaborateurs sont bloqués. Je sais que personne au sein de l'équipe centrale n'était d'accord avec cette décision. Mais apparemment, ça n'a pas d'importance. WikiLeaks a un problème structurel. Je ne veux plus assumer cette responsabilité et c'est pourquoi je quitte ce projet. »

Ce que vit WikiLeaks à ce moment est caractéristique des jeunes sociétés de type start-up en croissance rapide. Le fondateur s'est entouré originellement de lieutenants alliant compétences et engagement, qu'il a choisi en général dans son entourage proche. Puis, quand les ressources sont suffisantes, le jeune créateur entame une campagne d'expansion durant laquelle il rencontre de nouvelles personnes, présente les résultats de sa société, fait des promesses, est persuadé de son succès et imagine déjà être à la tête d'une multinationale dans cinq ans. À ce moment, il a moins le temps de parler à son équipe restée à assurer les tâches productives et s'entoure par contre d'une cour qui lui fait de multiples propositions. C'est à cet instant qu'une cassure se produit, souvent là où le créateur s'aperçoit qu'il est passé dans un autre niveau d'abstraction que ses collaborateurs originels. Il ne peut plus tout raconter, ils ne comprendront pas, on lui dit qu'il doit s'entourer de nouvelles personnes plus compétentes pour une ascension plus rapide. Il est gêné, mais c'est pourtant là son ambition. Il respecte ses lieutenants, il a partagé tellement de choses avec eux, ce sont des amis, mais il doit prendre de graves décisions. C'est pour le bien de l'entreprise, pense-t-il. C'est souvent pour le bien de son ego aussi. Et sa relation avec ses amis s'écarte d'un tout petit cran, tellement subtil qu'il ne s'en rend pas nécessairement compte. Mais à la première crise interne, il réagit très violemment, les images et les paroles de ses conseillers externes reviennent, ils ont raison, je ne peux pas continuer avec eux, et c'est sans regret qu'il les éjecte pour continuer sa route avec des gens qui nourrissent son ambition.

Du côté du lieutenant, c'est l'incompréhension d'abord, puis il essaie de garder confiance, il arrive à des situations inextricables qui le poussent vers la crise. Et c'est le grand choc, il s'y attendait un peu, mais n'osait y croire. Il ne peut pas en vouloir à son ancien ami, car il a partagé cette ambition. Il aurait peut-être fait la même chose à sa place. Il a aussi un esprit entrepreneur, mais il n'avait pas le courage d'initier l'entreprise. Il l'envierait presque. Il s'aperçoit qu'il a été suiveur. C'est peut-être une bonne occasion de prendre son courage à deux mains et devenir soi-même le créateur.

Julian déclare en août : « J'adore créer des systèmes à grande échelle, et j'adore aider les gens qui sont vulnérables. Et j'adore écraser les salauds ».

Pour Daniel, c'est le moment de l'éveil. Il est temps de passer dans la lumière. Il sera désormais Daniel Domscheit-Berg, sa vraie identité, et il va aussi créer à grande échelle.

En décembre, il est approché pour écrire son livre. Tout comme Julian. Ils étaient deux à mener WikiLeaks, ils seront désormais deux à mener une guerre pour la transparence, tous les deux au même niveau.

Son projet est simple : créer un système en accord avec ses propres convictions, ses idées. Son nom sera OpenLeaks.

Ce sera la même promesse de départ : permettre à des informateurs anonymes de fournir des informations sensibles à des médias, en leur garantissant la sécurité totale d'un bout à l'autre de la chaîne.

Pour l'organisation idéale, il a déjà dix personnes pour l'aider. Herbert Snorrason, quelques autres dissidents de WikiLeaks, des supporters du CCC. Les tâches ne seront pas cloisonnées, chacun peut y trouver sa place : « Nous sommes une fondation, enregistrée comme telle en Allemagne, pas une organisation souterraine. Cela veut dire que nous n'avons pas de programme politique, que nous n'avons aucune raison de nous cacher et que nous bâtissons notre outil dans l'objectif de le maintenir opérationnel. Nous devons en garder le contrôle tout en restant neutres. »

Le concept est une évolution de WikiLeaks. Lui l'ingénieur a pu y réfléchir pendant que Julian brassait dans la politique et la communication. Il le dit, il est un technicien. Sa mission est d'offrir une solution efficace pour que les guerriers de la vérité mènent leur combat. Il sera intermédiaire, facilitateur, partenaire. C'est une action collective pour la collectivité : « Nous voulons permettre à des syndicats, des organisations non gouvernementales ou des médias de travailler ensemble, et de permettre à ces derniers d'embarquer leur propre version d'OpenLeaks, une sorte de boîte privée aux fonctionnalités avancées. L'utilisation sera gratuite, mais nous avons différentes approches et plusieurs modèles. Si vous êtes un organe de presse important, vous pouvez choisir un système dédié, conçu pour répondre à vos besoins spécifiques, dans l'hypothèse où vous auriez besoin d'une puissance de calcul plus importante. Dans tous les cas, vous disposez de deux accès, l'un qui vous est réservé, et l'autre qui vous permet d'accéder au réseau des collaborateurs. »

Interrogé par le partenaire technologique français de WikiLeaks, il illustre : « Chez OWNI, par exemple, vous suivez avec assiduité l'Hadopi ou l'ACTA. De notre côté, nous disposons de documents intéressants sur ce sujet, transmis par un informateur qui estime que vous êtes les mieux placés pour enquêter. Cet informateur peut choisir de vous donner un accès privé aux documents pendant deux semaines – par exemple – au terme desquelles vous décidez ou non de publier les documents en question. »

Son approche est *open source*, il veut une organisation ouverte. Il acceptera tous les partenaires et WikiLeaks pourra en devenir un. Il n'y a pas de compétition dans son monde. D'ailleurs, il n'en veut pas à Julian : « Julian est une personne réellement brillante et il a beaucoup de talents très très particuliers. Nous avons toujours développé une diversité de qualités que chaque personne différente apportait... Cela fonctionne tant que vous travaillez en équipe. Mais dès que vous perdez cet esprit, alors une de ces qualités prend le dessus – comme prendre des décisions solitaires et penser que vous êtes dans la position de le faire ». « Nous devons rester unis dans les questions importantes qui concernent chacun de nous sur la planète et la qualité de nos vies à tous. »

Comme son alter ego, Daniel Domscheit-Berg cite Alexandre Soljénitsyne dans son discours en acceptant le prix Nobel en

1970 : « Le sauvetage de l'humanité est possible si tout est l'affaire de tous. C'est ça la vraie société de l'information. »

23

DAVID CONTRE GOLIATH

« Maintenant, à bien des égards, l'information n'a jamais été aussi gratuite. Il y a plus de manières de diffuser plus d'idées à plus de monde qu'à aucun autre moment de l'histoire. Même dans les pays autocratiques, les réseaux d'information aident les gens à découvrir des faits nouveaux et rendent les gouvernements plus responsables. »

Ces phrases sont représentatives de l'idée défendue par Julian Assange : l'information pour tous ; pour une amélioration de la gouvernance. Elles sont issues du discours prononcé par Hillary Clinton le 21 janvier 2010 au Newseum (musée de l'histoire de l'information et de journalisme de Washington) où elle exprime avec force et conviction l'importance des nouvelles technologies pour la liberté des peuples. En tant que représentante de la patrie de la liberté, elle met en garde que « les technologies qui ont le potentiel de permettre l'accès au gouvernement et de promouvoir la transparence peuvent aussi être détournées par les gouvernements pour écraser des contestations et nier les Droits de l'homme. »

Elle cite alors le président Barack Obama lors de son voyage en Chine. Il « dit que plus l'information circule librement, plus les sociétés deviendront fortes. Il exprime comment l'accès à l'information aide les citoyens à garder leurs gouvernements responsables, à générer de nouvelles idées, à encourager la créativité et l'entrepreneuriat. Les États-Unis croient en cette vérité. »

La grande Amérique a l'intention de promouvoir la liberté grâce à Internet. Le discours est magnifique.

Pendant sa campagne, Barack Obama s'était engagé à remettre à l'honneur le « *Freedom of Information Act* » (FOIA) ; cette loi de 1966, est fondée sur le principe de la liberté d'information qui oblige les agences fédérales à transmettre leurs documents à quiconque en fait la demande. Cette liberté d'accès a subi diverses restrictions au cours de l'Histoire des États-Unis. Le futur président promettait ainsi de refouler le culte du secret protégé par son prédécesseur George W. Bush. Dès son accès à la présidence, Barack Obama prie le ministre de la Justice de publier de nouvelles directives pour le gouvernement et d'appliquer des principes d'ouverture et de transparence aux procédures de demande d'accès aux documents gouvernementaux. Son mémorandum commence ainsi : « Une démocratie nécessite la responsabilité, et la responsabilité nécessite la transparence. » Mais la transparence et son application ne sont pas considérées de la même façon dans les couloirs du pouvoir et en dehors. Certains détracteurs disent aujourd'hui que le gouvernement Obama cache plus de secrets encore que celui de ses prédécesseurs.

Le 28 novembre 2010, WikiLeaks expose au grand jour les échanges entre Hillary Clinton et les diplomates américains des quatre coins du monde. Des soupçons concernant des employés du service extérieur des États-Unis qui espionneraient d'autres diplomates avaient déjà été exprimés, mais avec la publication des câbles diplomatiques américains, WikiLeaks en apporte les preuves écrites et indiscutables, forçant le gouvernement à s'expliquer publiquement.

Une dépêche d'avril 2009, signée par Hillary Clinton, demande aux officiels du département d'État de collecter les données biométriques, les empreintes, les photos d'identité, l'ADN et les scanners rétiniens de dirigeants africains.

Une autre dépêche de juillet 2009 ordonne aux diplomates américains, y compris ceux en poste aux Nations Unies, d'obtenir les mots de passe, les clés de chiffrement personnelles, les numéros de carte de crédit, ceux de leurs comptes de voyageurs fréquents, ainsi que d'autres données liées à des diplomates.

Ces câbles montrent les États-Unis tissant, grâce à leurs ambassades, une toile indépendante de leur réseau habituel d'espionnage.

Les Nations Unies, selon les traités internationaux, ne sont pas censées abriter des espions. Ces révélations montrent les États-Unis méprisant secrètement ces règles. En effet, le Département d'État de Hillary Clinton a spécifiquement ciblé des officiels des Nations Unies et des diplomates en poste à l'ONU. Parmi eux, le secrétaire général Ban Ki-moon et les représentants permanents au Conseil de Sécurité de la Chine, la Russie, la France et le Royaume-Uni, comme l'expose la dépêche secrète de juillet 2009.

Le porte-parole de l'ONU dénonce cette grave infraction de la diplomatie. Hillary Clinton détourne l'attention en fulminant. Elle juge « illégale » la mise en ligne des documents confidentiels, par WikiLeaks, et promet que les auteurs des fuites seront poursuivis. Elle affirme que cette organisation sabote les relations pacifiques entre nations et met en danger des individus.

La notion de transparence est relative. L'étau se resserre toujours plus autour de Julian Assange. Les commentaires de journalistes et politiques se déchaînent :

Sarah Palin, gouverneure de l'Alaska, le compare à un terroriste d'Al-Qaïda et somme le gouvernement américain de le pourchasser.

Bob Beckel, commentateur politique, déclare sur Fox News, une des émissions les plus regardées du pays : « Un homme mort ne peut pas divulguer d'information ! Ce gars est un traître, et il a enfreint toutes les lois des États-Unis. Je ne suis pas pour la peine de mort... Il n'y a qu'une chose à faire : « tirer illégalement sur le fils de pute. »

Peter King, représentant républicain du Comité pour la sécurité intérieure, en appel à Mme Clinton pour qu'elle déclare WikiLeaks comme organisation terroriste et que les mesures gouvernementales consécutives soient prises.

Newt Gingrich, président de la chambre des représentants entre 1995 et 1999, s'exprime sur Fox News en ces termes : « Le gars de WikiLeaks devrait être en prison pour le restant de sa vie. Il est un ennemi des États-Unis, mettant des gens en danger et ils se feront tués par sa faute. Je crois que c'est un acte méprisable et que nous devrions le traiter comme un combattant ennemi et un ennemi des États-Unis. »

Ces commentaires ont un retentissement impressionnant à travers la planète et dans le monde virtuel.

Des articles concernant WikiLeaks et surtout Julian Assange paraissent chaque jour sur Internet. Les journalistes découvrent un inconnu mystérieux et charmant qui en l'espace de quelques mois devient un des hommes les plus influents de la planète. Après la publication des mémos diplomatiques, la Chine bloque l'accès à WikiLeaks, le gouvernement américain conseille aux étudiants de ne pas en parler sur leurs blogs, et l'armée de l'air interdit la consultation des sites Web des journaux affiliés à WikiLeaks.

« Assange avait laissé entendre que les câbles diplomatiques allaient révéler un tas de secrets et pouvaient déstabiliser des États, notamment les États-Unis, démontrant un profond écart entre la parole publique américaine et ce qui est dit quand la porte est close. Finalement, la parution de ces câbles montre que les diplomates américains poursuivent globalement les mêmes objectifs en privé qu'en public, à part quelques écarts de langage », analyse Anne Applebaum de *Slate*.

Robert Gates, secrétaire à la Défense américain, évalue l'importance de la publication de ces documents nettement plus modérément : « J'ai entendu dire que ces publications sur notre politique étrangère étaient une catastrophe, un bouleversement, etc. Je pense que ces descriptions sont assez nettement exagérées. Le fait est que les gouvernements traitent avec les États-Unis parce que c'est dans leur intérêt, non parce qu'ils nous aiment, non parce qu'ils nous font confiance, et non parce qu'ils croient que nous pouvons garder les secrets. Certains gouvernements traitent avec nous parce qu'ils nous craignent, d'autres parce qu'ils nous respectent, la plupart parce qu'ils ont besoin de nous. Est-ce gênant ? Oui. Est-ce délicat ? Oui. Les conséquences pour la politique étrangère des États-Unis ? Plutôt modeste, je pense. »

Malgré ses points de vue relativisés, la classe politique américaine reste polarisée sur WikiLeaks et sur son principal représentant Julian Assange.

Le Département de la Justice annonce qu'il étudie les poursuites possibles, éventuellement en vertu de la loi sur l'espionnage de 1917, considérant WikiLeaks comme une sorte de cyberorganisation terroriste. Cette loi contre l'espionnage est une loi draconienne adoptée dans le contexte de la Première Guerre mondiale, qui punit de la peine de mort ou de longues peines de prison ceux qui diffusent des informations préjudiciables à la sécurité des États-Unis. Ils ne peuvent poursuivre que les sources, qui travaillées par leur mauvaise conscience, ont livré des informations à l'organisation au nom de l'intérêt public, au risque d'être mis au ban des traîtres.

Les juristes du gouvernement ont été sommés d'être créatifs dans la recherche des options juridiques à l'encontre de Julian Assange et de son organisation. L'enquête du ministère de la Justice est une tâche éprouvante, car juridiquement parlant, WikiLeaks ne peut se différencier d'un autre organe d'informations en ligne, et Julian Assange est apparenté à n'importe quel journaliste.

La recherche de sources d'informations est au centre même du travail journalistique ainsi qu'une incitation de ces sources à délivrer leurs secrets afin qu'ils soient publiés.

Le but du gouvernement américain est de « dénicher » des preuves que Julian Assange a « comploté » selon les mots du vice-président Joe Biden. Il s'agit de relier de manière effective le fondateur de WikiLeaks au jeune militaire Bradley Manning, soupçonné d'avoir transmis des documents militaires confidentiels à l'organisation. Cela permettrait aux procureurs du ministère d'inculper Julian Assange pour complot. Alors, l'Administration américaine aurait la possibilité de l'accuser d'atteinte à la sécurité nationale sans y associer sa qualité de journaliste protégé par le premier amendement de la Constitution.

Le vice-président américain fulmine que Julian Assange a compromis la vie de certaines personnes dans l'exercice de leur métier et qu'il a desservi la direction des affaires entre les États-Unis et leurs alliés.

Le fondateur de WikiLeaks, interrogé à ce propos par *El País,* a simplement souligné que Joe Biden associait la vérité sur les États-Unis à du terrorisme. Il retourne ensuite l'accusation contre l'administration de Biden argumentant que si l'emploi de la violence à des fins politiques est considéré comme du terrorisme, alors le scandale politique et violent contre WikiLeaks et la presse pourrait également s'apparenter à du terrorisme.

En décembre 2010, les États-Unis cherchent toujours le moyen de poursuivre Julian Assange considéré désormais comme « cyberterroriste ». Néanmoins, il s'avère de plus en plus difficile de relier Julian Assange à une activité illégale, mais une menace rode au-dessus des têtes agissantes du gouvernement américain.

Hillary Clinton soulignait dans son discours du 21 janvier 2010 : « Les gouvernements et les citoyens doivent avoir confiance que les réseaux au cœur de la sécurité nationale et de la prospérité économique sont surs et résistants. Maintenant, c'est bien plus que des petits hackers qui défigurent le Web. [...] Nous avons pris des mesures en tant que gouvernement et département d'État, pour trouver des solutions diplomatiques pour renforcer la sécurité globale du cyberespace. »

Il faut des hors-la-loi pour renforcer la sécurité et Julian Assange pourrait bien faire office de preuves de l'insécurité de la Nation, ce qui permettrait aux États-Unis de surveiller les échanges d'informations sur Internet et éventuellement de réduire les échanges mondiaux entre internautes.

Quels que soient les commentaires donnés à la presse, il est intéressant de noter que dans les dix jours qui suivent la divulgation des documents diplomatiques, plusieurs hommes politiques américains et européens tentent d'exercer des pressions sur le prestataire de services Internet qui comptait WikiLeaks dans ses clients. Pour ceux qui ont déjà tendance à se méfier des gouvernements, la situation est inquiétante.

Une campagne discriminatoire contre WikiLeaks et Julian Assange les incitera à se radicaliser soit vers une forme de rébellion agressive comme l'attaque des structures publiques de plus en plus numériques, entrainant des conséquences sur l'économie mondiale ; soit en rejoignant une formation politique qui lutte pour l'Internet libre. Ce mouvement politique existe déjà sous le nom de Parti Pirate. En effet, plusieurs cellules sont actives en Europe, prônant la liberté sur l'Internet et l'assouplissement des lois en matière de droits d'auteur.

24

SOUTIEN POLITIQUE

Interview dans l'antre du Parti Pirate suédois au Parlement européen à Bruxelles, avec Christian Engström, parlementaire du Parti Pirate et son assistant Henrik Alexandersson – mardi 11 janvier 2011.

Élise : Je souhaiterais d'abord parler du parti. Quelle est son histoire ? Comment cela a-t-il commencé ?

Christian : Le Parti Pirate a été fondé le 1er janvier 2006 par Rick Falkvinge en Suède. À l'époque, Rick travaillait dans une société, qui je crois, appartenait à Microsoft. Il était un technicien informatique comme tant d'autres, exaspéré par la guerre menée contre les réseaux de partage de fichiers et contre la vie privée sur Internet, etc. Un jour, moitié pour rigoler et moitié sérieusement, il a publié une page Web qui disait : « J'en ai assez. Je lance le Parti Pirate ». Quarante-huit heures plus tard, cette page avait reçu trois millions de visites.

Henrik : Il y a eu un effet « buzz » partout dans le monde.

Christian : Il s'est alors dit : « J'ai probablement touché un point sensible », puis il a pensé : « Voici ma chance d'essayer de rendre le monde meilleur. Si je ne la saisis pas maintenant, je n'aurai pas le droit de me plaindre par la suite. » L'objectif était exactement ce qu'il est maintenant : défendre la liberté sur Internet. Des élections législatives étaient prévues pour le mois de septembre de la même année. Ça a été un peu la folie pour tout organiser, mais nous avons participé à ces élections où nous avons recueilli 0,6 % des suffrages. Et lors des élections européennes suivantes, nous avons obtenu 7 % du vote national en Suède, ce qui explique ma présence ici.

Henrik : Et c'est très important pour les membres du Parlement d'avoir quelqu'un à qui parler. Avant, il n'y avait que des lobbyistes pour les sociétés de télécommunications ou les maisons de disques pour parler de technologie. Désormais, ils peuvent trouver dans le bâtiment une personne neutre avec qui parler des problèmes de la réforme des droits d'auteur, etc. Nous avons des réponses à proposer aux nombreuses questions sur l'avenir. Nous sommes également ceux qui soulèvent des réflexions nouvelles.

Christian : De nombreuses questions que nous traitons sont en rapport direct avec WikiLeaks. Par exemple, dans de nombreuses situations ou propositions, ou aujourd'hui dans l'ACTA (*Anti-Counterfeiting Trade Agreement* – Accord Commercial AntiContrefaçon), nous nous inquiétons de la responsabilité indirecte des fournisseurs d'accès Internet. Ils pourraient devenir un jour responsables du contenu du trafic sur leurs lignes... Pour rappel, la poste n'est pas responsable de ce que vous envoyez par courrier.

Henrik : Mais des forces puissantes tentent de changer cela, ce qui entraînerait que tous les fournisseurs d'accès Internet devront vérifier le contenu qui transite par leur infrastructure afin de ne pas être poursuivi en justice. Dans un tel contexte, un site comme WikiLeaks par exemple serait fermé immédiatement, car le fournisseur d'accès ne souhaiterait pas être confronté aux mêmes problèmes que l'organisation.

Christian : De gros efforts sont déployés pour réguler Internet ; réguler le contenu sur Internet ; rendre les fournisseurs d'accès responsables ; exploiter diverses méthodes pour contrôler ce que les gens font sur Internet ; et les sanctionner s'ils se livrent à des actions que le gouvernement n'apprécie pas.

Henrik : Et bien entendu, les hommes politiques ont trois raisons officielles pour essayer de restreindre les libertés sur Internet. Il s'agit du partage de fichiers, de la pédopornographie et de la lutte contre le terrorisme. Mais souvent, nous soupçonnons les gouvernements d'avoir bien plus de motifs, par exemple l'intérêt de garder les choses secrètes, de tenir les gens à l'écart du débat. Il peut s'agir également du souhait de restreindre les libertés du journalisme citoyen et des choses comme ça. Bien entendu, les gouvernements ne peuvent l'avouer, car cela aurait un effet dévastateur. Mais nous avons vraiment l'impression que c'est ce qui se passe.

Christian : Tout s'inscrit dans la même tendance. Ce matin, j'ai participé à un séminaire organisé par le groupe

ADLE (Alliance des démocrates et des libéraux pour l'Europe).
Ce séminaire traitait de la Hongrie, où une nouvelle loi sur
les médias vient d'être adoptée : désormais, tout le monde, y
compris les bloggers, devra être enregistré avant d'avoir le droit
de publier des opinions. Donc, il existera en Hongrie un organe
administratif nommé par le parti au pouvoir qui pourra décider
qu'une personne qui divulgue des informations qu'il ne souhaite
pas voir diffusées pourra recevoir des amendes illimitées. Cela,
bien entendu, ne devrait pas se produire dans une démocratie
occidentale, ni dans aucune démocratie d'ailleurs. Je pense
que c'est le problème sous-jacent de la société. L'Internet et
les nouvelles technologies de l'information ont donné accès
à d'immenses possibilités pour la démocratie, la transparence
et la participation citoyenne dans le processus démocratique.
Ils ont également énormément contribué à la diffusion de la
culture. Toutes les cultures du monde ne sont qu'à un clic. C'est
fantastique. Les hommes politiques en seraient très fiers s'il
s'agissait de leur invention. Mais ce phénomène s'est produit
en quelque sorte de lui-même et les hommes politiques tentent
de l'arrêter. Comme à chaque fois qu'un changement se produit
dans une société, les gagnants du siècle antérieur seront soit les
nouveaux perdants, soit devront au moins adapter leurs activités.
Personne n'aime changer. Surtout, si vous êtes un grand chef,
vous souhaitez que tout reste intact. C'est pourquoi des conflits
éclatent partout. Au final, je sais que nous allons l'emporter. Par
« nous », j'entends ceux qui sont du côté de l'ouverture, du partage,
etc., car la technologie en fait une nécessité historique. Je sais à
quel point on devient impopulaire chez presque tout le monde

une fois qu'on commence à parler des nécessités historiques. Je suis convaincu que cela va se produire. Maintenant, est-ce pour dans cinq ans ou pour dans cinquante ans ? Tout va dépendre des décisions politiques.

Henrik : C'est très intéressant, car le Parlement a débattu de l'Iran et de Cuba ou d'autres pays, dont le gouvernement musèle l'opposition. Et l'Iran et Cuba ne font qu'utiliser les technologies que nous avons ici, car les gouvernements ont exigé la possibilité de réaliser une surveillance dans le système.

Christian : Je pense que ce concept du « deux poids, deux mesures » est très ennuyant, mais important. Prenons le cas par exemple de la commissaire suédoise Cecilia Malmström, membre du parti libéral suédois depuis les années 1980. Lorsqu'elle siégeait dans ce Parlement, elle n'hésitait pas à défendre la liberté d'expression, la liberté de ce que voulez, etc. Elle était bien évidemment la première à critiquer la Chine pour la censure sur Internet et le blocage de certains sites, etc. C'est à l'époque où elle était parlementaire. Maintenant, elle est commissaire. Une des toutes premières directives qu'elle a proposées portait sur l'introduction de la censure sur Internet et elle enfonce les portes avec la pédopornographie en guise de prétexte. C'est facile de critiquer la Chine pour la censure d'Internet, mais dès que cette même personne, prétendument progressiste, arrive au pouvoir, elle pratique exactement la même politique. Ce scénario se répète dans la majeure partie des États membres. De nombreux partis font un excellent boulot lorsqu'ils sont dans l'opposition. Ce n'est pas vraiment une question gauche/droite. Mais dès qu'ils arrivent au pouvoir, ils veulent plus de contrôle et moins de transparence. Je crois qu'il s'agit là d'une des formes de corruption du pouvoir. C'est donc un développement positif pour les citoyens que d'avoir accès à une technologie qui peut servir de contre-pouvoir. Il est encore plus positif que certaines personnes, comme les membres du projet WikiLeaks, profitent de cette opportunité. Pour cette raison, je pense comme tous au Parti Pirate que les gens de WikiLeaks sont vraiment des héros.

Élise : Quel est le lien entre le Parti Pirate et les actions de Birgitta Jónsdóttir en Islande ? Et entre l'Islande et la Suède ?

Christian : L'initiative islandaise IMMI, c'est vraiment génial. Si nous pouvions transformer cela en initiative européenne pour les médias modernes, cela serait fantastique. Au moins, c'est très bien que l'Islande montre un bon exemple. C'est exactement pour ce genre de changement que le Parti Pirate se bat sur le plan politique. Nous pensons que la société ouverte, le droit à la liberté d'information et à la liberté d'expression sont menacés. C'est tout là l'ironie : nous avons cette merveilleuse technologie qui a étendu les possibilités et qui a débouché sur la répression politique.

Le même scénario s'est déroulé il y a cinq cents ans avec l'invention de l'imprimerie. Avant, seuls les moines-copistes dans les monastères pouvaient copier les livres. Gutenberg a rendu la production de livres plus accessible et la première réaction a été la volonté d'imposer des règles. L'Église voulait réglementer l'imprimerie afin que les hérétiques ne puissent pas utiliser cette technologie pour diffuser les idées luthériennes ou pires. L'expression « droit d'auteur » apparaît pour la première fois au Royaume-Uni, sous Henri VIII. C'est une de ses filles qui voulait être certaine que seuls leur camp et leurs partisans politiques puissent imprimer des livres. Ils ont donc octroyé un monopole à la London Company, la guilde des imprimeurs, et ils ont obtenu le droit d'auteur, à savoir le droit de produire des copies pour autant qu'ils impriment uniquement le bon contenu religieux.

Quand une technologie offre de nouvelles possibilités aux citoyens ordinaires, il est naturel que l'ordre établi entreprenne tout ce qui est en son pouvoir pour l'arrêter et garder son privilège. Mais on peut s'attendre à leur échec à long terme, car nous savons ce qui s'est passé avec l'imprimerie. J'espère seulement que nous parviendrons à négocier la transition plus vite et à un moindre coût, surtout en vies humaines. C'est l'objectif du Parti Pirate : éviter en quelque sorte qu'un grand nombre d'hérétiques soient conduits au bûcher avant que la société n'accepte le changement.

Élise : Et comment décririez-vous votre travail au quotidien ?

Henrik : Je submerge Christian sous les papiers et mes fonctions vont du conseiller politique au type qui va chercher les sandwichs lorsqu'il est en réunion. Christian veut que je maintienne mon blog également, car il est un des plus gros blogs politiques suédois, sinon le plus grand.

Christian : J'ai un blog également. Je pense que cela illustre bien l'utilité des nouvelles technologies, car un parlementaire, que ce soit ici au Parlement européen ou dans un parlement national, n'a pas vraiment de pouvoir en tant que tel. Le pouvoir se situe au niveau du gouvernement pour les pays ou au niveau de la Commission pour l'Europe.

Henrik : N'oublions pas le Conseil.

Christian : C'est vrai, mais je dirais quand même avant tout la Commission. Mais au moins, un parlementaire à un certain accès au pouvoir, il en est plus proche et il peut en savoir plus sur ce qui se passe. Pour moi, aussi bien au niveau européen que national, il est le lien entre les citoyens et ceux qui ont vraiment le pouvoir. Par conséquent, je pense qu'un blog est très utile dans les deux sens. Henrik et moi présentons dans nos blogs ce qui se passe ici. Des journalistes nous liront peut-être et reprendrons l'histoire. Aucun blog ne peut concurrencer les médias traditionnels en terme de couverture. Mais si vous êtes vraiment intéressé par un sujet particulier, vous obtiendrez plus d'informations dans un blog que dans les médias traditionnels. Mais cela marche dans l'autre sens. Quand nous recevons une proposition, elle arrive sous la forme d'un livre blanc, d'un livre vert ou Dieu sait quelle couleur choisie par la Commission et bien souvent, ce document est très technique. C'est toujours comme ça en politique : le démon est dans les détails. Il est parfois difficile de repérer les éléments contestables après une lecture superficielle. Mais le blog permet de diffuser l'info en disant « Voici la proposition du commissaire. Je serai le rapporteur sur le sujet. Avez-vous des commentaires ? » Cela permet aux personnes intéressées ou spécialisées dans la matière de donner leur avis. Je trouve cela très utile.

Henrik : C'est très intéressant, car une grande partie de ce travail s'entremêle avec WikiLeaks. Prenons par exemple l'accord SWIFT visant à la transmission des informations relatives aux transactions bancaires européennes aux chasseurs de terroristes aux États-Unis. Le Parlement s'y était opposé, mais les gouvernements nationaux s'en sont pris aux parlementaires et le Parlement a dû approuver l'accord ou ses modifications. Par la suite, nous avons découvert grâce au scandale des câbles des ambassades américaines que le gouvernement suédois a été très impliqué dans le dossier. Comme pour l'ACTA qui pourrait réduire la liberté sur Internet. Cet accord est négocié à huis clos. À la fin, le Parlement devra se prononcer pour ou contre, mais pendant longtemps, la seule source d'informations sur ces documents aura été WikiLeaks.

Christian : Même moi, en tant que parlementaire, j'ai dû compter sur les fuites pour pouvoir obtenir des informations. C'est évidemment un aspect de l'Union européenne que je trouve parfaitement inacceptable. Mais, c'est la réalité.

Élise : Quel est le rapport entre la politique et l'action de WikiLeaks, d'OpenLeaks ou d'autres phénomènes similaires ? Vous pensez qu'ils ont une action politique ?

Henrik : Ils ont des conséquences politiques. Beaucoup de monde dit qu'Assange est un gauchiste ou qu'il déteste les États-Unis ou que sais-je encore. Je ne pense pas que cela soit le cas. Je pense qu'il est simplement pour l'information ouverte et la transparence. Et, bien entendu, elle a des conséquences. La vidéo *Collateral Murder* a été catastrophique pour les États-Unis en matière de relations publiques. Et l'histoire du « *Cablegate* » maintenant... Tout cela a eu des conséquences politiques. Mais vous pouvez également voir l'idéologie de l'ouverture derrière WikiLeaks. Je dirais qu'il s'agit plus d'une question philosophique que politique. C'est une espèce de pureté en matière de démocratie. J'ai écrit l'autre jour un billet sur mon blog où je rappelais que l'élément clé à ne pas oublier dans cette histoire, c'est que WikiLeaks apporte la vérité. Cette vérité peut être gênante, mais c'est WikiLeaks qui donne la vérité. Ce sont les hommes politiques et les fonctionnaires qui mentent et qui tentent de dissimuler les choses. Il est primordial de ne pas perdre cet élément de vue.

Élise : Pensez-vous que Julian Assange est un guerrier de la vérité ?

Henrik : Oui.

Christian : Pour l'instant bien sûr, les Américains le traitent de gauchiste. Je n'en crois rien du tout moi-même. Par exemple, si vous adoptez le point de vue des Verts, vu que nous siégeons avec les Verts, parmi les documents publiés, il y en avait beaucoup au sujet d'un scandale environnemental en Côte d'Ivoire où de grandes entreprises y ont tout simplement déversé de grandes quantités de substances très toxiques. Du point de vue des Verts, cette fuite, quand elle a eu lieu, aura été très populaire politiquement, car elle mettait en évidence des problèmes d'écologie. Mais WikiLeaks a également publié les messages électroniques du « *Climategate* », une action certainement beaucoup moins populaire auprès des Verts. Selon moi, ceci démontre bien que M. Assange ne recherche que la vérité.

Henrik : Je dirais que c'est une personne d'une extrême intégrité.

Élise : Pensez-vous qu'il ferait un bon homme politique et qu'il devrait se lancer dans la politique ?

Christian : Non. Non.

Henrik : Non. Non. Non.

Élise : Et pourquoi pas ?

Christian : C'est un bon orateur. Il a des opinions politiques intéressantes à exposer. Je ne crois pas qu'il serait intéressé par les compromis au jour le jour, caractéristiques du jeu politique. Je le vois plutôt comme un activiste de cœur qui représente certaines idées. Je pense qu'il n'aimerait pas être un homme politique.

Henrik : S'il devait suivre une telle carrière, cela devrait être comme sous-secrétaire général des Nations Unies chargé de l'Internet et de la communication ouverte, etc. Cela pourrait marcher. Mais la politique au jour le jour, c'est comme nager dans de la gelée.

Élise : Pensez-vous que WikiLeaks et d'autres mouvements similaires devraient s'impliquer d'une manière traditionnelle dans la politique ? Est-ce possible ?

Henrik : Les implications seraient énormes.

Christian : Oui, la moindre divulgation a d'énormes implications dans ce domaine. Par exemple, au niveau national, nous avons retenu un télégramme qui expliquait les visites de ministres suédois à l'ambassade des États-Unis et qui présente les discussions détaillées sur l'introduction de législations en Suède qui feraient plaisir aux États-Unis. Cela figurait dans les câbles diffusés. C'est une information politique très intéressante en soi. Elle confirme ce que le Parti Pirate disait : « Regardez, le gouvernement suédois est une marionnette des Américains. »

Mais beaucoup de personnes pensaient que nous étions des partisans de la thèse du complot. Et voilà que c'est confirmé par un document officiel de l'ambassade des États-Unis. Donc, bien entendu cela a des implications. Mais j'espère qu'un effet à long terme encore plus intéressant serait que si les hommes politiques du monde entier commencent à se rendre compte qu'ils ne peuvent plus vraiment avoir de secrets, ils deviendraient peut-être honnêtes par besoin.

Henrik : S'ils ne peuvent y échapper, ils n'auront pas le choix.

Christian : Nous ne sommes qu'au début de ce processus.

Élise : Parlons de Julian Assange. Où l'avez-vous rencontré ?

Christian : Je l'ai rencontré une fois ici à Bruxelles, en juin 2010. Il est venu en tant qu'intervenant à un séminaire organisé par le groupe progressiste. À l'issue de ce séminaire, beaucoup de monde souhaitait bien sûr lui parler. Nous voulions lui dire que le Parti Pirate suédois était disposé à aider WikiLeaks en terme d'assistance technique, de services, etc. J'ai mentionné cela en vitesse, puis un journaliste a réalisé un entretien avec nous deux. Nous n'avons pas eu beaucoup de temps, mais il est allé en Suède et il a visité le Parti Pirate suédois. Nous l'aidons. Je ne l'ai pas rencontré à ce moment, mais il a eu une réunion avec Rick Falkvinge, le président du parti à l'époque, et

Anna Troberg, la présidente actuelle. Ils ont mangé ensemble. L'objectif principal était de confirmer le fait que nous, en tant que Parti Pirate, allions fournir de l'aide au niveau de la bande passante.

Nous ne sommes qu'une organisation parmi tant d'autres qui aident WikiLeaks de cette manière. Cela touchait principalement l'aide technique que nous voulions apporter. Mais bien entendu, nous appuyions WikiLeaks dans tous les aspects. Quand une personne comme vous m'interroge sur WikiLeaks, je suis ravi de pouvoir dire que j'aime bien.

Élise : Et qu'en est-il de la personnalité d'Assange ?

Christian : Il faut vraiment être concentré sur son action pour devenir une icône internationale. Et probablement, il n'est pas particulièrement intéressé dans tous les aspects sociaux qui entourent n'importe quel projet.

Henrik : On observe souvent cela chez les personnes qui sont très concentrées sur un projet en particulier, mais souvent, elles n'ont pas des aptitudes sociales parfaites. Pour beaucoup de gens, c'est un peu énervant. En ce qui me concerne, je suis habitué à cela et j'ai appris à apprécier même les gens étranges pour ce qu'ils font.

Christian : Je suppose que nos chemins vont se croiser à nouveau. Le Parti Pirate est un projet politique, comme le disait Henrik, le bras politique d'Internet.

AU CŒUR
DE LA
CAVERNE

L'homme qui se croit déterminé se masque sa responsabilité.

– Jean-Paul Sartre

25

HÉRITAGE

Julian Assange n'a pas connu son père biologique avant l'âge de vingt-cinq ans. Depuis, il l'a rencontré quelques fois. John Shipton ; étudiant activiste des années 1960 dont Christine Assange était tombée amoureuse lors d'une manifestation contre la guerre du Vietnam à Sydney – devenu architecte – est décrit par son fils Julian comme un esprit rebelle doté d'une intelligence aiguisée, logique et dépassionnée. Un ami proche le décrit « comme un miroir reflétant l'image de Julian ».

La paternité, la maternité, le couple sont des valeurs que Julian a expérimentées de manière tout à fait particulière. Un père absent, une mère artiste et activiste, un beau-père qui préférait le considérer comme un adulte, des déménagements incessants, un premier couple qui a échoué au bout de deux ans dans une déchirure judiciaire qui a duré plus de cinq ans, un fils perdu puis retrouvé.

Toutes ces expériences marquent l'enfant au plus profond de lui-même. Pour *The First Post*, la psycho-analyste Coline Covington explique : « Le seul facteur de stabilité dans les premières années de Julian Assange était sa mère. Avec un tel passé, il serait surprenant que mère et fils n'aient pas une relation forte, particulièrement durant leurs années passées à se cacher. »

Christine décide d'ailleurs de venir à Londres en décembre 2010 pour recréer ce lien avec son fils lorsqu'il est arrêté ; elle déclare sur les marches du tribunal : « Je suis de nouveau connectée avec lui. » Coline Covington poursuit : « Sans parents qui étaient en mesure de mettre des limites et reconnaître la vulnérabilité de leur fils, il n'y avait pas de moyens d'arrêter le comportement omnipotent de Julian. [...] Lorsque la mère idolâtre son enfant, cette première expérience d'omnipotence reste sans intermédiaire et le lien narcissique de l'enfant avec la mère n'est pas rompu. Mère et fils continuent d'entretenir une relation exclusive de laquelle le père est absent. Ceci peut mener à avoir des relations fugaces avec les femmes, une façon de se défendre contre la relation étouffante avec la mère. »

Julian Assange montre par ses relations avec les femmes l'importance qu'il leur accorde. Elles sont nécessaires pour son équilibre, elles sont présentes sur son chemin, mais il rejette l'attachement. Covington voit ici une certaine vengeance sur sa mère qui l'aurait laissé trop tôt, doublé de la douleur ressentie après la rupture avec sa première femme.

La psycho-analyste voit aussi une influence paternelle. D'abord, dans sa quête de la vérité comme un désir de s'immiscer dans la chambre des parents, se mettre entre le couple qu'il n'a jamais connu. Mais aussi dans sa volonté d'usurper le rôle du père et de reprendre une possession exclusive de la mère. D'ailleurs, concernant la fécondation, Julian Assange se voit une certaine légitimité. Coline Covington conclut : « Par son désir pour des rapports sexuels non protégés, Assange affirme son droit de mettre des femmes enceintes – même sans leur consentement. Mais ce ne sont pas des femmes avec qui il a des relations sérieuses. Comme son père inconnu, lui aussi disparaîtra probablement. »

Julian possède une mission personnelle qui ne peut être entravée par des contraintes familiales.

Des rumeurs circulent sur la multiple paternité de Julian Assange. Dans un post du 22 novembre 2006, une photo sur son blog montre une petite fille d'un an ou deux commentée ainsi : « Ces yeux – tous les rubans roses de la terre ne pourraient pas les cacher. »

Julian aurait aussi eu une liaison avec une femme française qui aurait donné naissance à un enfant, en 2010. Si ces rumeurs sont vraies, ces mères seront restées discrètes depuis la notoriété de Julian Assange. Elles auraient pu sortir de l'ombre. Les médias se rueraient sur leurs histoires, rétribution à l'appui. Deux cas de figure se présentent alors : elles n'ont pas de reproches à formuler sur le comportement de leur ancien amant ou leur rancune ne vaut pas la déferlante médiatique qu'elles vivraient si elles étaient connues.

Et si elles nous apprenaient que Julian Assange, malgré la mission qu'il s'est donnée, assumait son rôle de père ?

Daniel, son premier fils, pense que la première qualité de Julian en tant que père est son désir de partager sa connaissance et d'en discuter avec son fils sans le traiter comme un enfant. Lors d'un long entretien pour le site d'investigation crickey.com.au en septembre 2010, Daniel déclare : « La chose que j'ai appréciée le plus est qu'il ne me traitait pas comme un enfant lorsqu'il était question de concept intellectuel : il me parlait comme s'il souhaitait vraiment que je comprenne l'idée en entier ». Daniel ajoute : « Je crois qu'il m'a beaucoup aidé à comprendre la nature de la réalité. »

Daniel Assange est né le 26 janvier 1990. Diplômé d'un *bachelor's degree* de l'Université de Melbourne en génétique, il a suivi ses études alors que son père finissait les siennes dans la même université. Las de la génétique, il s'est tourné vers l'informatique. Il a été programmeur pour une petite société de logiciels de marketing ciblé (logiciels qui optimisent un site Internet et son référencement dans les moteurs de recherches). C'est un passionné de musique New Age, de littérature de science-fiction, de films d'animation et de mangas. Cultivé, athée, il ponctue ses réflexions de notes d'humour dans son blog lemma.org.

Son père Julian, durant sa période globe-trotter jusqu'au lancement de WikiLeaks, n'a pas été très présent. Les relations père-fils ont été assez distendues durant ces années. Ce n'est qu'en 2007 que Julian a contacté son fils pour lui proposer de rejoindre l'organisation. Daniel ne croyait pas vraiment au concept et a refusé. Depuis, il n'a plus eu de contact avec son père. Il reste cependant fier et solidaire. Selon lui, il a surtout voulu le protéger : « En ce qui concerne le fait qu'il ne m'ait pas contacté par la suite, c'est probablement en partie une tentative de me protéger [...] Si on savait que j'étais son fils et que j'étais directement impliqué d'une certaine manière, il se pouvait qu'il ait des représailles directes, et mon père était assez inquiet sur ce sujet. »

Pour lui, Julian est très intelligent et détient tous les troubles relatifs à ce genre de personnes et il est souvent frustré de travailler avec celles qui ne sont pas capables d'atteindre son niveau et de voir les idées que lui attrape intuitivement. Il pense aussi qu'il a toujours été intéressé par l'activisme politique en général, mais a toujours eu encore plus d'attirance pour la science et la philosophie et la poursuite de la connaissance et l'idée que cette connaissance devrait être accessible à tout le monde. WikiLeaks est le point culminant de tous ces concepts.

Daniel réfléchit à l'affaire suédoise. Il a déclaré sur la page Facebook d'un ami en août 2010 : « Cet homme a la manière pour se faire des femmes, des ennemis. » Le *New York Post* a utilisé ce message dans un de ses articles sans rencontrer personnellement le jeune Daniel. Confronté au jeu des médias, il critique l'éthique du journal et préfère livrer son propre sentiment : « Il me semble que c'est juste une sorte de malentendu culturel ou une défaillance sociale générale de la part de mon père ou des femmes qui ont mené à cette situation. »

Aujourd'hui, adulte observant l'œuvre de son père, le fils dit : « Son comportement en tant qu'individu et son comportement sur le plan politique sont des choses complètement séparées, et ils devraient être considérés dans ce sens. »

26

LES OMBRES D'ASSANGE

12 juillet 2006 : La vérité dans et hors de la page
La vérité n'est pas trouvée sur la page, mais c'est un
lutin incontrôlable qui surgit là, de l'esprit du lecteur pour
des raisons qui lui sont propres.

Julian Assange aime philosopher sur des thèmes qui lui
sont chers. Dans son blog iq.org, en juillet 2006, il élabore des
théories sur la vérité subjective de la Justice face à la réalité
logique d'un axiome :

> *Vous pouvez montrer irréfutablement que (A=>B) et*
> *(B=>C) et (C=>D) et la Justice accepte, mais, quand vous*
> *revendiquez votre « coup de grâce » [en français dans le*
> *texte], irrévocablement A=>D, la Justice secoue la tête et*
> *révoque l'axiome de transitivité, qui pour la Justice ne peut*
> *être dit. La transitivité fonctionne quand la Justice décide*
> *pour des raisons émotionnelles que A=>D est agréable.*

Pour lui, la vérité est logique et doit reposer sur ces postulats
sans quoi elle devient « une mer déferlante de bois écrasé,
d'épaves et de marins se noyant ».

Pourtant, c'est cette même transitivité qui est maintes fois utilisée par tous les théoriciens de la conspiration à propos de Julian Assange et WikiLeaks.

Ils sont nombreux à élaborer des liens possibles entre l'organisation et des complots politico-militaro-financiers.

Par exemple, les États-Unis et Israël mènent une campagne mondiale depuis des années contre l'Iran, et cherchent tous les moyens possibles pour faire basculer l'opinion mondiale. (A=>B). Or, les câbles diplomatiques livrés par WikiLeaks ébranlent l'opinion mondiale et révèlent des vérités que certains n'osaient pas publiquement dire au niveau des essais nucléaires iraniens. (B=>C). WikiLeaks ne serait-il pas un moyen pour les États-Unis et Israël d'arriver à leurs fins ? (A=>C).

De même, le site de Wayne Madsen, ancien officier de l'US Navy reconverti en journaliste et commentateur sur les questions de sécurité nationale, fait état d'un projet de la CIA de vingt millions de dollars dont l'objectif est de donner les moyens à des dissidents chinois de simuler des attaques sur des systèmes informatiques américains venant de la Chine, pour augmenter la peur du risque de guerre électronique. (A=>B). Or, WikiLeaks, dont le but est de diffuser des informations confidentielles des États, y compris les États-Unis, base sa communication sur la représentation majoritaire de dissidents chinois dans son comité consultatif. (B=>C). Le flou autour de ce comité et les débats sur la sécurité nationale affaiblie par l'Internet pourraient laisser penser que WikiLeaks fait finalement partie d'un projet sponsorisé par la CIA qui viserait à justifier des prises de mesures resserrant la liberté sur Internet. (A=>C).

Cet axiome de transitivité donne lieu à toutes les théories au sujet de WikiLeaks. Sont-elles pour autant la vérité ? Si certaines peuvent paraître grotesques, d'autres ne seront démenties que par l'Histoire. Mais une chose est sûre, rien n'est mis en place pour diminuer les mystères qui pèsent sur Julian Assange, laissant la place à l'imagination et à une créativité débordante dans la mise en lien des faits.

La supposition la plus documentée reste la relation entre WikiLeaks et George Soros, l'homme d'affaires philanthrope à la tête de l'*Open Society Institute* (OSI), organisation de promotion de la démocratie dans le monde. Wayne Madsen a établi plusieurs coïncidences reliant les actions de ce milliardaire américain et celles de WikiLeaks.

Une fuite révélant les données de campagne du sénateur républicain Norm Coleman aurait largement profité à son adversaire, le démocrate Al Franken, soutenu par Soros.

Un membre de l'OSI a participé à une conférence européenne sur les médias et nouveaux services de communications en mai 2009 au côté de la ministre de la Culture islandaise. Ce n'est qu'après cette conférence que l'idée du IMMI (*Icelandic Modern Media Initiative*) apparaît à Julian Assange.

La liste des allégations est longue : en janvier 2008, WikiLeaks publie les relevés bancaires de mille six cents clients de Julius Baer Group, la plus grande banque suisse de gestion de titres. Ces détenteurs ayant un compte dans une filiale aux îles Caïmans. La banque intente alors une action en justice, pour ensuite retirer sa plainte devant l'impossibilité d'ôter les informations répandues sur les sites miroirs. Cette mise à mal de Julius Baer Group aurait été une occasion pour une offre publique d'achat de la part de la banque Goldman Sachs, qui est liée au Fonds Quantum de George Soros.

Même si les raccourcis peuvent paraître rapides, l'unique défense de Julian Assange sera de dire à propos de Wayne Madsen : « Il semble être un autre cas [le premier étant John Young, NDA] de quelqu'un qui a été fantastique il y a quelques années, mais qui a commencé récemment à voir des conspirations partout. Pour tous les deux, sans doute dû à leur âge ». John Young a soixante-quatorze ans et Wayne Madsen, cinquante-sept. Étonnant de dire ça pour quelqu'un qui a bâti son système de vérité pour combattre les conspirations qu'il voit partout.

Julian Assange n'aime pas qu'on le contredise et préfère balayer ses opposants d'un revers de manche. Il n'aime pas se justifier. La psycho-analyste, Coline Covington, remarque que « pour affirmer son innocence, il accuse les autres d'abus de pouvoir. Il fait référence [...] à "des enquêtes conduites en secret", et des "campagnes de diffamation" lancées contre lui.

Ses accusations affichent une paranoïa qui confirme son anxiété que ses propres attaques soient retournées contre lui. […] Il peut devenir alors le fils martyr qui est abusé par le père – un héros et une victime au même moment. »

Ce registre paranoïde se retrouve dans les interviews de Julian. Au site d'investigation motherjones.com, il raconte en juin 2010, en détail, comment six hommes sont entrés dans la résidence où il dormait à Nairobi, Kenya, et l'ont mis à terre. Grâce à ses cris, la sécurité de la résidence est arrivée et a fait fuir les assaillants. Il déclare au journaliste qu'ils sont venus pour lui, sans expliquer pour quelle raison.

Il a plusieurs fois rapporté le cas d'une embuscade menée en 2009 contre un de ses associés au Grand-Duché du Luxembourg. Dans un parking couvert, un homme avec un accent anglais, portant un costume à la « James Bond » – donc supposé être des services secrets britanniques –, aurait posé des questions sur l'organisation et sommé l'associé d'en dire plus... autour d'un café. Là encore, Julian laisse planer le mystère. Tout comme la fois où il a senti deux agents le surveiller dans un vol pour l'Islande ou quand il s'est déguisé à Londres en vieille femme pour échapper à « d'autres agents ».

Le problème de toutes ces déclarations est qu'elles sont rarement vérifiables et quelques fois brouillées ou contredites lors d'autres annonces. À assurer seul la communication d'une entreprise si novatrice et controversée que WikiLeaks, Julian n'en est malheureusement pas à une contradiction près.

De même, dans ses alliances, le leader de WikiLeaks surprend.

Dans son comité consultatif d'abord, la plupart des noms cités ont, de près ou de loin, des relations avec des institutions gouvernementales américaines (NED, *Radio Free Asia...*). Finalement, ces relations se sont révélées caduques suite aux déclarations vagues des principaux intéressés. Alors, pourquoi afficher ces alliances ?

Le comité consultatif a pour principal objectif d'afficher une respectabilité de l'organisation. Pour s'attirer la bienveillance de qui ? Qui peut être rassuré par ce genre de relations ?

Dans les membres de Wikileaks ensuite. Une rumeur, confirmée par la suite dans une interview de Kristinn Hrafnsson en décembre 2010, a fait état de l'implication d'Israël Shamir dans WikiLeaks pour les relations avec la presse russe.

Ce journaliste free-lance s'est maintes fois fait remarquer par ses propos négationnistes et antisémites. Comment Julian Assange peut-il se permettre une telle alliance ? Lui qui, lors de son discours à l'*Oslo Freedom Forum 2010*, dénonçait les États-Unis et effleurait la comparaison avec les nazis en rapprochant les slogans affichés à Auschwitz et à Guantanamo : *arbeit macht frei* – le travail apporte la liberté – à Auschwitz ; *Honor Bound*

To Defend Freedom – l'honneur voué à défendre la liberté – à Guantanamo.

Selon une enquête de la radio publique suédoise, Israël Shamir est responsable de sélectionner les câbles diplomatiques de WikiLeaks et de les distribuer à ses contacts dans la presse russe. Comment défendre alors une neutralité quand on confie l'intermédiation à des personnes aussi controversées ?

D'ailleurs, les choix de Julian Assange pour ses partenaires de presse ont souvent été critiqués par une certaine opinion qui regrettait l'orientation occidentaliste de ces grands groupes de presse, et par les partenaires eux-mêmes qui ont eu du mal à comprendre ses changements d'orientation, ses accords personnels avec de nouveaux partenaires, ses réactions houleuses et sa volonté de tout contrôler.

La tâche n'est pas facile. Daniel Domscheit-Berg a déclaré en quittant l'organisation : « Il y avait trop de goulets d'étranglement dans WikiLeaks... Il y a trop de concentration de pouvoir dans une seule organisation, trop de responsabilités. »

Il faut avouer que les fondements de WikiLeaks ont évolué en trois ans. En 2006, l'idée fondatrice est basée sur une initiative technologique qui repose son fonctionnement sur les fondements de Wikipédia et cette fameuse « sagesse des foules » décrite par James Surowiecki dans son best-seller éponyme. Une connaissance totalement décentralisée, ouverte, indépendante, avec une éthique partagée et reposant sur aucune institution. Très vite, les difficultés, les pressions et les ambitions menent à une centralisation des décisions de plus en plus personnalisée, une révision unilatérale du contenu avec une diffusion éditorialisée. Cependant, la base est restée, le fondement de WikiLeaks étant de diffuser au mieux et au plus grand nombre des informations apportées par des sources.

Mais ces fameuses sources, qui sont-elles ?

Julian Assange a approché des lanceurs d'alertes. Lors de son combat avec sa mère pour la garde de son fils Daniel, il fait campagne avec celle-ci au sein de l'Administration pour trouver des informateurs. Il côtoie plus tard une association de lanceurs d'alertes : *Whistleblowers Australia*. Assange connaît ces gens qui, tout comme Ellsberg, s'aperçoivent un jour que leur quotidien professionnel qui a pu les passionner pendant un temps est en train de déraper vers une situation de plus en plus insupportable pour eux. Il a créé WikiLeaks pour eux, pour qu'un Rudolf Elmer, arrivant au zénith de l'incompréhension dans son entreprise, décide de dénoncer les fraudes fiscales orchestrées par sa banque Julius Baer Group.

Le système se veut ouvert à tous ces informateurs en leur assurant la sécurité et l'anonymat. Et c'est sur ces deux points que WikiLeaks reçoit le plus d'attaques.

Ouvert à tous, sans réelle certitude d'où cela vient. Du coup, certaines informations peuvent être rejetées, pour des raisons objectives ou non. Surtout, les informations peuvent être poussées vers WikiLeaks avec des objectifs cachés. Une interview du 29 novembre 2010 sur la chaîne américaine PBS de Zbigniew Brzezinski, ancien conseiller sur la sécurité nationale pendant la présidence de Jimmy Carter, révèle son point de vue d'expert. En analysant la teneur des fuites et l'orientation des impacts possibles, Brzezinski, qui reste un des hommes les mieux informés des États-Unis, déclare : « Je ne mets pas en doute que WikiLeaks reçoit beaucoup d'informations de la part de sources relativement peu importantes, comme celle qui est peut-être identifiée sur les ondes. Mais par là même, WikiLeaks peut aussi obtenir des choses provenant de communautés d'intelligence qui veulent manipuler le processus et accomplir certains objectifs très spécifiques. »

D'ailleurs, cette idée remonte à des temps plus anciens puisque le colonel de US Air Force, Leroy Fletcher Prouty, connu pour ses activités dans la CIA (il a inspiré le personnage Monsieur X dans le film d'Oliver Stone, *JFK*) a dit de Daniel Ellsberg :

« Il y a une autre catégorie d'écrivains, s'autoproclamant autorité en la matière de services secrets. Cet homme est le parasite professionnel et mielleux qui gagne sa réputation en tant que reporter en disséminant des fragments et vérités divines lancées à lui par les grands hommes qui l'utilisent. Cet écrivain sait et se préoccupe rarement que la plupart des fragments à partir desquels il dessine sa matière ont été semés, que ce sont des fuites contrôlées, et qu'il est utilisé, et glorifié puisqu'utilisé, par l'intérieur de la communauté des services secrets. »

En assurant la sécurité et l'anonymat des sources, John Young défend l'idée qu'il n'y a pas de sécurité sur Internet et Wayne Madsen va jusqu'à dire que Tor, le système d'anonymat utilisé par WikiLeaks, a quelques failles qui permettent de relever des informations personnelles. Cependant, les seules sources révélées des fuites du site n'ont pas été identifiées par les forces gouvernementales. Rudolf Elmer s'était déjà fait connaître en 2005 en remettant ses fichiers à la presse suisse avant de contacter WikiLeaks en 2008. Bradley Manning a été dénoncé par un correspondant de discussion sur Internet.

La seule véritable accusation qui peut être portée à Julian Assange, concernant la gestion de son entreprise, est celle sur laquelle beaucoup se rejoignent. Ses partenaires, ses premiers supporters comme John Young, certains de ses associés comme Daniel Domscheit-Berg et peut-être d'autres, comme ce mystérieux *WikiLeaks insider* qui dénonce par e-mails envoyés à Cryptome les agissements internes de WikiLeaks. Julian Assange a pris, seul, les rênes de la destinée de WikiLeaks pour satisfaire son ambition personnelle.

Son but est d'arriver au plus haut, le plus vite, par tous les moyens. Lui qui citait dans son blog un poème des frères Ethel et Julius Rosenberg (exécutés le 19 juillet 1953 pour espionnage contre les États-Unis) :

> *Tout de même, nous avons fait ce en quoi nous croyions :*
> *Trahison, oui, peut-être, mais pour la bonne cause.*
> *L'Histoire jugera par ses propres lois.*

27

Ondes de choc

Manning : J'ai été si longtemps isolé… Je voulais juste être un type bien et vivre une vie normale… Chaque fois, les événements m'ont forcé à trouver un moyen de survivre… assez malin pour comprendre ce qui se passe, mais désarmé quand il faut faire quelque chose… Personne n'a jamais fait attention à moi.

Voilà les premières phrases que Bradley Manning écrit le 22 mai 2010 à un hacker devenu son confident. Il s'agit d'Adrian Lamo, qui de confident, endossera le rôle de dénonciateur en livrant Manning aux autorités quelques jours plus tard. Au moment de cet échange, Bradley Manning est au plus mal, fatigué, anxieux, révolté. L'organisation WikiLeaks a livré au public le film *Collateral Murder* depuis le 5 avril.

Bradley Manning est né en 1987. Il se distingue très tôt par sa singularité. Son père, militaire, est un homme très sévère, souvent absent du domicile conjugal. Sa mère est d'origine galloise. Ne supportant pas le mode de vie américain, elle repart avec Bradley au Royaume-Uni après son divorce en 2001. Bradley poursuit sa scolarité au Pays de Galles, à la Tasker Milward School. Tom Dyer, un de ses amis de lycée dit de lui :

« Il a toujours eu une mentalité de "redresseur de torts". Il était déjà comme ça à l'école. Si quelque chose n'était pas bien, il exprimait son désaccord. Il avait même des altercations avec les professeurs s'il trouvait quelque chose injuste. »

Après le lycée, sa mère le renvoie auprès de son père aux États-Unis, mais apprenant son homosexualité, ce dernier le chasse de sa maison. Livré à la rue, il vit dans sa voiture, enchaîne les petits boulots où il se distingue parfois par ses coups de gueule. Il est employé brièvement dans une petite entreprise d'informatique. Son dirigeant se souvient de ce jeune homme aux pommettes rondes et au regard clair comme d'un garçon très doué pour la programmation, mais avec « la personnalité d'un éléphant dans un magasin de porcelaine. »

En 2007, il s'engage dans l'armée, sur les conseils d'un ami, espérant y trouver sa place. Il est reconnu pour ses compétences en matière informatique. Il travaille alors en Irak en tant qu'agent pour la section « Intel » des renseignements. Manning a du mal à cacher son homosexualité alors qu'il est censé le faire en vertu du *Don't ask, don't tell*. Cette loi, en vigueur à partir de 1993, sera abrogée par le président Barack Obama en décembre 2010, permettant ainsi à toute personne de servir son pays quelle que soit son orientation sexuelle. Auparavant, la législation empêchait quiconque servant dans l'armée de faire part de son homosexualité, bisexualité ou même de parler du mariage entre personnes du même sexe ou d'homoparentalité. L'armée, quant à elle, n'était pas autorisée à faire une quelconque recherche sur la vie intime de ses recrues sachant que la loi continuait d'interdire à toute personne qui « démontre une propension ou à l'intention de s'engager dans des actes homosexuels » de servir dans l'armée américaine, parce que cela « créerait un risque inacceptable contre les hauts standards moraux, l'ordre, la discipline et la cohésion qui forment l'essence des capacités militaires. »

À la caserne, Manning est l'objet d'allusions, de moqueries, de brimades. Il est mis à pied en avril 2010 pour une rixe avec un autre militaire et se voit déchargé de ses fonctions au service de renseignements. Il se sent très mal depuis ce moment-là et écrit ceci à Adrien Lamo :

Manning : Je me bourre de médicaments quand je ne travaille pas comme un fou dans le centre de service (c'est là que je suis maintenant, puisqu'on m'a débarqué, officiellement je ne suis plus dans l'Intel)

Manning : Je veux juste rendre ces infos publiques... je ne veux pas être complice

Manning : Je n'arrive pas à croire tout ce que je te raconte.

Après la mise en ligne de la vidéo *Collateral Murder* et l'onde de choc qu'elle a provoqué, deux ex-soldats américains de la « Bravo company 2-16 » écrivent une lettre ouverte au peuple irakien.

Ethan McCord est le soldat qui a sorti les enfants du camion. Au mois d'avril 2010, il témoigne à plusieurs reprises de son vécu en Irak en juillet 2007, suite à l'attaque des hélicoptères : « On était les premiers sur place. Dans un coin, j'ai tout de suite vu ce qui avait dû être trois hommes. J'ai vraiment été secoué. Ils n'avaient plus forme humaine. Je sais qu'ils l'avaient été, mais la boucherie que j'avais sous les yeux ne ressemblait à rien. Et puis l'odeur. Quelque chose que je n'avais encore jamais senti. Un mélange de matière fécale, d'urine, de sang et de fumée. Et quelque chose d'indescriptible. À côté d'eux, il y avait un RPG[1] et un AK-47[2]. Des sanglots ; j'entends pleurer. Pas des sanglots de douleur, mais plutôt le genre d'un petit enfant qui s'éveillerait d'un horrible cauchemar. C'est seulement là que j'ai remarqué la camionnette d'où semblaient provenir les pleurs. Avec un soldat d'une vingtaine d'années, on s'est rapproché du véhicule et on a regardé à l'intérieur. Le soldat a brutalement reculé et s'est mis à vomir avant de s'éloigner en courant. C'était une petite fille d'environ quatre ans assise côté passager. Elle était gravement blessée au ventre et était couverte de débris de verre. »

McCord sort encore de la camionnette un enfant de sept ans qu'il croyait mort à première vue. Il court vers le camion militaire qui transporte la petite fille vers l'hôpital priant pour qu'il ne démarre pas. Le gamin s'évanouit dans ses bras. Il l'installe du mieux qu'il peut dans le camion, lorsque le leader de la patrouille lui hurle : « Qu'est-ce que tu fous Mc Cord ? Arrête de te prendre la tête pour ces putains de mômes et mets-toi en sécurité ». « Bien compris chef », répond-il machinalement et il court se mettre à l'abri.

---

1 RPG : *Rocket Propelled Grenade,* sorte de bazooka.
2 AK-47 : fusil d'assaut aussi appelé kalachnikov.

De retour à la base, seul dans sa chambre, Ethan essaie de nettoyer son uniforme taché du sang des enfants. Il frotte énergiquement comme s'il voulait que les images qu'il venait de voir s'effacent de sa mémoire. Mais rien n'y fait, les taches restent accrochées au vêtement. Il est désemparé. Il se rend chez le sergent pour bénéficier d'une assistance psychologique.

Il expose ainsi la réaction de son commandement au magazine *Wired*, périodique de San Francisco qui se concentre sur l'incidence des technologies dans les domaines de la culture, de l'économie et de la politique : « On m'a traité de gonzesse et on m'a conseillé de faire profil bas, et on m'a dit plein d'autres horreurs. On m'a aussi dit qu'il y aurait des répercussions si je devais aller au service de santé mentale. Ils vous liquident, ils vous épuisent. On m'a dit d'être moins coincé du cul. Donc j'ai fait profil bas et j'ai essayé de passer à autre chose. J'avais des cauchemars. On a diagnostiqué une névrose post-traumatique chronique aiguë. »

L'aide psychologique demandée ne lui sera pas accordée. Il se rend alors compte qu'il fait partie d'un système qu'il n'arrive plus à accepter. Après la diffusion de la vidéo *Collateral Murder*, ils décident avec son coéquipier Josh Stieber d'écrire une lettre au peuple irakien. Cette lettre est publiée sur le site des vétérans de l'Irak contre la guerre :

À tous ceux qui ont été blessés ou ont perdu des êtres chers pendant les tirs effectués en juillet 2007 à Bagdad et qui sont dépeints sur la vidéo titrée « Collateral Murder » mise en ligne par WikiLeaks, nous adressons cette lettre. À vous, à vos familles et à votre communauté, en étant parfaitement conscients qu'elle ne peut réparer les pertes que vous avez subies.

[...]

Nous sommes deux soldats qui avons passé quatorze mois dans votre voisinage. Ethan McCord a extrait vos enfants de la camionnette avec, à l'esprit, le visage de ses propres enfants. Josh Stieber était membre de la même compagnie. Bien qu'absent ce jour-là, il estime avoir contribué à plusieurs occasions à votre peine et à celle de votre communauté. Il n'y a aucun moyen de ramener ce qui a été perdu.

Notre expérience personnelle et celle d'autres vétérans avec lesquels nous nous sommes entretenus de cette affaire nous permettent d'affirmer que ce que l'on voit dans la vidéo survient quotidiennement au cours de cette guerre et témoigne de la manière dont l'Amérique conduit cette guerre dans la région.

[...]

Nous affirmons que notre réputation n'est rien à côté de nos valeurs humaines communes. Nous avons demandé à nos collègues vétérans, aux soldats actifs et aux civils en Amérique et à l'étranger de soutenir cette lettre et de se faire connaître au nom de nos valeurs humaines communes, en prenant leurs distances avec la politique destructrice menée par nos dirigeants et en vous tendant la main.

[...]

L'amitié ne peut bien sûr pas naître des temps de douleur.
Veuillez simplement accepter nos excuses, nos regrets, notre
sympathie et l'assurance de notre détermination à provoquer
un changement radical.
[...]
Solennellement et sincèrement

Josh Stieber, ex-spécialiste de l'US Army
Ethan McCord, ex-spécialiste de l'US Army

Manning livre les images de cette tragédie à WikiLeaks en
février 2010. Le 25 mai, il continue de chatter avec son nouvel
ami, Adrian.

Manning : L'incident a lieu en 2007, je regarde vidéo en
2009 sans contexte, recherches, transmets info à groupe militant
pour liberté information, autres recherches, vidéo sort en 2010,
gens concernés sortent du rang pour discuter incident, je vois
ces gens sortir du rang pour discuter en public, les ajoute même
à mes amis FB[3]... sans qu'ils sachent qui je suis.

Manning : On touche à ma vie, je touche à leur vie, on
touche de nouveau à ma vie... cercle sans fin.

---

3 Facebook.

Alors que Bradley Manning s'épanche sur ses sentiments, Adrian Lamo satisfait sa curiosité. Bradley a confiance et répond :

Lamo :*random* ça t'inquiète pas que le CID [Criminal Investigation Departement, Département d'enquête criminelle de l'armée] mette son nez dans tes histoires sur Wiki? Moi, j'étais toujours parano.

Manning : Le CID n'a pas ouvert d'enquête. Le Département d'État va être super furieux... mais je ne crois pas qu'ils soient capables de remonter jusqu'à la source de tout ça... donc, ça a fait des dégâts au niveau du public, mais ça n'a pas intensifié les attaques ou la rhétorique...

Lamo : Pourquoi ton boulot te permet d'avoir accès aux infos ?

Manning : Parce que j'ai un poste de travail

Manning : J'avais deux ordinateurs... un connecté au SIPRNET (*Secret Internet Protocol Router Network*, où sont les câbles) l'autre au JWICS (*Joint Worldwide Intelligence Communications System* utilisé par le Département de la Défense & le Département d'État pour transmettre des infos secrètes)...

Lamo : Donc tu les as mis en lieu sûr ?

Manning : Non, ce sont des portables du gouvernement

Manning : Ils ont été réinitialisés

Manning : À cause du retrait

Manning : Les preuves ont été supprimées... par le système lui-même...

Manning : Elles ont été stockées sur un serveur centralisé...

Lamo : Et quel est ton plan pour terminer la partie, alors ?

Manning : Des débats au niveau mondial, j'espère, et des réformes

Manning : Sinon… alors nous sommes foutus

Manning : Je ne croirai plus en notre société si rien ne se passe

Manning : Les réactions à la vidéo m'ont donné des espoirs immenses

Manning : Je veux que les gens voient la vérité… qui que ce soit… parce que sans information, le public ne peut pas prendre des décisions en toute connaissance de cause

Manning : « Si j'avais su alors ce que je sais maintenant »… ce genre de sentiment…

Manning : Mais je ne suis peut-être que jeune, naïf et idiot…

Toujours le 25 mai, Manning revient sur le fait qui le poussera plus tard à livrer les images à WikiLeaks :

Manning : Je surveillais 15 prisonniers capturés par la police fédérale irakienne… parce qu'ils imprimaient des « documents anti-irakiens »… la police fédérale irakienne ne voulait pas coopérer avec les forces américaines, on m'a donc chargé d'examiner la situation, de trouver qui étaient les « méchants », et dans quelle mesure c'était important pour les policiers irakiens… en l'occurrence, ils avaient imprimé une critique un peu universitaire du premier ministre Maliki… c'est un interprète qui me l'a lue… et lorsque je me suis rendu compte qu'il ne s'agissait que d'une critique politique timide intitulée « Où est passé l'argent ? » et qui suivait un réseau de corruption au sein du cabinet du premier ministre… j'ai couru directement avec l'info chez l'officier pour lui expliquer de quoi il retournait… il n'a rien voulu entendre… il m'a dit de me taire et d'expliquer de quelle façon nous pouvions aider la police fédérale irakienne à faire d'autres prisonniers…

Manning : Après ça, tout a dérapé... j'ai commencé à voir les choses sous un autre angle.

Manning : J'avais toujours posé un regard critique sur la manière dont les choses se passaient et cherché à découvrir la vérité… mais là, j'étais impliqué dans quelque chose… j'étais complice actif de quelque chose à laquelle je m'opposais entièrement…

C'est avec ce regard transformé que Bradley Manning poursuit son travail. Il est très facile de transférer des données vers l'extérieur de la base. Les collègues de son bureau peuvent venir avec des tas de CD de musique. C'est si simple de venir avec un CD réinscriptible labellisé « Lady Gaga » par exemple, de l'effacer et d'y inscrire ensuite les données choisies. Ils ne subissent pas de fouilles au corps. La porte comporte un code de cinq chiffres, mais il suffit de frapper pour que quelqu'un vous ouvre. La plupart qui arrivent à leur poste de travail regardent des vidéos, des courses-poursuites de voitures, des explosions de bâtiments et se copient des CD et des DVD.

La partie la plus difficile et la plus discutable réside en la copie de données secrètes. Manning le sait, mais il a l'impression de ne pas avoir d'autres choix. Il est émotionnellement touché. Les officiers des renseignements laissent des données non protégées sur un serveur.

Il s'inquiète des représailles éventuelles et il « demande même à l'officier de la *National Security Agency* si celui-ci peut repérer des activités suspectes dans les réseaux locaux... celui-ci hausse les épaules et répond : "Ce n'est pas une priorité" ». Manning juge comme suit le système de sécurité : « serveurs peu sécurisés, journalisation peu sécurisée, protection physique faible, contre-espionnage faible, analyse des signaux peu approfondie... tout est là pour une tempête ».

C'est si simple pour quelqu'un comme lui. Il s'explique ainsi à Lamo : « Si j'avais été plus mal intentionné, j'aurais pu vendre tout à la Russie ou à la Chine et me faire beaucoup d'argent. » Quand Lamo lui demande pourquoi il ne l'a pas fait, il répond au hacker : « parce que ça appartient au domaine public. Je veux dire, les câbles, précise Manning, l'information devrait être libre. »

Au sujet des images de l'hélicoptère, à première vue, il a pensé que c'était juste une affaire habituelle « mais quelque chose m'a paru bizarre dans cette histoire de camionnette... et le fait que ça se trouvait dans le répertoire d'un officier JAG (Juge Avocat général)... alors j'y ai jeté un coup d'œil... puis j'ai recherché la date, puis la coordonnée GPS exacte... et ça m'a... d'accord, voilà donc ce qui s'est passé... cool... puis je suis allé sur l'Internet classique... et ça me tournait encore dans la tête... donc j'ai tapé dans google... la date, le lieu... et je trouve ça : http://www.nytimes.com/2007/07/13/world/middleeast/13iraq.html ».

Il voit l'article du *New York Times* datant de mi-juillet 2007 rapportant l'affaire de l'explosion d'une camionnette, photo à l'appui. L'article raconte : « Jeudi soir, les forces américaines ont annoncé dans un communiqué que 11 personnes ont été tuées : neuf insurgés et deux civils. Selon le communiqué, au cours d'un raid, des troupes américaines ont été la cible d'armes portatives et de lance-roquettes. Les forces américaines ont appelé des renforts et des hélicoptères d'attaque. Au cours de l'incident, poursuit le communiqué, deux employés de Reuters et neuf insurgés ont été tués. Il n'y a aucun doute que les forces de la coalition étaient clairement engagées dans des opérations de combat contre une force hostile, a déclaré le lieutenant colonel Bleichwehl, porte-parole des forces multinationales à Bagdad. »

Manning reste imprégné par cet article jusqu'à ce qu'il fasse suivre les images en sa possession vers WikiLeaks. Manning se décharge alors de tout « matériel » original : les images de l'attaque par hélicoptère à Bagdad, les câbles diplomatiques, les informations sur la détention des prisonniers à Guantanamo et aussi les images d'un raid en Afghanistan faisant référence à une attaque militaire qui a fait cent-quarante victimes civiles.

Quelle peut être la raison qui pousse Manning à se confier ainsi à Adrien Lamo ? Il se sent seul. Il voit passer des informations qu'il ne peut plus garder et son acte, qui pourra être jugé comme trahison par le gouvernement, est également un secret lourd à porter.

Lamo en sait déjà beaucoup sur les agissements de Manning et sur ses états d'âme. Est-il déjà, après deux jours de discussion, en relation avec les autorités ?

Lamo s'intéresse très vite à la relation de Manning et Assange. Le jeune militaire lui explique qu'il a mis quatre mois pour conclure que la personne avec qui il échangeait des informations était Julian Assange lui-même. Son interlocuteur se confiait peu. Il lui dit qu'il était surveillé par une équipe de la sécurité diplomatique d'Europe du Nord. Il cherchait à comprendre qui le suivait et pourquoi. Manning l'a questionné à ce sujet. Ses poursuivants cherchaient à découvrir comment il avait eu un télégramme diplomatique de Reykjavik. Celui-ci, qui a valu sa place à l'ambassadeur islandais aux États-Unis, était en fait la première fuite-test envoyée par Manning.

Les questions d'Adrian Lamo se font plus précises le 25 mai. Il demande à Manning s'il est au courant que le CID de l'armée enquêterait sur WikiLeaks. Celui-ci lui répond qu'il n'y a aucune preuve de ses activités et que tout a été effacé de son ordinateur. Lamo tente encore de savoir comment Assange et les membres de WikiLeaks communiquent avec le jeune soldat. Après un certain nombre de questions, Manning finit par écrire : « il *pourrait* utiliser le serveur ccc.dejabber... mais ce n'est pas moi qui te l'ai dit ».

Manning relativise ensuite la gravité de son geste : il rapporte que le journaliste-écrivain David Finkel était depuis plusieurs années déjà en possession des images livrées à Assange. David Finkel, prix Pulitzer 2006 pour son travail au *Washington Post*, a relaté dans son livre *De bons petits soldats* son séjour de plusieurs mois à Bagdad avec le bataillon connu sous le nom de « 2-16 Rangers ». La compagnie dont Ethan McCord et Josh Stieber faisaient partie était présente pour stabiliser une portion de la capitale irakienne. David Finkel, protégeant ses sources, n'a jamais confirmé ou infirmé cette déclaration.

Les dernières phrases échangées par les deux hommes le 25 mai 2010 sont éloquentes. Manning parle de lui. Lamo a une idée claire sur WikiLeaks :

Manning : Je ne pourrais pas être un espion…
Manning : Les espions ne publient pas ce qu'ils savent au vu et au su de tout le monde
Lamo : Pourquoi pas ? WikiLeaks ferait une couverture parfaite
Lamo : Ils divulguent ce qui est inutile
Lamo : Et gardent le reste

Adrian Lamo est un hacker très connu aux États-Unis où il est surnommé le « hacker sans-abri ». Il sillonnait les États-Unis dormant chez des connaissances, dans des hôtels miteux ou des immeubles abandonnés. Ses piratages ont souvent été commis à partir de cybercafés. Il doit sa renommée pour s'être introduit dans des réseaux d'entreprises très connues comme le *New York Times*, Yahoo! et Microsoft, ou encore Bank of America.

En 2004, il plaide coupable pour les charges portées contre lui. Il est condamné à verser soixante-cinq mille dollars et assigné à résidence chez ses parents pendant six mois, peine assortie de deux ans de probation. Il a alors vingt-trois ans.

D'après un article paru sur le site Cryptome, Adrian Lamo a pris contact avec les autorités dès le 22 mai. À partir de cette date, il travaille en collaboration avec les autorités fédérales pour piéger Manning. Adrian Lamo explique quelques jours plus tard : « J'ai eu du mal à prendre la décision de le dénoncer, une des décisions les plus difficiles que j'aie jamais prises. Moi aussi, j'ai été arrêté [à peu près] à son âge, je sais ce que c'est. »

En parallèle, il est en contact avec un journaliste du *Wired* auquel il offre l'exclusivité de ses chats sous réserve qu'il donne son feu vert à tout article le concernant. À l'insu de Lamo et du journaliste, Manning est interpellé le 26 mai 2010.

Début juillet, Manning est inculpé de huit chefs d'inculpation criminels et de quatre violations du Règlement militaire. Il lui est reproché d'avoir « transféré des données confidentielles sur son ordinateur et ajouté un logiciel non autorisé sur un système informatique classé secret » et d'avoir illégalement récupéré « plus de 150 000 notes diplomatiques ». S'il est reconnu coupable, il encourt cinquante-deux ans de prison.

Pendant les mois qui s'écoulent ensuite, le gouvernement américain cherche à prouver le lien entre Bradley Manning et Julian Assange. Entre-temps, les journaux égrènent les câbles diplomatiques et la gêne du gouvernement américain s'étale dans les médias alors que les autres pays font profil bas. L'Amérique tient Manning et au nom de la diplomatie mondiale, elle veut s'en servir pour faire tomber Assange. Manning devient alors le dommage collatéral de WikiLeaks.

Le 5 juillet 2010, le jeune homme est incarcéré au Koweït, dans le centre de détention du théâtre d'opérations. Ces cellules sont prévues pour des détentions de court terme. Le 29 juillet, il est transféré vers la base militaire de Quantico en Virginie.

Julian Assange soutient publiquement que WikiLeaks ne peut savoir si la source des documents sortis ces derniers mois sur le site provient de Bradley Manning. « Ce n'est pas comme cela que notre technologie fonctionne, ce n'est pas comme cela que notre organisation fonctionne. Je n'avais jamais entendu le nom de Bradley Manning avant qu'il n'apparaisse dans les médias », dit Julian Assange. Il qualifie alors de non-sens les allégations que WikiLeaks a conspirées avec Manning.

Certains médias écrivent qu'Assange et WikiLeaks ont laissé tomber le jeune militaire de vingt-trois ans sans lui accorder d'aide pour sa défense alors que celle d'Assange engloutit des centaines de milliers d'euros, de dollars ou de livres. L'aider serait reconnaître le lien entre les deux et assurerait la cour martiale au jeune homme au visage poupin.

Manning subit l'isolement total vingt-trois heures par jour au fond d'une cellule. Le prisonnier a été jugé potentiellement suicidaire ce qui a permis de renforcer ses conditions de détention avec exagération. David House, chercheur au MIT (*Massachusetts Institute of Technology*) est l'une des rares personnes à l'avoir rencontré depuis son incarcération à Quantico. Il tire la sonnette d'alarme, mi-janvier 2011, après avoir rendu une nouvelle fois visite au prisonnier accompagné de la bloggeuse et productrice américaine Jane Hamsher.

Bradley Manning a été reconnu potentiellement suicidaire afin de renforcer durement ses conditions de détention. Le commandant James Averhart, responsable de sa supervision, a reconnu son tort le 25 janvier 2011.

Considéré comme « suicidaire », il lui est administré des antidépresseurs, il doit confier ses vêtements au garde le soir avant de dormir et il dort sous une couverture « antisuicide ». Il explique à David House qu'elle « pesait autant que les tabliers de plomb utilisés pour se protéger des rayonnements ionisants et était de la même texture qu'un tapis grossier et raide ». Manning doit « se tenir raide toute la nuit pour éviter de se brûler la peau avec le tapis ».

Manning explique qu'il est resté sans voir la lumière du jour pendant quatre semaines, et qu'il n'a de contact avec d'autres personnes que quelques heures pendant le week-end. Jane Hamsher rapporte que le prisonnier « commençait à manifester quelques-uns des symptômes nocifs liés à un isolement prolongé : repli émotionnel et fonction cognitive détériorée. Il paraissait réagir lentement lorsque nous parlions et ne pouvait traiter les informations aussi rapidement qu'en temps normal. »

Ce confinement risque de durer jusqu'à la fin de l'enquête des autorités. Vu le traitement infligé au soldat, Julian Assange déclare que Bradley Manning peut être considéré comme un prisonnier politique.

Malgré les efforts de l'armée, il n'a encore été trouvé aucune preuve de liens entre Assange et Manning.

Manning est, en ce début d'année 2011, porté au rang de victime de la guerre pour la vérité. Alors que Julian Assange poursuit son combat, auréolé plus que jamais de la lumière du chevalier en croisade sur les chemins de la liberté.

28

UN PARTENARIAT INATTENDU[1]

Bruxelles – jeudi 13 janvier 2011 – dans un café à deux pas du Parlement européen – rencontre avec Ian Traynor, le journaliste-correspondant à Bruxelles du Guardian.

Ian Traynor : Assange est venu ici pour assister à une session du Parlement européen sur la liberté d'expression. Il parlait de la nouvelle législation islandaise. Birgitta Jónsdóttir était là aussi. Et ils ont séjourné à l'hôtel Léopold. Je suis venu parce que j'étais au courant de l'affaire Manning, d'Assange et de WikiLeaks. Je trouvais ça intéressant et je suis donc allé au Parlement pour assister à cette session. Elle était organisée par une parlementaire.

Élise : Oui, la parlementaire néerlandaise Marietje Schaake.

Ian Traynor : Oui. Je suis allé écouter, et puis j'ai pu leur parler. Mais je savais déjà qu'Assange viendrait par Nick Davies qui m'avait appelé de Londres et m'avait dit : « Ça pourrait être intéressant de rencontrer ce gars. » J'ai écrit à ce sujet ce

---

1 Chapitres 28 à 30 notamment inspirés de
http://www.wired.com/threatlevel/2011/01/nytimes-and-assange/
New York Times: Assange Was a Source, Not Media Partner
Par Kim Zetter
http://www.nytimes.com/2011/01/30/magazine/30Wikileaks-t.html
« Dealing With Assange and the Wikileaks Secrets »
Par Bill Keller

jour-là. Je l'ai brièvement interviewé. C'était la première fois qu'il apparaissait en public depuis l'arrestation de Manning. Il arrivait d'Islande et est resté quelques jours à l'hôtel Léopold. Puis, je lui ai parlé. Je lui ai dit qu'une collaboration pourrait nous intéresser.

Élise : C'était donc votre initiative à ce moment-là.

Ian Traynor : Dans une certaine mesure, oui. Il a répondu qu'il était intéressé et on a commencé comme ça. J'en ai informé mes patrons à Londres et le rédacteur en chef a décidé qu'il voulait pousser plus loin. Le jour suivant, il a envoyé Davies ici et, ensemble, nous avons rencontré Assange pour une conversation plus longue, à nouveau au Léopold.

Lundi 21 juin 2010 à Bruxelles, capitale de l'Europe. Siège du Parlement européen. Ce mois de juin reste dans les annales comme un mois chaud, ensoleillé et sec. Ce jour-là, Julian Assange se trouve dans la capitale belge pour parler à la conférence « (Self) *Censorship New Challenges for Freedom of Expression in Europe* » (« Censure et autocensure, les nouveaux défis de la liberté d'expression en Europe »). Il est invité par le parlementaire allemand Alexander Lambsdorff et la parlementaire néerlandaise Marietje Schaake, du Groupe Alliance des Démocrates et des Libéraux pour l'Europe. Les autres orateurs sont Birgitta Jónsdóttir, Lars Vilks, Naema Tahir, Flemming Rose, Alastair Mullis. Le thème abordé : « Ce qui se passe en Europe n'influence pas seulement l'Europe. C'est utilisé pour justifier des formes d'abus plus extrêmes dans le reste du monde. »

Dans ce panel de discussions, l'artiste suédois Lars Vilks et l'auteure néerlandaise Naema Tahir partagent leurs expériences personnelles sur la liberté d'expression en Europe, le professeur de droit britannique Alastair Mullis s'exprime en tant qu'expert des lois sur la diffamation, et Julian Assange et Birgitta Jónsdóttir parlent des questions légales et politiques qui entourent la liberté d'expression.

Durant la deuxième partie du séminaire, Birgitta explique le concept derrière le *Icelandic Modern Media Initiative*. Assange explique comment les alliances qui veillaient à protéger les valeurs de la culture européenne ont été négligées et continuent d'être abandonnées depuis la fin de la guerre froide. Il fournit des exemples concrets de cas diffamatoires britanniques qu'il juge être des résultats progressistes, semblables aux horreurs décrites dans le roman de George Orwell, *1984*. Il illustre comment les listes noires secrètes de censure des gouvernements et des encadrements politiques, servant d'outils pour combattre la pornographie infantile, sont utilisées pour étouffer les opinions non-conformistes.

Julian apparaît pour la première fois en public depuis l'arrestation de Bradley Manning. Il arrive tout droit de l'Islande. Son entrée est détendue. Il s'installe en ajustant le micro avec lequel il rencontre quelques difficultés. Il fait de cet incident un élément d'introduction, plaisantant pour détendre l'atmosphère et lancer en douceur son intervention.

Dans la salle du Parlement européen, se trouvent, entre autres, Ian Traynor et Christian Engström, le Parlementaire européen du Parti Pirate et son assistant, Henrik Alexandersson.

Julian est très à l'aise, il parle posément, les bras croisés posés sur le pupitre, il est assis derrière la console, à la droite de M. Lambsdorff. Venu tout droit du nord, il porte encore un épais pull en laine écru, aux dessins gris.

Voici un tour d'horizon en style télégraphique de son intervention :

Julian introduit son discours par un résumé de son palmarès : IMMI, affaire Kaupthing, l'injonction de la RUV en Islande.

Il poursuit avec une petite allégorie sur l'autoritarisme battu par une alliance historique entre les libéraux et les démocrates. Cette alliance n'existe plus aujourd'hui. Pourtant, l'autoritarisme existe toujours sur Internet.

Plus tard, il raconte comment le *Guardian* a été obligé de retirer des articles de ses archives à cause d'un vide juridique européen.

Il souligne le rapprochement avec Orwell et son livre *1984* dans lequel « le ministre de la Vérité » change les archives. En effet, il suffit d'engager un gros cabinet d'avocat londonien pour retirer une partie du patrimoine journalistique. Il explique que lors de la manipulation des archives de journaux, le retrait n'est pas clairement spécifié, mais il apparaît un message d'erreur technique pour éviter la curiosité.

Image sur les fluides. Une collision de navires dans la nuit peut infléchir l'état de la mer. Une interaction entre États sur

Internet peut créer des remous dans d'autres États. Si des lois sont créées pour réguler Internet et éviter ces agitations, cela bloquera la communication des journaux avec leurs lecteurs, des partis avec leurs partisans, car tous les échanges passent par Internet.

En Australie, une des premières fuites de WikiLeaks a été de publier la liste des sites stoppés par un *firewall* national. La justification est de bloquer les sites pédophiles ; en fait, il n'y en a que 32 %, le reste étant des sites que le gouvernement lui-même juge inappropriés.

Parallèle sur les lois : celles exercées en Afrique viennent du Commonwealth, chaque pays a une influence sur le reste du monde.

« Ce qu'on a pu faire en Islande, peut-on le faire en Europe ? » Julian en doute, mais il pose la question à l'auditoire.

Bruxelles – mardi 11 janvier 2011 – Parlement européen – rencontre avec Christian Engström, et Henrik Alexandersson, son assistant.

Christian : À l'issue de la conférence, beaucoup de monde voulait parler à Assange. Je voulais lui parler également. Nous voulions lui dire que le Parti Pirate suédois était disposé à aider WikiLeaks en terme d'assistance technique, de services, etc. J'ai mentionné cela en vitesse, puis le journaliste a réalisé un entretien avec nous deux. Nous n'avons pas eu beaucoup de temps, car il y avait une file d'attente de journalistes qui souhaitaient également parler à Assange. […] Notre rencontre a été très brève. J'ai rencontré d'autres activistes partisans de la liberté sur Internet et ces personnes dont vous avez entendu parler sont très spéciales. Il faut vraiment être concentré sur son action pour devenir une icône internationale.

Henrik : Je dirais qu'il ne s'inquiète pas vraiment de savoir si ce qu'il dit énerve. Lors de cette conférence par exemple, comment s'est-il exprimé déjà ? Oui voila, pendant la guerre froide, les conservateurs et les progressistes avaient un objectif commun, mais après la disparition de l'Union Soviétique et du communisme, il est de plus en plus évident que les conservateurs... Comment l'a-t-il dit ? Les objectifs des conservateurs et des progressistes sont différents. Les conservateurs sont plus tournés vers les grandes entreprises. Ils sont plus corporatistes. Assange a en quelque sorte mis les progressistes en garde.... ce qui n'a pas été apprécié par tout le monde. Mais cela ne l'émeut pas. Il dit ce qu'il a à dire et c'est à prendre ou à laisser. […] J'admire beaucoup son style, car dans certaines situations, on entend trop de foutaises et il arrive un moment où vous ne pouvez plus entendre ces foutaises. Donc, c'est toujours rafraîchissant quand quelqu'un va droit au but. Si les gens sont choqués, c'est leur problème. Les informations doivent être jugées du point de vue du contenu et les gens doivent être jugés sur la base de leurs actions. Les mondanités, c'est bien, mais l'action est importante et je pense qu'Assange est une personne pour qui l'action est très importante.

Retour au lundi 21 juin 2010, outre-Manche, Nick Davies s'affaire. Il sait que Julian Assange est à Bruxelles pour ce séminaire. Demain, il prendra l'Eurostar, le train à grande vitesse qui rallie Londres à Bruxelles en deux heures pour rejoindre son collègue, Ian Traynor.

Nick Davies est un journaliste d'investigation très connu dans son pays. Il est dans le métier depuis 1976, actuellement free-lance, travaillant régulièrement comme correspondant pour le *Guardian*. C'est leur « journaliste-star ». Parallèlement, il est écrivain et réalisateur de documentaires pour la télévision. Nommé journaliste de l'année, reporter de l'année et *feature* écrivain de l'année pour ses enquêtes sur les crimes, la drogue, la pauvreté et d'autres problèmes sociaux. Des centaines de journalistes assistent à ses *master class* sur les techniques d'investigation. Il a aussi remporté le prix du journalisme européen pour son travail sur la politique des drogues. Il a publié quatre livres, notamment *White Lies* sur une erreur judiciaire raciste au Texas et *Dark Heart* sur la pauvreté en Grande-Bretagne. Son dernier *Flat Earth News* est controversé. Il y expose le mensonge, la distorsion et la propagande dans les nouvelles délivrées par les médias. En novembre 2009, l'Université de Westminster le fait diplômé honoraire pour services rendus au journalisme.

Début juin 2010, Davies entend parler des fuites du Pentagone qui seraient entre les mains de WikiLeaks. Parallèlement, il a aussi lu un article dans le *Guardian* sur l'arrestation de Bradley Manning. Il cherche alors à entrer en contact avec le numéro un de l'association pour voir ce qui est publiable, sans succès. La rumeur court qu'Assange a été arrêté ou agressé. Il reste introuvable. Finalement, un des amis de l'Australien prévient Davies de son intervention à Bruxelles, au Parlement européen.

Nick appelle son collègue Ian Traynor. Ian est journaliste politique, correspondant du *Guardian* à Bruxelles depuis quatre ans. Aussi, un homme de grande expérience qui couvre toute l'Europe, depuis son bureau de la rue Joseph II. Ian Traynor reste très humble et discret sur son intervention ce jour-là. Suite à l'appel de son collègue, il se rend à la conférence du Parlement européen écouter Julian Assange, pour lui parler ensuite. Il apprend que le fondateur de WikiLeaks a en sa possession deux millions de documents.

Mardi 22 juin 2010, Nick Davies débarque à Bruxelles, à la gare du Midi. Il prend un taxi et se rend directement au 35, rue du Luxembourg. C'est dans cet hôtel quatre étoiles du quartier Léopold, à cinq-cents mètres du Parlement européen que séjournent les invités de la conférence.

Davies arrive avec une curieuse proposition dans sa valise. Dans le train qui le menait à Bruxelles, il a déjà discuté par téléphone avec Assange. Il lui soutient que le matériel que WikiLeaks a en sa possession aurait plus d'impact s'il était recherché méticuleusement et développé en un article de journal par des sources médiatiques respectables.

Il est aux alentours de 14 h. Les trois hommes sont au Léopold. Il y a Julian Assange, Nick Davies et Ian Traynor.

L'hôtel est pratiquement désert, tout est calme en ce début d'après-midi. Ils s'installent dans le « Jardin italien ». La salle est vide. L'espace leur sera dédié pendant les six heures que va durer leur conversation.

Ian Traynor : J'ai pris un café. Je pense qu'il a pris un *soft-drink*. Il est très calme. Il parle très doucement. Il n'est pas facile à comprendre. Il a un accent australien et il parle... il marmonne. C'est difficile. Il semble très... il semble désorganisé ; mais, en réalité, il est très organisé. Très déterminé, concentré sur un objectif. Très intelligent. Très vif. Très bien informé et toujours prudent. Très prudent.

Davies propose à Assange que le *Guardian* et le *New York Times* collaborent sur le matériel. Assange explique clairement que s'il est possible pour les autorités, selon la loi britannique, d'empêcher le *Guardian* de publier des documents secrets ; sous la loi américaine, il est totalement irréalisable pour quiconque d'arrêter les opérations du *New York Times*.

Ian Traynor : À ce stade, il ne s'agissait que des rapports sur l'Afghanistan et l'Irak. C'était bien avant le reste. Nous savions qu'il avait plus de documents, mais nous ne savions pas quoi. Nous avons donc commencé par les documents afghans et il voulait que d'autres journaux soient impliqués. Je lui ai suggéré *Der Spiegel* parce que je parle allemand et j'y ai travaillé. C'est le plus grand pays et il s'agissait du matériel afghan : les Allemands ont un gros problème avec l'Afghanistan et leur opinion publique. Et *Der Spiegel* est un bon journal. Il a de l'argent et beaucoup de ressources. En fait, c'est le seul journal allemand qui fasse du journalisme d'investigation.

En fin d'après-midi, les hommes sont toujours attablés au Léopold, sur la lumineuse terrasse mi-ouverte sur le ciel bleu. La verrière qui se trouve au-dessus de leur tête est complètement ouverte, elle dégage le passage aux généreux rayons de soleil. Davies et Assange lancent les prémices de leur collaboration. Traynor observe, écoute. Les deux hommes préparent un mot de passe secret et l'écrivent sur une serviette en papier.

Nick Davies nous explique : « Julian a mis ensemble certains mots du logo commercial sur une serviette pour créer un long mot de passe. Il a aussi inscrit les lettres GPG dans le coin gauche – c'est une sorte de programme de chiffrement. L'équipe technique du *Guardian* avait besoin de cette information pour déchiffrer le matériel. Je ne vous dirais pas le mot de passe exact, parce que Julian me l'a demandé, au cas où il assisterait à une enquête policière. »

Élise : Julian aborde-t-il d'autres sujets pendant cette discussion ?

Ian Traynor : Juste cette affaire-là et la politique en général, et les États-Unis.

Élise : Comment parle-t-il de l'Amérique ?

Ian Traynor : Il parle de politique en général, mais il parle des documents. Tout ce dont nous avons parlé était lié aux États-Unis : l'Afghanistan, l'Irak, la diplomatie américaine. Tout avait quelque chose à voir avec l'Amérique. Il voulait associer le *New York Times* parce qu'il avait le sentiment que cela lui garantirait une protection aux États-Unis. Une sorte de police d'assurance. S'il se contentait des autres médias étrangers, il serait plus facile pour les Américains de le poursuivre pour espionnage. Mais si vous donnez vos informations au *New York Times*, c'est impossible.

En début de soirée, un *gentlemen's agreement* est scellé : Davies a convaincu le numéro un de WikiLeaks que les leaks auraient plus de visibilité en partageant l'information brute avec les médias, plutôt que de les publier simplement sur le site de WikiLeaks.

À Londres, Alan Rusbridger, le rédacteur en chef du *Guardian* appelle son homologue Bill Keller du *New York Times*. Il lui demande, sur un ton mystérieux, s'il sait comment arranger une communication sécurisée. « Pas vraiment », lui confesse l'Américain. Son journal n'a pas de lignes de téléphone cryptées. Keller raconte comment, avec circonspection, Rusbridger s'adresse à lui : « D'une manière détournée, il nous a fait une proposition inhabituelle : une organisation appelée WikiLeaks, un cadre secret de justiciers antisecrets, était parvenue en possession d'un nombre substantiel de communications américaines classifiées. Le dirigeant de WikiLeaks, Julian Assange, un

ancien hacker excentrique né en Australie et sans résidence
fixe, a offert au *Guardian* un demi-million de communications
militaires des champs de bataille de l'Afghanistan et de l'Irak.
Il se peut qu'il y ait plus que ça, incluant une immense liasse
de câbles diplomatiques confidentiels. Le *Guardian* a suggéré
– pour augmenter l'impact ainsi que pour partager le travail du
trésor – que le *New York Times* soit invité à partager cette prime
exclusive. La source a accepté. Est-ce que j'étais intéressé ?
J'étais intéressé. »

Deux jours plus tard, à Londres, l'équipe du *Guardian*
télécharge la première portion des documents secrets américains,
plus de quatre-vingt-dix-mille rapports produits par les unités
américaines sur le terrain de la guerre en Afghanistan, du site
secret de WikiLeaks.

Ce site n'existera que quelques heures, le temps du
téléchargement, avant de disparaître dans le cyberespace.

Le journaliste américain Éric Schmitt, du bureau du *New York
Times* à Washington, saute directement dans un avion, direction
la capitale britannique pour voir le matériel. Keller confie : « Sa
mission principale était de se faire une idée du matériel. Est-ce
authentique ? Est-ce intéressant pour le public ? Schmitt devait
aussi rencontrer le dirigeant de WikiLeaks, qui était connu de
quelques journalistes du *Guardian*, mais pas de nous. Le premier
appel de Schmitt au *Times* était encourageant. Il ne faisait aucun
doute dans son esprit que les communications afghanes étaient
authentiques. Elles étaient fascinantes – un journal sur une guerre
troublante du bas de l'échelle. On parlait de plus de documents

à venir, surtout des câbles classifiés de toute la constellation des avant-postes diplomatiques américains. WikiLeaks retenait ces documents pour le moment, sans doute pour voir comment l'arrangement établi avec les médias se déroulerait. »

Le matériel est bien authentique. C'est décidé, le *New York Times* monte à bord. Assange, mettant en avant ses droits de propriétaire, se charge de contacter Marcel Rosenbach, le rédacteur en chef du journal allemand *Der Spiegel*. Comme Davies l'avait prédit, les fuites auront un énorme impact. Voici ce qu'il dit dans le *Huffingtonpost* (journal d'information américain publié exclusivement sur Internet) du 30 décembre 2010 :

« J'étais le journaliste qui a pris l'initiative de rechercher Julian Assange et le persuader de ne pas publier sa dernière collection de secrets sur le site de WikiLeaks, mais de les donner au *Guardian* et à d'autres médias. La publication des journaux de guerre afghans et irakiens et par la suite les câbles diplomatiques se sont écoulés de cette initiative. Je l'ai fait parce que je crois que les journalistes devraient dire la vérité sur les questions importantes sans avoir peur, par exemple, du gouvernement du pays le plus puissant sur la planète. »

29

RÉVOLUTION

C'est une révolution dans le monde des médias ! WikiLeaks s'allie à trois grands noms du journalisme : le britannique *The Guardian*, l'américain *The New York Times* et l'allemand *Der Spiegel*. Leur accord porte sur la plus grosse fuite de documents de l'Histoire. Julian Assange entraîne avec lui ces trois titres de la presse internationale qui auront la primeur des documents confidentiels.

Assange compare cette fuite – la plus importante de l'histoire militaire récente – à « l'ouverture des archives de la Stasi ». La Stasi était le service de police politique, de renseignements, d'espionnage et de contre-espionnage du régime communiste de la République démocratique allemande.

En juillet 2010, avec les copies de quatre-vingt-douze-mille rapports sur la guerre en Afghanistan reçues, les trois journaux font face à un dilemme : publier sans vérifier la provenance de ces rapports (comme ils l'auraient fait s'ils les avaient trouvés eux-mêmes) ou laisser WikiLeaks les mettre en ligne, en solo. Ils acceptent donc de jouer le jeu. Pour WikiLeaks, l'intérêt est clair : Julian Assange s'entoure de ces trois grosses machines pour leur sérieux afin de créer un « buzz ».

Les nouveaux partenaires de WikiLeaks ont les moyens humains de travailler au recoupement des données, ils leur donnent de la valeur. Nick Davies explique au Télérama : « Nos compétences en datajournalisme ont été essentielles pour traiter efficacement le sujet. Je pense que c'est la réputation d'honnêteté et d'indépendance du *Guardian* qui a aidé. Nous avons choisi les informations qui nous paraissaient les plus intéressantes après recoupement. De plus, elles ne devaient porter préjudice à aucune personne qui se trouve sur le terrain, en Afghanistan. »

Par ailleurs, selon Julian, ce gros coup médiatique crée un appel d'air pour le site qui voit augmenter considérablement le nombre de soumissions après la diffusion de *Collateral Murder*.

À l'arrivée, cette association d'experts en médias numériques associés à des journalistes traditionnels se révèle plus efficace qu'une rédaction classique. Nick Davies confirme : « Il y a des points forts dans les deux types de méthodes. Sans WikiLeaks, nous n'avions pas de matière. Sans les médias traditionnels, WikiLeaks ne pouvait pas donner du sens à ses informations et leur offrir une diffusion qui attirera suffisamment l'attention. Chacun de nous a "besoin" de l'autre, chacun voit les bénéfices qu'il y a à travailler ensemble. »

L'alliance commence dès juillet 2010, pour s'étaler sur les mois qui suivent. De juillet à novembre, un nombre impressionnant de documents secrets vont être livrés. Le 25 juillet, la première phase démarre avec le largage essaimé de quatre-vingt-douze-mille rapports confidentiels de l'armée américaine sur la guerre en Afghanistan : les *Afghanistan War Logs*.

Les trois médias présentent le résultat de leurs enquêtes respectives sur les documents fournis par WikiLeaks, mais ils n'opèrent pas avec le même mode de traitement : *The Guardian* choisit la cartographie pour mettre en avant les faits les plus importants. *The New York Times* favorise l'écrit avec un article, très long, reprenant l'intégralité des points marquants. Tandis que *Der Spiegel* opte pour un diaporama.

Londres – mardi 18 janvier 2011 – Kings Place 90 York Way – rendez-vous avec Ian Katz.

Ian Katz est le rédacteur en chef-adjoint du *Guardian*, qu'il a rejoint en 1990 et pour lequel il a également travaillé comme reporter.

Ian Katz : Il y a eu pas mal de petits accrocs. La veille de sa publication, le *Spiegel* a accidentellement distribué quarante ou cinquante exemplaires à Bâle et ils ont été mis en vente dans une gare bâloise. Une radio locale en a acheté un et ils ont commencé à le lire sur antenne. Puis, c'est un journaliste free-lance qui s'en est procuré un et a commencé à le tweeter. Nous suivions tous Twitter alors que ses tweets apparaissaient sur le compte Twitter du *Spiegel* en nous demandant si c'était une bonne idée de les divulguer si tôt, de brusquer les choses.

Nous tenions des réunions téléphoniques toutes les heures : « Il a maintenant un following de cent personnes sur Twitter. Il y a un nouveau *follower* ». Nous suivions tous la « Twittersphère » allemande de façon obsessionnelle et, finalement, il nous fallait publier les infos assez rapidement à cause de ça. Nous étions confrontés à des petites complications : des documents surgissaient ailleurs parce que l'un ou l'autre câble s'était retrouvé dans le domaine public par l'une ou l'autre voie.

WikiLeaks en a divulgué un ou deux. Un câble que nous avions l'intention de publier le jour suivant venait de paraître et, tout à coup, il nous fallait le publier au moment même. Alors, les coups de téléphone pleuvaient de partout. Pour le *New York Times*, nous ne pouvions publier l'info ce jour-là, car ils le feraient le lendemain.

Nous avions des petits incidents comme ça, mais rien de terrible. L'un des aspects les plus délicats de notre collaboration résidait dans le fait que, comme vous le savez, il y avait un travail d'édition de tous les câbles afin de protéger soigneusement nos sources. Par un processus très complexe, chaque journaliste responsable d'une histoire éditait ses propres câbles ; ensuite, une personne était chargée de contrôler le résultat : chez nous, c'est un rédacteur en chef qui refaisait le boulot.

Il contactait alors ses pairs dans les autres journaux, comme le *Spiegel* et le *New York Times,* et leur demandait : « Comment éditez-vous ce document ? Nous, nous enlevons ça, ça et ça. » Ils comparaient alors leurs notes et se mettaient d'accord sur une version finale que nous envoyions à WikiLeaks, et qu'ils publiaient. Tout ce processus impliquait beaucoup d'intervenants.

Vous pouvez imaginer. Nous avons ainsi traité sept-cent-soixante-dix documents. Le *New York Times* plus d'une centaine. Chaque journal en a traité plusieurs centaines et chacun était discuté. Donc, beaucoup de boulot et beaucoup d'intervenants, mais, en gros, je pense que ça a très bien fonctionné, car ça voulait dire que nous ne laissions rien passer de dangereux.

C'est donc ce qui s'est passé jusqu'à la publication et puis on voyait ce qui se passait ensuite au niveau de ce que nous imprimions tous. Au début, nous avions une sorte de grille qui couvrait deux semaines, et je pense que nous en avons établi une pour une semaine supplémentaire... J'essaie de me souvenir... Non, nous n'avons pas établi de grille pour une semaine de plus, mais nous nous sommes mis d'accord après les deux premières que nous nous préviendrions les uns les autres quarante-huit heures avant chaque publication.

Donc, lorsqu'on avait une info dont on voulait parler, on avertissait : « Nous avons prévu d'en parler jeudi. » Et si l'un des autres était intéressé, on lui communiquait l'information. Au cours de la troisième semaine, nous avons tous suivi des directions un peu différentes, mais l'accord n'était pas enterré.

Élise : Ce genre d'accord se conclut-il avec des avocats ?

Ian : Non.

Élise : Non ?

Ian : Je veux dire : l'accord avec Assange a été traité via son avocat.

Élise : Qui était en contact avec Assange au *Guardian* ?

Ian : Au début, Nick [Davies], puis David [Leigh, le responsable des investigations du *Guardian*] et puis moi.

Élise : Vous lui parlez encore, parfois ?

Ian : Dans une *chat room* cryptée.

Élise : Pas de contact téléphonique ?

Ian : Comme vous le savez, il ne répond plus au téléphone, mais vous pouvez appeler quelques personnes qui sont plus ou moins en contact avec des gens de WikiLeaks.

Élise : En Suède, en Islande ou ici ?

Ian : Oui. Bon, Kristinn, vous pouvez le joindre par téléphone.

Élise : Kristinn Hrafnsson ? Il est donc impliqué ?

Ian : Oui, il l'était, en particulier lorsque Julian était en prison. Nous traitions avec trois ou quatre personnes.

Élise : Qui ?

Ian : Ça m'ennuie un peu de les nommer parce que je ne pense pas qu'ils en aient envie, mais il y avait deux jeunes bénévoles de WikiLeaks qui s'occupaient du processus de production. Ils avaient créé un système où nous pouvions charger nos documents édités et ils étaient automatiquement publiés sur le site de WikiLeaks. Grâce à ça, nous pouvions être sûrs que les versions qu'ils utilisaient étaient celles que nous avions transmises.

Il est clair que nous étions continuellement en contact avec les personnes qui s'occupaient de ce système : « Oubliez cette version, on vous en envoie une autre. » Et il y avait aussi un autre jeune journaliste là-bas, et Stephens [Mark Stephens, l'avocat britannique de Julian Assange] avec lesquels nous étions toujours en contact. Nous étions en contact avec quatre ou cinq personnes. Évidemment, pendant un temps, Assange lui-même était hors course.

Élise : Assange est-il venu ici ? Si oui, combien de fois ?

Ian : Il est venu à deux grandes réunions avec les partenaires et, au cours de l'année passée, il venait souvent dans nos bureaux, quatre ou cinq fois.

Élise : Seul ou accompagné ?

Ian : Ça dépend. Pour les grandes réunions..., il est venu avec ses avocats et Kristinn, qui est un peu son lieutenant. D'autres fois, il venait seul. Nous avons vraiment collaboré dans un climat très détendu.

Élise : Pourriez-vous me parler un peu de lui, de l'homme ?

Ian : C'est une personnalité très charismatique. Il a le don pour devenir subtilement le centre d'attention dans une assemblée. Il a une présence très tranquille, magnétique. C'est clairement quelqu'un de très intelligent, mais peu intelligent émotionnellement. Je trouve qu'il ne perçoit pas toujours très finement la situation. Son esprit analytique est exceptionnel. Il est très malin.

On a l'impression d'être assis en face d'un joueur d'échec. Il a trois coups d'avance, et il joue bien la situation dans laquelle il se trouve et trouve le moyen d'arriver à ses fins. Il est assez susceptible. Il accepte difficilement la critique. Il a tendance à être un peu paranoïaque, à chercher ce que cachent les choses qui peuvent être complètement innocentes. Mais c'est une personnalité admirable sur bien des plans.

Il n'est absolument pas matérialiste. Je ne lui connais aucune possession, à part quelques *laptops*. Il ne possède que peu de vêtements. Ce qui le motive, c'est vraiment rendre publiques toutes ses informations. Au cours de nos conversations, c'était là sa motivation première : trouver le meilleur moyen de mettre les infos dans le domaine public et leur donner le plus gros impact. Ne pas simplement vider ses sacs, mais mettre leur contenu en lumière.

Élise : Abordiez-vous d'autres sujets ?

Ian : Je ne crois pas qu'il ne m'ait jamais demandé quoi que ce soit. Ce n'est pas quelqu'un qui pose des questions. Il se concentre sur une chose. Il vous donne l'impression d'être comme un laser.

C'est un monomaniaque. Je pense qu'il considère une organisation comme *The Guardian* et nous-mêmes en fonction de ce que nous pouvons lui apporter et comment nous pouvons servir son objectif suprême.

Le partenariat se poursuit en octobre 2010, deuxième salve. Cette fois, WikiLeaks et ses partenaires britannique, américain et allemand dévoilent des documents secrets sur la guerre en Irak : les *Iraq War Logs*. La diffusion commence dès le 22 octobre.

Le plus gros effet médiatique se produit en novembre. Après avoir expérimenté leur alliance, après les deux premières livraisons, Julian Assange porte un coup fort : deux-cent-cinquante-mille câbles diplomatiques américains. L'opération *Cablegate Log* est lancée le 28 novembre 2010 et fait du bruit.

L'homme fort de WikiLeaks souhaite à ce moment-là étendre son impact. « Il voulait quelque chose de plus large, plus d'options », dit Ian Traynor. Le quotidien français *Le Monde* et l'Espagnol *El País* embarquent.

L'alliance ainsi élargie à cinq partenaires étale au grand jour deux-cent-cinquante-mille messages classifiés émanant des ambassades américaines. Ils révèlent les dessous de la diplomatie des États-Unis.

Alors que les premières fuites sur l'Afghanistan contenaient peu de révélations importantes et que celles émanant de l'Irak se concentraient en majorité sur des exactions commises entre différentes factions irakiennes. Ici, pour le troisième coup, le bouquet final laissera des traces indélébiles.

Washington s'en inquiétait depuis mai 2010. WikiLeaks, renforcé dans son action par ces cinq partenaires, lance une bombe en dévoilant des informations concernant, entre autres, l'Iran, le terrorisme, Israël, Guantanamo. Le regard des États-Unis est en partie dévoilé. C'est le chaos sur la scène internationale. Les diplomates réalisent probablement qu'ils n'exerceront plus jamais leur métier de la même manière. La Maison-Blanche réagit immédiatement, voyant en cette publication, un « acte irréfléchi et dangereux » pouvant mettre en danger des vies et risquant de porter atteinte aux pays « amis ».

Bryan Whitman, porte-parole du Pentagone, assure « que le département de la Défense a pris une série de mesures pour empêcher que de tels incidents se reproduisent à l'avenir ». Le Pentagone a en effet condamné ces publications d'« irréfléchies » et annoncé le renforcement de la sécurité des réseaux de communication secrets de l'armée américaine.

Les cinq journaux « ont échangé beaucoup d'informations, d'analyses et d'expertises », a déclaré Sylvie Kauffmann, la directrice de la rédaction du *Monde*.

Cent-vingt personnes des cinq rédactions ont travaillé d'arrache-pied pendant plusieurs semaines, de manière protégée. La publication des mémos a commencé le dimanche soir, le 28 novembre 2010. En raison de la masse d'informations, elle est échelonnée sur plusieurs jours. Les partenaires se sont mis d'accord sur un programme de publication et sur la manière de mettre les mémos en ligne. Ils ont été attentifs à rayer des noms ou des indications pour protéger la sécurité des personnes.

En ce qui concerne la véracité des documents, Mme Kauffmann déclare : « Nous n'avons pas de raison particulière de douter de leur authenticité ou de penser qu'il puisse y avoir des faux. Le département d'État américain n'a rien démenti, il n'a pas dit qu'ils étaient faux. Et puis, on exerce notre jugement aussi : il y a des mémos dont on ne pouvait pas se porter garant du sérieux du contenu, on les a alors écartés. »

Tous les mémos fournis ont été revus par les partenaires, et ont été ensuite mis en ligne par WikiLeaks. L'organisation a accepté de se plier à cette manière de procéder. Elle a, pour la troisième fois, fourni le matériel gratuitement.

Qu'apprend-on concrètement dans ces documents « fuités » ? Au hasard des informations dévoilées, on découvre, par exemple, que des donateurs saoudiens restent les principaux financiers d'organisations radicales comme Al-Qaïda. En effet, plusieurs pays de la région, comme le Qatar, ne fourniraient que de faibles efforts pour lutter contre le terrorisme. On peut discerner aussi que les États-Unis tentent, depuis 2007, de vérifier des productions illégales de combustible nucléaire au Pakistan. Les efforts pour vérifier l'activité de plusieurs réacteurs n'ont pas obtenu de résultats. Les officiels pakistanais rejettent les visites d'experts américains par peur d'une réaction négative de l'opinion publique qui craindrait un contrôle de Washington sur les capacités nucléaires nationales. Sur Guantanamo, vider la prison ne semble pas évident. Washington aurait exercé des pressions sur des plus petits pays pour qu'ils accueillent quelques prisonniers libérés. On peut encore lire que Robert Gates, le secrétaire américain à la Défense, pense que des frappes militaires à l'encontre de l'Iran ne feraient que retarder d'un à trois ans sa quête de l'arme atomique.

WikiLeaks distille ainsi progressivement ses « bombes », un « véritable 11 septembre de la diplomatie mondiale », d'après le gouvernement iranien.

Les autorités américaines ont tenté d'amortir les effets dévastateurs pour la diplomatie mondiale, en contactant ses alliés stratégiques, notamment, la Grande-Bretagne, le Canada, l'Australie, Israël, la Turquie et la France.

Pour Javier Moreno de *El País*, les « journaux ne sont pas responsables. »

Le département d'État et le gouvernement américain se présentent comme les principales victimes de ces fuites. Le rédacteur en chef espagnol pense que « les principales victimes sont les centaines de personnes qui sont allées dans les ambassades américaines dans de nombreux pays ces dernières années et qui ont eu des déjeuners ou des dîners avec les diplomates ou les ambassadeurs américains. Ces personnes ont donné leurs opinions librement, et plus important, elles ont donné des informations importantes pour la machine diplomatique américaine. »

Moreno pense que les médias ont une grande mission, celle de transmettre aux citoyens et à la société une information véridique et importante afin qu'ils soient capables d'avoir un jugement averti sur la politique de leur gouvernement. Les journaux ne sont pas là, selon lui, pour empêcher ou éviter que les gouvernements ou le pouvoir en général ne soient exposés à des situations embarrassantes, comme celle provoquée par les *Cablegate Logs*.

« Ce que démontre l'association fructueuse de ce nouveau et de ces anciens médias dans l'opération *War Logs*, c'est que nous n'assistons nullement à une "révolution du journalisme", qui serait censée remplacer un régime renversé par un autre, comme le serinent les gourous de la "révolution d'Internet". C'est une hybridation de la jeune pousse d'un nouveau journalisme, certes mutant, sur le vieux tronc du journalisme traditionnel. Comme le dit Julian Assange lui-même, *War Logs*, c'est un "partenariat" » Site novovision.fr

En novembre 2010, le site militant libertaire d'informations WikiLeaks entre ainsi dans la cour des médias *Mainstream* : on ne parle que du coup énorme de Julian Assange, de son site qui dévoile les plus grands secrets, il est cité par tous les grands médias internationaux, repris par toutes les chaînes de télévision dans le monde.

30

Virage à 180 degrés

Lors d'une alliance, les problèmes relationnels ou de compatibilité des genres peuvent se heurter. Toute collaboration s'accompagne de son lot de remous. Durant les six derniers mois de l'année 2010, la relation entre Julian Assange et les cinq médias *Mainstream* connaît des turbulences principalement stigmatisées entre le numéro un de WikiLeaks et *The Guardian* ; et entre Julian Assange et le *New York Times*.

La journaliste Sarah Ellison s'en est fait l'écho dans l'édition de février 2011 du *Vanity Fair*. Après avoir rencontré de nombreux acteurs de l'affaire, l'Américaine dévoile les coulisses de l'histoire tumultueuse. Dans son dossier intitulé « *The Man who spilled the secrets[1]* », elle présente une confrontation entre un média traditionnel qui suit des principes à l'ancienne, et une éthique journalistique et une bande de libertaires de l'information d'un nouveau genre. Le conflit entre deux cultures. Elle offre un

1 *The Man Who Spilled the Secrets*
Notamment inspiré de
http://www.vanityfair.com/politics/features/2011/02/the-guardian-201102, par Sarah Ellison
http://www.guardian.co.uk/media/greenslade/2011/jan/06/wikileaks-julian-assange, par Roy Greenslade
http://news.yahoo.com/s/yblog_thecutline/20110106/ts_yblog_thecutline/wikileaks-assange-threatened-to-sue-guardian-and-other-revelations, par Michael Calderone

regard extérieur sur les relations houleuses entre Julian Assange et les partenaires de l'alliance. Enquête minutieuse apportant quelques éléments neufs sur un partenariat tendu.

La première difficulté rencontrée dans l'alliance se produit au début de l'été 2010, lorsque Assange joue cavalier seul pour approcher l'hebdomadaire allemand *Der Spiegel* et l'inclure dans le partenariat. Au fur et à mesure de la collaboration, il apparaît aussi que les approches éthiques des deux groupes se différencient. Les médias traditionnels préfèrent apporter un contexte à ce qu'ils publient, alors que WikiLeaks souhaite une approche plus brute. David Leigh témoigne de cette différence de style : « Nous commencions à partir de : "Voici un document. Quelles parties devrions-nous imprimer ?" Tandis que l'idéologie de Julian était : "Je vais tout mettre et par la suite, vous devrez essayer et me convaincre de barrer quelques passages." Nous approchions la question de manière complètement opposée. »

À ce moment, certains collègues de WikiLeaks observent que Julian devient de plus en plus despotique et dédaigneux. *The Guardian* s'en rend compte aussi.

Les surprises se poursuivent lorsqu'Assange souhaite que l'agence du journalisme d'investigation (organisation non gouvernementale britannique consacrée à la production d'articles d'investigation) ait accès aux *Iraq War Logs*, ce qui signifie un retard dans la publication des câbles. Leigh accepte à condition qu'Assange leur livre un nouveau lot de documents, le « *package three* » contenant les fameux câbles des États-

Unis. Assange répond ceci : « Vous pouvez recevoir le "*package three*" ce soir, mais vous devez me fournir une lettre du rédacteur en chef du *Guardian* indiquant que vous ne publierez pas le "*package three*" avant que je vous dise de le faire ». Assange obtiendra la lettre.

Arrive ensuite un autre épisode, celui où *The Guardian* découvre qu'un ancien bénévole de WikiLeaks a divulgué le contenu du « *package three* » à Heather Brooke, une journaliste indépendante, écrivaine aussi, qui milite pour la liberté de l'information. David Leigh invite Brooke à se joindre à l'équipe du *Guardian*. Il réalise qu'en obtenant la base de données d'une source différente que celle d'Assange, les médias partenaires n'ont plus à attendre son « feu vert » pour publier. Ils transmettent les documents au *New York Times* et à *Der Spiegel*, ils s'accordent sur une publication le 8 novembre 2010.

Sept jours avant cette date, c'est un Julian Assange furieux qui débarque dans les bureaux londoniens du *Guardian*, accompagné par Mark Stephens, son avocat. Julian entre, telle une tempête, dans le bureau du rédacteur en chef Alan Rusbridger en menaçant de le poursuivre en justice.

Une réunion-marathon est improvisée. Autour de la table, les principaux protagonistes : Rusbridger et Leigh du *Guardian*, des cadres du *Der Spiegel* et autour de Mark Stephens et Julian Assange, Kristin Hrafnsson. L'ambiance est électrique. Sarah Ellison écrit en détails sur cette rencontre sous haute tension : « Assange était pâle et en sueur, son corps mince secoué par une toux qui le harcelait depuis des semaines. Il était aussi en colère et son message était simple : il poursuivrait le journal si celui-ci continuait et publierait les articles basés sur le quart de million de documents qu'il avait donné au *Guardian* trois mois avant... Rusbridger a réussi à garder toutes les parties autour de la table – processus qui a demandé beaucoup de café, suivi de beaucoup de vin. En fin de compte, il a accepté un retard supplémentaire, permettant à Assange d'avoir du temps pour trouver d'autres partenaires médiatiques, cette fois le journal français *Le Monde* et le journal espagnol *El País*. »

C'est ainsi que *Le Monde* et *El País* embarquent pour lancer fin novembre 2010, la troisième salve : celle qui fera le plus de retentissement, la divulgation de deux-cent-cinquante-mille télégrammes du réseau diplomatique américain.

La route a été périlleuse, mais Rusbridger ne regrette rien : « Je crois que considérant la complexité de la chose [...], c'est remarquable que les choses se soient passées aussi bien. Étant données toutes les tensions qui en faisaient partie, cela aurait été surprenant d'en sortir sans aucune friction, mais nous avons négocié le tout assez bien. »

Ian Katz, le rédacteur en chef-adjoint du *Guardian* revient sur cette période troublée.

Ian : Je pense qu'au début de cette collaboration, Julian et WikiLeaks avaient beaucoup plus tendance à mettre en ligne des infos brutes. C'était instinctif chez lui. C'est pour cela que pour les journaux de guerre afghans, il a simplement divulgué tous les journaux. C'est pour cela qu'il a eu tant de problèmes, parce qu'il révélait qui étaient des informateurs. Je pense que, en travaillant avec lui, nous avons pu le convaincre peu à peu.

Je ne m'en attribue pas spécialement le mérite. Il serait d'accord avec moi pour dire que le matériel méritait d'être un peu modifié, raffiné. De cette manière, vous ne pouviez pas mettre tout en ligne, mais vous pouviez le faire de façon plus responsable. C'était là l'essentiel. Madame Ellison a gonflé la dispute que nous avons eue en novembre. Ce n'était qu'une tempête dans un verre d'eau. Notre collaboration a duré sept mois avec une seule rencontre un peu houleuse, mais nous avons résolu le problème. Donc, pour moi, ce n'était pas grave.

Élise : Aujourd'hui, quelle est la situation ?

Ian : Ce que nous avons écrit sur les accusations suédoises quant à sa vie sexuelle l'a très fort mis en colère. Il a pensé que nous voulions le salir, mais ces documents nous sont simplement tombés entre les mains ! Nous ne les avons pas cherchés ! Imaginez que nous n'ayons pas traité l'affaire, les gens auraient pensé quoi ? Imaginez, toute notre crédibilité au niveau journalistique se serait retrouvée ruinée, les gens auraient dit que le *Guardian* a étouffé l'affaire parce qu'il s'est acoquiné avec Assange et ne veut pas le vexer.

La vérité, c'est que nous ne pouvions pas ne pas en parler et nous lui avons laissé la possibilité de répondre. Nous avons retardé la sortie de l'info pendant plus de quatre jours et ses avocats nous ont fait parvenir l'assurance écrite qu'il réagirait le jour suivant si nous pouvions retarder un jour de plus, puis un autre jour, puis encore un autre, et il n'a pas réagi, ni ses avocats. Donc, je suis tout à fait convaincu que nous avons agi le plus décemment possible.

Julian, je crois, a le sentiment que de diverses façons, nous lui avons été hostiles. Mais nous ne ressentons vraiment aucune hostilité à son égard. Il n'a simplement pas aimé cet article. Il n'a pas aimé que le titre de notre livre soit présenté accidentellement comme « *The Rise and Fall of WikiLeaks* ». Il n'a pas aimé l'article de *Vanity Fair*, mais ce n'est pas nous qui l'avons écrit. D'après moi, notre histoire est celle d'un mariage qui a duré longtemps et avec pas mal de stress. Et comme tous les mariages, il a ses moments agités, mais j'ai énormément de respect pour lui et j'ai le sentiment que ce que nous avons fait ensemble a une grande importance par rapport à la pratique du journalisme, et je sais qu'il le pense aussi parce que nous en avons discuté. Je pense que cela finira par se savoir, peu à peu. Pour ma part, je pense avoir de très bons rapports avec lui.

Élise : Comment se porte ce mariage aujourd'hui ?

Ian : Agité, mais pas à bout de souffle, à mon sens. Dans une certaine mesure, lorsqu'on communique principalement par chat crypté, et qu'on saisit des infos au vol sur Twitter, il peut y avoir un malentendu et vous en concluez que ça cache un mauvais coup. Mais en fait, le journal considère généralement Julian Assange et WikiLeaks de façon très positive. Il suffit de lire tout ce que nous avons écrit sur lui, tout ce que nous avons dit dans nos éditoriaux.

Nous estimons qu'il joue un rôle positif et nous soutenons très fort son action, et nous allons continuer à le soutenir, continuer à avancer dans la direction qu'il a montrée par rapport à notre travail. Mais il nous faut tracer une frontière, par exemple, entre ses problèmes juridiques suédois et son rôle dans les divulgations de fichiers militaires américains. Là, nous le soutenons à cent pour cent.

Le *Guardian* ne travaille sur aucun projet en particulier en ce début d'année 2011. Ian Katz a senti, comme ses collègues américains et allemands, que leur alliance est une force. Ils relanceront la collaboration pour d'autres actions qui n'auront rien à voir avec WikiLeaks. La possibilité d'organiser d'autres opérations avec lui et les « cinq » reste ouverte. Cela dépend de ce qu'il peut offrir et de sa volonté de collaborer dans le futur.

Dans les rangs des journalistes impliqués dans ces trois vastes opérations, certains ont vu un héros en Julian. Un héros imparfait. Dans leur implication, ils ont vu en lui un personnage historique majeur que l'on assimilera probablement un jour à un moment particulier de l'histoire de l'information. Un homme qui définit son époque et joue un rôle positif. Julian Assange n'est pas sans défauts ni faiblesses, mais ils pensent qu'il agit pour le bien.

Nick Davies a été le premier de ceux-là. Le journaliste a conclu un marché avec Julian. Une relation privilégiée est née de leur rencontre en juin 2010. Davies pensait avoir scellé un contrat de gentlemen, Assange a un peu triché sur les bords.

Frustré, Nick en a eu marre, il a eu l'impression que l'Australien se moquait de lui.

Nick Davies a accepté de confier son histoire :

> *Lorsque nous travaillions ensemble, nous nous entendions bien. Je l'aimais bien. Je croyais qu'il était intelligent, courageux, intéressant et drôle. Il était venu chez moi.*
>
> *Le problème qui a surgi est qu'il a rompu la très sérieuse entente que nous avions conclue à Bruxelles. Cette entente était que WikiLeaks fournisse au Guardian et au New York Times (et un peu plus tard s'est ajouté Der Spiegel) une succession de quatre paquets d'informations – Afghanistan War Logs, Iraq War Logs, câbles diplomatiques et fichiers de prisonniers de Guantanamo Bay.*
>
> *Se basant sur cette entente, les trois médias ont investi beaucoup de ressources dans ce projet – et Julian comprenait très bien qu'ils le faisaient seulement parce qu'il leur avait garanti qu'ils seraient les premiers à publier.*
>
> *Nous avons tous fait de notre mieux pour garder le projet secret, pour le protéger de toute attaque américaine, et cela impliquait de mentir aux amis, à la famille et collègues sur ce que nous faisions.*
>
> *Se basant sur cet accord, les journalistes et éditeurs qui étaient impliqués se faisaient confiance et faisaient confiance à Julian.*
>
> *Nous avons tous été très choqués de découvrir que [quarante-huit] heures avant la publication des Afghanistan War Logs, Julian soit allé derrière notre dos fournir la base*

de données afghane à CNN, Al Jazeera et Channel 4. Il a aussi fourni de l'information sur certains articles que nous avions découverts. Ceci était une sérieuse violation de notre entente. Cela voulait dire qu'il y avait un risque clair qu'un de ces autres médias rapporte l'information en premier – et Channel 4 allait certainement essayer de le faire. Cela voulait dire qu'il y avait une violation importante de la sécurité, avec un tout nouveau lot de personnes qui étaient informées du projet à un moment où ce dernier était toujours vulnérable face à une attaque américaine.

Et du point de vue personnel, c'était une violation très surprenante de la confiance que nous avions en lui.

Lorsque nous avons découvert qu'il avait fait ça, nous étions tous furieux et choqués. J'ai alors discuté avec notre responsable des investigations au Guardian [David Leigh] pour savoir comment réagir.

Nous nous sommes mis d'accord que nous devions faire quelque chose pour montrer notre désapprobation. [...] J'ai suggéré de couper tout contact avec lui [...] J'ai alors fini le travail que je faisais sur les mauvais traitements des prisonniers en Irak et j'ai quitté le projet pour me concentrer sur d'autres travaux.

David Leigh a alors repris le rôle d'assurer la liaison avec lui. Julian a de nouveau rompu l'entente, en faisant appel à Al Jazeera et à l'agence du journalisme d'investigation pour faire des émissions de télévision se basant sur les données irakiennes.

David a aussi coupé le contact avec lui.

Je crois qu'il est juste de dire qu'il nous a démontré à tous que nous ne pouvions pas lui faire confiance. Il semblerait qu'il ait aliéné les médias qui étaient prêts à soutenir le projet WikiLeaks.

Au sein des rédactions des cinq, peu de journalistes se désolidarisent. Chacun garde précieusement le dessein qu'ils partageaient au début de l'alliance avec Julian. Ils adhèrent encore à la vision de l'homme, celle de s'attaquer à la culture du secret et de faire circuler librement des informations. De s'attaquer à une mauvaise forme de gouvernement et combattre le despotisme, la corruption et l'abus de pouvoir généralisé.

Ian : Je pense surtout qu'il trouve qu'il y a beaucoup d'injustice dans ce monde : du massacre de civils en Afghanistan à l'espionnage par des diplomates américains, en passant par la corruption en Russie, ce que la diffusion de l'information peut combattre. Je pense que c'est cela qui nourrit sa passion.

De son côté, le *New York Times* n'a pas tardé à partager ses relations tumultueuses avec Assange. Quand Bill Keller, le rédacteur en chef, se remémore la fin du mois de juin 2010, il décrit véritablement un hacker qui ressemble à un sans-abri. « J'étais intéressé. Mais comme si le projet n'était pas déjà assez compliqué, il impliquait une source élusive, manipulatrice et volatile. Et qui deviendrait bientôt hostile envers nous. » Quand le journaliste Éric Schmitt débarque à Londres pour vérifier la véracité des documents, ses premières impressions sont prometteuses, mais les commentaires deviennent rapidement peu flatteurs à l'encontre de Julian Assange. Lors de leur première rencontre, l'Australien est déguisé en femme par peur d'être suivi : « Il avait l'air d'une clocharde, portant une veste de sport miteuse, des pantalons larges, une chemise et des chaussettes sales. Et sentait mauvais, comme s'il ne s'était pas lavé depuis une semaine. »

Les trois de l'alliance mettent en place une base de données qui permet de lancer des recherches ciblées afin de traiter au mieux les documents reçus par WikiLeaks. Pour pouvoir communiquer en toute discrétion sur l'avancée du travail, ils adoptent des codes. Keller explique : « Assange était toujours nommé comme la "source" et les données comme "le paquet" ». Pour le rédacteur en chef américain, le plus important réside dans la manipulation des documents. Le travail journalistique demande de rendre les protagonistes anonymes lorsque nécessaire et de brouiller les données qui pourraient offrir des informations stratégiques aux ennemis des Américains en Afghanistan. Le *New York Times* veut garder un maximum de liberté face à Assange qui prône un journalisme « scientifique » via lequel le public peut se forger une opinion sur base d'une information brute.

La colère et la rupture se dessinent entre les deux parties en octobre 2010. Julian Assange commence à être agacé par cette liberté journalistique. La situation s'envenime quand le journal américain publie un portrait de Bradley Manning. « Il nous reprochait d'avoir trop psychologisé Manning, au détriment de son éveil politique », écrit Bill Keller.

Les représailles ne se font pas attendre. Assange ne veut plus partager ses informations avec le *New York Times,* mais avec le *Washington Post*. En novembre, quand il livre de nouveaux documents au *Guardian*, la rédaction britannique choisit pourtant de poursuivre sa collaboration avec Bill Keller. Julian est furieux. La rupture est amorcée. « *Le Guardian* semble avoir désormais rejoint la liste des ennemis de WikiLeaks, analyse Keller. D'abord pour avoir partagé les documents avec nous, ensuite pour avoir rendu compte des accusations de viol dont Assange est l'objet en Suède. »

Finalement, le rédacteur en chef du *New York Times* assure qu'il est prêt à s'opposer à toute tentative de poursuivre Assange pour la publication de ces documents, au nom de la liberté d'expression : « Je ne considère pas Assange comme un partenaire, et j'hésiterais à qualifier de journalisme ce que fait WikiLeaks, mais il est glaçant d'envisager que le gouvernement puisse poursuivre WikiLeaks pour la publication de secrets ».

Six mois après le début d'un partenariat jusque-là inédit, Bill Keller déplore que le fondateur de WikiLeaks se soit enfoncé dans son exil, entre paranoïa délirante et ivresse de célébrité. Julian Assange, de son côté, s'est positionné par rapport à cette cascade de reproches. WikiLeaks, dans un message posté sur Twitter, a blâmé le *New York Times* de s'être livré à « une calomnie se donnant le beau rôle. Les faits sont faux du début à la fin. Jour sombre pour le journalisme américain. »

La rupture est consommée.

31

TRANSPARENCE

« L'effet Streisand » est un phénomène Internet qui se produit lorsqu'une tentative de retrait ou de censure est opérée sur une information. La conséquence est une augmentation substantielle de sa diffusion.

En 2003, Barbra Streisand attaque en justice le photographe Kenneth Adelman et le site pictopia.com qui diffuse la photographie aérienne de sa maison. Adelman indique qu'il a pris des photographies de propriétés de bord de côte pour une étude sur l'érosion du littoral dans le cadre d'un projet. Suite à l'action en justice menée par l'artiste, la connaissance de cette photo par le public augmente considérablement avec plus de quatre-cent-vingt-mille visites sur le site, le mois suivant. Ce phénomène est dès lors nommé « effet Streisand ».

Julian Assange et WikiLeaks ont déclenché plusieurs fois des « effets Streisand » : avec l'affaire Julius Baer par exemple. WikiLeaks fuite les mille-six-cents noms des clients ayant des comptes aux îles Caïmans. Julius Baer Group riposte par une attaque en justice sommant le site de retirer sa liste. Julian crie à l'attaque et montre du doigt ceux qui cherchent à fomenter leurs escroqueries en secret. Conséquence : des centaines de personnes relaient l'information sur des sites et des blogs, à tel point qu'il devient absurde de retirer les documents du site de WikiLeaks et Julius Baer Group abandonne ses plaintes.

Alors que la télévision islandaise veut diffuser un reportage sur Kaupthing expliquant qu'ils ont des documents qui prouvent les agissements frauduleux de la banque, la chaîne reçoit une injonction de justice lui interdisant la diffusion du reportage. La chaîne dévoile alors l'adresse du site WikiLeaks. Les Islandais s'y ruent et téléchargent en masse les documents compromettants.

Assange parle, dans différentes émissions, jusqu'en novembre 2010, tentant de dire qu'il est suivi et menacé par le gouvernement américain. Alors que la police suédoise porte un mandat d'arrêt contre lui. Il crie à la mort du messager. Il s'en suit un intérêt énorme pour Julian Assange de la part des médias et du public. L'impact est maximum. Il devient une figure ultramédiatisée. Il élude habilement l'affaire suédoise pour délivrer son message sur la transparence, la vérité, la libéralisation de l'Internet et sa théorie des gouvernances conspirationnistes, comment il propose de les mettre à mal grâce aux moyens techniques à la disposition de tous. Le contrôle des gouvernements à la portée des citoyens.

Sa théorie de la vérité renvoie à la une la question de la mission de la diplomatie. Depuis le 28 novembre 2010, WikiLeaks expose progressivement sa collection de deux-cent-cinquante-mille câbles diplomatiques américains.

Régler les problèmes sans violence par une juste conduite des négociations entre les personnes, les groupes ou les nations est la tâche de la diplomatie. De la médiation qui nécessite de garder à l'esprit des valeurs humaines, fortes et globales.

Journalistes et politiques participent alors à créer une peur rhétorique. Celle d'apposer dans leurs discours et leurs écrits deux mots qui ne jouent pas dans la même cour : dictature et transparence.

En quoi la transparence apporterait-elle une quelconque dictature ? Celle de se rendre compte que les gouvernements se mettent bien souvent au-dessus des lois.

La classe politique affirme qu'il n'est pas possible de gouverner efficacement sans avoir recours au secret. Les journalistes ont parfaitement admis ce principe et s'en font bien souvent les transmetteurs arguant que la mission de WikiLeaks va trop loin. Pourtant, la mise à jour du fonctionnement caché des États est une des mission du journalisme qui livre ainsi une vision de la réalité offrant la possibilité à chacun de se faire sa propre opinion.

Selon Romain Bertrand : « L'efficacité du secret comme mode de persuasion ou de légitimation exige que son existence soit reconnue, mais son contenu ignoré.[1] » S'il y a un point mis en avant par WikiLeaks c'est bien que le secret existe. Le but de Julian Assange est d'en révéler le contenu, mais ce faisant, il prévient les gouvernements qu'ils doivent revoir la protection de leurs arcanes les plus importants. Il joue au fou du roi qui prévient son monarque de ce que ses sujets pensent lorsqu'il n'honore pas convenablement son rang.

---

1 BERTRAND, Romain, « *Ki* Gendeng, un sorcier en politique. Réflexions sur les dimensions occultes de l'espace public en Indonésie », *Politix*, volume 14, n° 54, juillet 2001, pp. 43-73.

Si les chefs d'État sont les danseurs étoiles de la scène politique, les diplomates en sont le corps de ballet. Ça chuchote dans les coulisses du pouvoir, et Julian, en diablotin, fait un croche-pied avant l'entrée en scène de ceux qui se sentent touchés d'une grâce divine. Cela les ramène d'emblée sur le plancher des vaches !

Voici en exemple, quelques rumeurs de câbles diplomatiques édités par le journal *Le Monde* :

> *Les diplomates américains pensent que le président russe, Dimitri Medvedev, « joue le Robin d'un Poutine Batman ».*
>
> *Le premier ministre italien, Silvio Berlusconi, est vu comme « irresponsable, imbu de lui-même et inefficace en tant que dirigeant européen ».*
>
> *Le président français, Nicolas Sarkozy, a un caractère « susceptible et autoritaire ».*
>
> *Le président afghan, Hamid Karzaï, est décrit comme un « homme extrêmement faible qui ne prête pas l'oreille aux faits. »*
>
> *Le président zimbabwéen, Robert Mugabe, est un « vieux fou ».*
>
> *Le Libyen, Mouammar Kadhafi, voyage toujours accompagné d'une « voluptueuse blonde » qu'il présente comme son « infirmière personnelle ukrainienne ».*
>
> *Le roi d'Arabie Saoudite pense que le président pakistanais est « pourri ».*

Le conseiller diplomatique du président français pense que l'Iran est un « État fasciste ».
Le gouverneur de la banque d'Angleterre pense que son premier ministre est « superficiel ».

Tout en classant ces correspondances semi-secrètes, Anne applebaum du journal *Slate*, pense que les peuples tomberont de haut, seront choqués, scandalisés et même horrifiés devant ces « petites phrases » décrivant leur chef d'État et se rendant compte que les diplomates « jugent » leurs interlocuteurs dans un langage plus que commun comme nous nous permettons nous-mêmes de juger nos collègues et notre supérieur.

Qui cela met-il réellement mal à l'aise ? Les auteurs de ces phrases, qui sont censés être les derniers garants d'un langage châtié et qui visiblement ne le sont plus ? Les hommes visés qui doivent faire face à un miroir, fut-il déformant ? Il n'y a que la vérité qui blesse !

Pour que ces propos soient publiés, il a apparemment suffi qu'ils paraissent criants de vérité, c'est-à-dire qu'ils correspondent à ce qu'on soupçonnait déjà !

Comme le précise Anne Applebaum, il n'y aura probablement pas de révolution WkiLeaks suite à ces publications. Leur impact sur la politique étrangère des États-Unis n'aura qu'une incidence modérée, mais le travail des diplomates dans leur ambassade subira certainement une évolution.

Par le passé, les ambassadeurs étaient les meilleurs connaisseurs du pays dans lequel ils étaient en poste, à tel point qu'ils étaient les artisans de la politique étrangère de leur gouvernement vis-à-vis de l'État où ils étaient envoyés.

Comme en 1946, George Kennan, chef de mission adjoint à Moscou, qui a formulé dans son « long télégramme » de huit mille mots le principe de l'endiguement qui a inspiré la politique étrangère des États-Unis vis-à-vis de l'Union Soviétique tout au long de la guerre froide. Le but de l'endiguement était de conserver la zone d'influence soviétique au niveau qu'elle avait atteint en 1947 et d'éviter que d'autres États adoptent le communisme.

Aujourd'hui, les gouvernements devront prendre en compte la menace WikiLeaks lors des échanges autour de sujets sensibles. La capacité de l'organisation est clairement identifiée grâce à cette pluie de documents classés confidentiels ou *noforn* (à ne pas partager avec des gouvernements étrangers) qui parcours le monde en temps réel sur Internet. Quels stratagèmes les départements d'États devront-ils trouver pour mener une conversation franche avec leurs alliés ou pour négocier en secret avec un ennemi ? La naissance d'un secret plus épais dans un cercle davantage restreint semble inévitable. Et le danger d'en retranscrire les modalités peut en effrayer plus d'un, avec le risque d'une perte historique inestimable.

Et comme le confie un ancien ambassadeur américain au Moyen-Orient dans *Courrier International* : « s'il y a de moins en moins de rapports écrits et de communication – ce qui est catastrophique lorsque vous voulez reconstituer ce qui s'est passé –, les conséquences seront dramatiques et la situation qui n'est déjà guère brillante va encore empirer. Tout le monde va se mettre à passer les informations oralement pour s'apercevoir au final que celles-ci parviennent complètement déformées. »

De nombreux commentateurs assurent que les mémos révélés par WikiLeaks ne contiennent rien de neuf. Pourtant, parmi les écrits des diplomates américains publiés à ce jour se trouvent plusieurs pépites délivrés par *Courrier International* :

Au Nigeria, la compagnie pétrolière Shell se vante d'« avoir des gens dans tous les ministères importants ». La firme pharmaceutique Pfizer aurait engagé des détectives pour surveiller le procureur fédéral responsable du procès des essais cliniques de l'antibiotique Trovan, à Kano (Nigeria), qui a débouché sur la mort de plusieurs enfants.

En annonçant à l'ambassadeur américain à Paris son intention de se présenter à la présidentielle, M. Nicolas Sarkozy évoque la nécessité pour la France d'une période « similaire à celle de Reagan ou Thatcher ». Des responsables socialistes défilent également dans les bureaux de l'ambassade. Mme Hillary Clinton s'inquiète de la dette détenue par Pékin : « Comment négocier en position de force avec son banquier ? » En 2009, la Nouvelle-Zélande a « totalement rétabli » ses relations d'espionnage avec les États-Unis, mises à mal en 1985 par la politique antinucléaire du gouvernement de M. David Lange.

Tour du monde des journaux suite à la sortie des câbles diplomatiques :

> *The Independent, Robert Fisk – Londres*
> « *Ces révélations confirment que la politique de Washington consiste à s'aligner sur Israël, à encourager les Arabes, à rejoindre l'alliance de ce pays avec les États-Unis*

contre l'Iran, et que le but final de la politique américaine est d'anéantir le pouvoir de l'Iran ».

Komsomolskaïa Pravda – Moscou
« *Même dans leurs cauchemars, les diplomates n'imaginaient pas que leurs dépêches seraient lues par le monde entier* ».

La Repubblica – Massimo Razzi – Rome
« *Voici donc ce qui rend cette date du 28 novembre 2010 historique :*
C'est le jour où l'information est devenue l'apanage d'Internet.
C'est le jour où les citoyens, pour la première fois, ont eu à leur disposition ce genre de secrets que seule l'Histoire distillait jusqu'alors, à la façon et à l'heure choisies par le pouvoir.
C'est le jour où ces mêmes citoyens ont eu pour la première fois la possibilité de disséquer de nombreux faits récents et de découvrir les mensonges de leurs "puissants" respectifs.
Mais c'est aussi le jour où l'information professionnelle s'est retrouvée face à un énorme défi, avec la possibilité d'en sortir victorieuse ».

Süddeutsche Zeitung – Nicolas Richter – Munich
« *C'est là une trahison sans précédent de secrets d'État, dont les conséquences sont imprévisibles. Les États-Unis*

vont voir les relations qu'ils entretenaient avec nombre de pays, compromises par le jugement arrogant qu'ils portaient sur leurs responsables politiques ».

Yediot Aharonot – Sever Plocker – Tel Aviv
« Les politiques étrangères et de défense d'Israël n'ont sans doute jamais été autant confortées ces dernières années que le dimanche 28 novembre dernier. »

Milliyet – Can Dündar – Istanbul
« Et que se passera-t-il dans la tête du ministre des Affaires étrangères Ahmet Davutoglu lorsqu'il se trouvera face à des Américains qui le considèrent comme un "islamiste très dangereux" ? WikiLeaks nous permet de réaliser le rêve d'un "État transparent"... Merci WikiLeaks ».

Kayhan – Téhéran
« Il est important de noter que, sans la complicité des médias occidentaux, jamais WikiLeaks n'aurait pu attirer l'attention des opinions publiques du monde entier et encore moins être pris au sérieux. Pourquoi ces informations ont-elles aussi été imprimées dans The New York Times, Le Monde, The Guardian, El País et Der Spiegel si le but n'était pas de convaincre les opinions publiques du "danger" iranien ? »

Al-Quds Al-Arabi – journal indépendant panarabe publié à Londres

« Le roi saoudien n'a-t-il pas pensé aux conséquences dramatiques d'une frappe militaire ? Ces révélations ne plairont certainement pas à l'Iran... Une forte tension est à prévoir dans les relations entre l'Iran et ses voisins, l'Arabie Saoudite au premier chef. »

La Repubblica – Giuseppe D'avanzo – Rome
« Voilà ce que révèlent les documents confidentiels de la diplomatie américaine diffusés sur WikiLeaks : c'est le Berlusconi que nous connaissons, mais qu'une moitié du pays refuse obstinément de "reconnaître" parce que la plupart des médias, contrôlés ou influencés par le Cavaliere, ne peuvent ni ne veulent rien divulguer ».

The Telegraph – K.P.Nayar – Calcutta
« Au cours des prochains mois, lorsque les derniers télégrammes publiés par WikiLeaks auront été analysés, il est à peu près certain que les bureaux du premier ministre indien diffuseront un message "top secret" appelant les diplomates indiens à faire preuve de prudence lors de leurs entretiens avec leurs homologues américains. »

El País – José Ignacio Torreblanca – Madrid
« Il est fort probable que WikiLeaks a d'ores et déjà planté le dernier clou sur le cercueil de la diplomatie classique ».

Force est de constater que chaque journal met l'accent sur le fait de son choix et l'interprète à sa manière. Un nouvel acteur de la vérité n'occulte pas le filtre nécessaire de la grande presse traditionnelle. Ce filtre subit des pressions gouvernementales comme cela a été le cas pour le journal français *Le Monde* qui censure un câble diplomatique mettant en cause des responsables politiques de l'Hexagone[2].

Le câble diplomatique relatait qu'en juin 2009, quatre jours après la mort du président gabonais Omar Bongo, un haut fonctionnaire de la Banque des États d'Afrique Centrale (BEAC) assurait que le clan Bongo avait détourné près de trente millions d'euros, à son profit… et à celui de responsables politiques français. Le scoop a tout de suite été repris par *El País,* mais pas par *Le Monde*, préférant dire que l'information n'était pas suffisamment certaine à cause d'une remarque en fin de câble, signée de l'ambassadrice américaine au Cameroun, Janet Garvey : « Cette ambassade n'est pas en mesure de vérifier la véracité de l'accusation selon laquelle des hommes politiques français ont bénéficié du détournement de fonds. »

Par ailleurs, *Le Monde* « oublie » un câble adressé au secrétariat d'État états-unien par l'ambassade des États-Unis à Paris (câble 07PARIS306). On découvre dans ce document l'instructif point de vue de l'ambassade américaine à Paris sur les médias français[3]. Entre autres :

---

2 Source : http://www.forum-algerie.com/actualite-internationale/42140-bongo-le-cable-wikileaks-que-le-monde-ignoe.html

3 http://jacques.tourteaux.over-blog-.com/article-le-monde-oublie-un-document-wikileaks-sur-les-medias-vous-avez-dit-bizarre-6299576.html

17. Les grands journalistes français sont souvent issus des mêmes écoles d'élite que de nombreux responsables gouvernementaux. Ces journalistes ne considèrent pas nécessairement que leur rôle premier soit de surveiller le pouvoir exécutif. Nombre d'entre eux se voient plutôt davantage comme des intellectuels, et préfèrent analyser les événements et influencer leurs lecteurs plutôt que de rapporter les événements.

18. Le secteur privé des médias en France (presse écrite, TV et radio) continue d'être dominé par un petit nombre de conglomérats, et l'ensemble des médias français est davantage régulé et soumis aux pressions politiques et commerciales que leurs homologues américains. Le Conseil supérieur de l'audiovisuel, créé en 1989, nomme les dirigeants de l'ensemble des chaînes TV et stations de radio publiques et surveille leur contenu politique.

19. L'accès à Internet se développe de manière continue en France, notamment chez les jeunes générations, et remplace rapidement les médias traditionnels. Toutes les grandes chaînes de télévision et stations de radio ont leur propre site Internet, tout comme les grands organes de presse écrite. Les blogs sont un moyen de communication de plus en plus populaire pour les minorités et les ONG, qui les utilisent pour exprimer des opinions qu'ils estiment ne pas retrouver dans les médias traditionnels.

« Transparence et discernement ne sont pas incompatibles », écrit Sylvie Kauffmann, directrice de la rédaction du *Monde*. Visiblement, *Le Monde* fait le choix du discernement et garde la transparence pour un autre câble. Ce sont des bloggers et des journalistes indépendants qui ont porté l'accusation de ces omissions au journal. Et la question revient, Assange fait-il du journalisme en livrant les informations d'une façon beaucoup plus brute que la presse *Mainstream* ?

Jack Shafer du journal *Slate* dit : « Assange tourmente les journalistes avec qui il travaille parce qu'il refuse de se conformer aux rôles auxquels qu'ils s'attendent. Il agit comme une source de fuites si cela l'arrange. Il se transforme en éditeur ou représentant syndical d'un journal lorsqu'il y voit un avantage. Tel un agent de relations publiques, il manipule les organismes de presse pour maximiser la publicité de ses "clients", ou, lorsqu'on l'y pousse, il menace de dévoiler des infos-bombes, à l'instar d'un agent provocateur. Il est très rusé pour changer de peau, ne restant pas assis, il est un négociateur imprévisible qui renouvelle sans cesse les termes de l'entente. »

La communauté journalistique se désolidarise d'Assange malgré l'intérêt continu de publier des histoires basées sur les câbles postés par WikiLeaks annonce Greenslade, journaliste du *Guardian* sur son blog. Il en fait un tour d'horizon: « Le comité pour la liberté de la presse de l'*Overseas Press Club of America* l'a déclaré comme "n'étant pas l'un des leurs". *L'Associated Press*, qui a déjà intenté des actions légales au nom d'Assange, refuse de faire le moindre commentaire à son sujet. Et le *National*

Press Club de Washington, où moins d'un an auparavant Assange a donné une conférence de presse, a décidé de ne pas parler en son nom. Selon Lucy Dalglish, directrice exécutive du *Reporter Committee For Freedom of the Press*, le problème à parler en faveur de WikiLeaks, c'est qu'elle ne considère pas Assange comme journaliste. Elle souligne que même si Assange "a fait quelques-unes des choses que les journalistes font... [elle] dirait que ce que fait le *New York Times* relève davantage du journalisme. Ils vérifient l'information... Ils prennent en considération les sources externes. Ils assument la responsabilité. Ils s'identifient publiquement... Ils rajoutent de la valeur. Ils en font quelque chose d'original avec l'information." Mais Joel Simon, directeur exécutif du *Committee to Protect Journalists* basé à New York, croit que si Assange est poursuivi "ce sera parce qu'il est un journaliste." »

WikiLeaks représente un nouveau venu, non conventionné, qui offre la matière à tout un chacun de faire son analyse et court-circuite les flux classiques de l'information avec tous ses filtres éthiques, politiques ou commerciaux.

Avec WikiLeaks, les journalistes sont une nouvelle fois court-circuités dans le cheminement classique de l'information entre les sources et le public. WikiLeaks s'est intercalé. Et, déjà bousculés par les nouvelles manières du public de s'informer, par sa prise de parole, confrontés à une double crise de légitimité et de confiance de la part du reste de la population, ils n'apprécient guère.

On parlait déjà il y a un an de la crise journalistique (manque de crédibilité, manque de moyens pour les journalistes d'investigation, rédaction aux prises avec des groupes industriels et des pressions politiques) qui voyait la création de rédactions alternatives composées de bloggers et de journalistes free-lances qui veulent rester indépendants. WikiLeaks arrive en donnant encore plus de moyens à ces nouvelles formes de journalisme.

> *« Les médias de communication traditionnels ne sont plus les seuls, maintenant qu'il y a Internet » – El País*
> *« Alors que les journalistes restent souvent derrière la porte, dans l'attente d'un communiqué officiel, ils sont cette fois au cœur des conversations diplomatiques et politiques »*
> *– Le Monde*

Le journalisme que propose WikiLeaks est appelé « data journalisme ». Cette masse de données représente une source immense pour les journalistes d'investigation qui retrouveraient ainsi le sens premier de leur métier. Rechercher les pépites d'informations et les dévoiler au grand jour. Pour ceux qui disent que les articles de WikiLeaks ne font somme toute pas de grandes révélations, ils sont en fait des confirmations. Le don de Julian Assange est de savoir mettre le projecteur sur elles, d'expliquer la puissance de la vérité et de prôner, par ce biais, la transparence pour toute gouvernance.

Les secrets de polichinelle apparaissent alors, comme des idées nouvelles et touchent soudain le plus grand nombre. Julian Assange réveille l'opinion et crée le « buzz ».

ÉPREUVE
FINALE

Effacer le passé, on le peut toujours :
c'est une affaire de regret, de désaveu, d'oubli.
Mais on n'évite pas l'avenir.
– Oscar Wilde

32

L'HOMME ET SON CONTRAIRE

Les faits relatés ici sont réels, ce sont ceux racontés et partagés par les différentes parties impliquées dans une affaire suédoise sensible où chacun livre son récit, sa vision, sa part de vérité. Voici une part de la vérité. Une version, une possibilité[1].

Il est presque 11 h du matin, l'auditorium de LO-borgen, en plein centre de Stockholm, achève de se remplir. La salle de 40 personnes est bientôt à son comble. Tous sont là pour assister à la conférence de Julian Assange. L'intérêt pour ce séminaire est tel qu'il va être diffusé en direct sur Internet. Quelques personnes sont restées debout, principalement des techniciens. Sur le côté, dans l'encablure de la porte ouverte, des photographes, appareils en mains, attendent. La caméra posée en bout de salle est prête pour filmer ; le public est assis et silencieux.

---

1 Affaire suédoise relatée notamment grâce à :
http://www.guardian.co.uk/media/2010/dec/17/julian-assange-sweden, par Nick Davies
http://coto2.wordpress.com/2010/12/13/13182/, par Guy Rundle Crikey
http://www.independent.co.uk/news/world/europe/rape-investigation-into-wikileaks-chief-reopens-2068162.html, par Jerome Taylor
http://www.nytimes.com/2010/12/19/world/europe/19assange.html?pagewanted=1&_r=1, par John F. Burns and Ravi Somaiya
http://www.dailymail.co.uk/news/article-1336291/Wikileaks-Julian-Assanges-2-night-stands-spark-worldwide-hunt.html?ito=feeds-newsxml, par Richard Pendlebury

Julian Assange a été invité en Suède par le courant chrétien du parti social-démocrate, Fraternité, ou *Broderskap* en suédois. De nombreux rendez-vous avec des organisations politiques et des journalistes l'attendent les jours suivants.

Il est arrivé dans la capitale suédoise trois jours auparavant, le mercredi 11 août 2010. Pendant son séjour, il est hébergé par la secrétaire politique du mouvement *Broderskap*, Anna Ardin. La jeune femme de 31 ans et lui ne se sont jamais rencontrés, ils ont eu des contacts par téléphone et par e-mails. Anna a proposé qu'il reste chez elle, elle sera absente de la ville jusqu'au jour de la conférence.

La Suède représente un territoire intéressant pour Assange et WikiLeaks. Julian Assange doit profiter de ce séjour afin d'examiner comment y implanter son organisation. La Suède dispose en effet de nombreuses lois protégeant les médias.

Le lendemain de son arrivée, le jeudi 12 août 2010, Julian dîne avec des militants engagés en faveur d'une gouvernance ouverte, ainsi qu'avec un journaliste américain souhaitant discuter avec lui de son livre à venir sur le clan Bush. Tous se retrouvent au Beirut Café. Le journaliste en question est l'Américain Dexter Filkins du *New York Times*. (À noter qu'il rejoindra l'équipe du *New Yorker* en décembre 2010.) Il est aussi l'auteur de *The Forever War*, qui relate son expérience en Afghanistan et en Irak.

Anna Ardin, la belle blonde, devait quant à elle rentrer le samedi 14 août 2010. Cependant, elle revient un jour plus tôt. Julian est chez elle à son arrivée. Ils parlent un peu, font connaissance et décident qu'ils peuvent cohabiter.

La jeune femme se présente sur son blog comme une « politologue, communicante, entrepreneuse et écrivaine free-lance avec des connaissances particulières sur la foi et la politique, les questions d'égalité, le féminisme et l'Amérique latine. » Diplômée de l'université d'Uppsala, en Suède, elle a consacré son mémoire de fin d'études au multipartisme à Cuba.

Ce soir-là, ils dînent dans un restaurant situé à proximité de son appartement. *Le Guardian*, ayant eu accès aux rapports de police, relate l'histoire d'Anna comme ceci :

« Alors qu'ils prennent un thé, Julian commence par lui caresser la jambe, avant d'arracher le collier et les vêtements qu'elle porte. Elle tente de remettre certains de ses vêtements parce que cela va trop vite et devient désagréable, mais il les lui arrache de nouveau. Elle ne souhaite pas poursuivre, mais il est trop tard pour arrêter Julian, car elle est déjà allée trop loin, et elle l'autorise donc à la déshabiller. »

Elle essaye plusieurs fois d'attraper un préservatif pour protéger leur rapport, mais il l'en empêche en tenant ses bras et en agrippant ses jambes. Il la libère finalement et accepte d'utiliser la protection. Anna ne se sent pas à l'aise. Pendant leurs ébats, le préservatif se déchire. Julian éjacule sans se retirer. Anna lui reproche alors de ne pas avoir cessé leur rapport.

Le lendemain, au LO-borgen, Julian est l'orateur principal du séminaire *War and the role of the media* (La guerre et le rôle des médias).

Après une courte introduction de Peter Weiderud, le président de l'association *Broderskap*, l'homme qui a créé WikiLeaks se lève et se dirige vers le pupitre.

Le président lui lance : « La parole est à vous. » (En anglais : *"The floor is yours"*.) Julian s'installe, ajuste les micros et commence par une note d'humour : « La parole est à moi, mais attirerais-je vos regards ? Je suis très, très heureux d'être ici. »

Une jeune femme le regarde très attentivement depuis l'un des sièges du premier rang. Elle est fascinée et ne détache pas ses yeux du numéro un de WikiLeaks. Elle est vêtue d'un pull en cachemire fuchsia qui attire l'attention. Elle semble grande et élancée ; ses longs cheveux châtains sont retenus par un élastique turquoise. Elle porte des lunettes à monture noire. Sofia Wilén a 27 ans. Elle observe, elle écoute. Toute la salle d'ailleurs.

Chacun est absorbé par les paroles de Julian Assange. Le président est assis devant le grand écran, face au public, une console sépare les deux hommes. Anna Ardin se tient à sa gauche avec, devant elle, son ordinateur portable. Assange a pris place derrière le pupitre à la droite de M. Weiderud, et s'adresse au public de biais. Mlle Wilén mitraille Julian Assange avec son appareil photo tout au long de cette conférence qui dure 90 minutes.

Quelques semaines auparavant, Sofia Wilén a découvert Julian Assange à la télévision, dans un reportage sur WikiLeaks. Elle a tout de suite été fascinée par l'homme et été intriguée par son entreprise. Elle a confié à ses amis qu'elle le trouvait « intéressant, courageux et admirable ». Depuis ce jour-là, elle suit son actualité très attentivement et elle est devenue une fervente partisane de l'organisation WikiLeaks.

Un soir, elle a lancé une recherche dans Google et a appris qu'il serait bientôt à Stockholm. Déterminée, Sofia a aussitôt contacté le mouvement *Broderskap* qui organisait la conférence. Elle s'est portée volontaire pour participer à l'événement. Elle n'a, malheureusement pour elle, reçu aucune réponse. Plus tard, en découvrant l'annonce publicitaire du séminaire, elle a décidé de prendre un congé ce samedi-là et de se rendre dans la capitale suédoise pour y assister.

« J'étais là à l'heure et j'ai réussi à entrer en contact avec Assange. Il est venu vers moi et m'a demandé si je pouvais l'aider à trouver un câble pour son ordinateur. »

La jeune femme a immédiatement sauté dans un taxi et filé acheter un câble. Elle est revenue juste à temps pour la conférence.

L'orateur parle calmement, tout en projetant ses données sur le grand écran. Quelques problèmes techniques surviennent, mais il les accueille détendu et avec humour. C'est Anna Ardin qui l'aide dans ces moments-là, elle qui s'est improvisée attachée de presse pour la cause de son mouvement, celle qui a passé la nuit dernière avec Julian.

Une série de questions-réponses clôture la conférence, le président remercie le public ainsi qu'Assange pour la conduite de ce séminaire. La réunion se termine sur une nouvelle touche d'humour quand Peter Weiderud demande à son invité :

« Reviendrez-vous bientôt en Suède ? ». Julian évoque alors son attachement au pays mais, surtout, il conclut en souriant que « la Suède est très agréable en été, mais [qu']en hiver, c'est autre chose. »

Il est 14 h, tout le monde rit en applaudissant chaleureusement. Quelques journalistes se pressent pour interroger Assange. L'attroupement diminue, mais une jeune femme s'attarde. « Elle était un peu étrange, voulant attirer l'attention de Julian. Personne ne savait vraiment qui elle était », confie par la suite l'un des participants. Il poursuit : « Lorsque tout le monde est parti, elle était encore là. »

Assange, quelques amis et quelques chrétiens démocrates vont ensuite déjeuner au bistro Bohème, sur Drottninggatan. Sofia Wilén est là, elle aussi. Durant le repas, Julian se montre proche d'elle. Il pose un bras autour de son épaule. Il lui demande aussi si elle peut lui acheter un chargeur pour son ordinateur. Sofia est flattée et, à ce moment-là, il semble évident, pour elle, que Julian la drague. L'attraction est d'ailleurs mutuelle.

Ils quittent le bistro ensemble. Ils vont voir le film *Deep Sea* au cinéma Cosmonova, un cinéma 3D de Stockholm. Ils sont installés au dernier rang de la salle. Ils passent un moment très intime. Durant la projection, ils se tiennent la main. L'Australien la trouve très attirante. Il l'embrasse et glisse ses mains en dessous de ses vêtements.

Pendant ce temps, Anna Ardin finalise l'organisation d'une *kräftskiva* en l'honneur de Julian Assange. Il s'agit d'une fête traditionnelle suédoise organisée durant l'été, et qui consiste en une dégustation d'écrevisses généralement arrosée.

À la sortie du cinéma, Sofia et Julian prennent le métro jusqu'à la station Zinkensdamm. De là, l'homme quitte la jeune femme, il prend un taxi pour se rendre à la *kräftskiva* organisée par Anna Ardin. Sofia lui demande avant de le quitter : « Nous reverrons-nous ? » Assange lui répond : « Bien sûr. »

Sofia rentre à Enköping en train. Enköping est une petite ville de 38 000 habitants du comté d'Uppsala. Elle se situe à 80 kilomètres au nord-ouest de Stockholm. Une heure de trajet pour rejoindre son appartement. Arrivée chez elle, Wilén reçoit un SMS de Julian. Elle le rappelle, il est toujours à la fête. Ils parlent un long moment et échangent des SMS durant toute la soirée.

Le dimanche 15 août 2010, Sofia parle à ses collègues de cette fabuleuse rencontre qu'elle a eue avec celui qu'elle considère être « le journaliste le plus connu du monde ». D'après eux, la balle est désormais dans son camp si elle veut le revoir. Elle tente d'appeler Julian, sans succès, car son téléphone est éteint. Il ne répond pas à ses appels ce jour-là. Il est avec Rick Falkvinge et Anna Troberg du parti Pirate pour une séance photo organisée dans le cadre de leur soutien à WikiLeaks.

La jeune femme tente à nouveau de le contacter le lundi 16. Ce jour-là, il lui répond. Il a un rendez-vous le soir même, mais il peut se libérer pour la rencontrer à 20 h 30. Il lui propose de la rejoindre plus tard, elle saute sur cette offre et erre dans la ville de Stockholm en l'attendant. Aux alentours de 21 h, il ne l'a toujours pas rappelée. Elle prend l'initiative de lui téléphoner.

Julian est sur Hornsgatan, son rendez-vous vient de se terminer. Il lui demande de le rejoindre là où il est. Sofia s'exécute.

Le couple se retrouve un peu plus tard et se dirige à pied vers la vieille ville. Tous deux s'assoient sur un banc du parc public Munkbron. Ils parlent un long moment, puis prennent le train en direction de l'appartement de Sofia, à Enköping. C'est elle qui paie les deux billets de train pour un montant total de 107 kronor (environ 17 dollars). Il n'a pas d'argent sur lui et ne souhaite pas utiliser sa carte de crédit, il ne voudrait pas être retracé. Assange passe la plupart du trajet à consulter son ordinateur et ignore passablement Wilén.

Dans l'appartement, Julian et Sofia se couchent ensemble. Ils s'apprêtent à faire l'amour, mais Julian ne veut pas utiliser de préservatif. Sofia s'éloigne, elle ne souhaite pas avoir de rapports non protégés. Julian perd alors son intérêt pour la jeune femme et il s'endort. Plus tard, ils se réveillent, c'est toujours la nuit, ils font l'amour une fois, et Assange accepte à contrecœur de mettre une protection.

Le matin, elle sort acheter le petit déjeuner, avant de revenir au lit et de se rendormir auprès de Julian. Quand elle se réveille, la jeune femme se rend compte qu'Assange lui fait l'amour, le temps de reprendre ses esprits, elle lui demande immédiatement s'il porte un préservatif, ce à quoi il répond par la négative. Elle lui rétorque alors qu'il ferait mieux de ne pas avoir le sida. Il lui assure qu'il ne l'a évidemment pas. Elle ne supporte pas d'avoir à lui demander une nouvelle fois de porter un préservatif, car elle le lui a déjà réclamé tout au long de la nuit. Elle n'avait jamais eu de rapports sexuels non protégés auparavant. Sofia est très en colère contre Julian.

À leur lever du lit, elle lui offre tout de même un bol de céréales et du jus de fruits. Ils plaisantent car elle pourrait être enceinte. Sofia n'aime pas trop cette atmosphère stressante. Elle dit des choses sarcastiques sur un ton jovial pour désamorcer les tensions.

Sur le vélo de Sofia, ils rejoignent ensuite la gare. Assange doit rentrer à Stockholm. Il a rendez-vous à midi avec Agneta Lindblom Hulthén, présidente de l'Union suédoise des journalistes. Julian reporte cette rencontre, il retrouvera la journaliste à 16 h. Sofia le quitte à la gare et lui paie à nouveau son billet de train. Il n'a toujours pas d'argent sur lui. Il lui promet de la rappeler.

Le mercredi 18 août 2010, l'ambiance se transforme. Sofia contacte Anna pour lui dire qu'elle a eu une relation sexuelle non protégée avec Julian Assange. Elle est très fâchée qu'il n'ait pas utilisé de préservatif. Elle a peur d'avoir été infectée par une IST, peut-être même par le sida, ou d'être enceinte. Anna Ardin lui confie à ce moment-là qu'elle aussi a eu des relations sexuelles avec Assange à la veille de sa conférence à LO-borgen et que Julian l'a même agressée sexuellement.

Ce même jour, Anna dit à Julian qu'il n'est plus le bienvenu dans son appartement. Mais il refuse de partir. Après sa conversation téléphonique avec Sofia Wilén, la jeune femme contacte un proche collaborateur de WikiLeaks en Suède pour l'informer qu'elle souhaite qu'Assange quitte son appartement. Elle lui précise qu'il ne veut pas partir, et dort dans son lit même s'ils ne couchent pas ensemble. Effectivement, Julian reste chez elle, mais il passe la plupart des nuits assis devant son ordinateur. L'ami contacté demande alors à Julian pourquoi il refuse de quitter les lieux. L'homme est surpris, jamais Anna ne lui a demandé de déménager. De son côté, Ardin raconte qu'Assange l'a harcelée d'avances sexuelles. Ce soir-là, il s'approche d'elle, nu depuis la taille jusqu'aux pieds, et il se frotte à elle.

Dès le lendemain et le jour d'après, le mouvement s'accélère. Les deux femmes s'échangent des SMS et décident de se retrouver pour partager leur expérience. Julian, quant à lui, est toujours dans l'appartement d'Anna Ardin. Il ne déménage pas. Il reste.

Anna demande au collaborateur de persuader Julian de passer un test IST[2] afin de rassurer Sofia. Assange ne le veut pas. Anna menace alors que Sofia se rendra à la police. Il refuse de céder au chantage.

Le vendredi 20 août 2010, cela fait déjà une semaine que le fondateur de WikiLeaks dort chez Anna Ardin, mise à part la nuit qu'il a passée à Enköping avec Sofia. Julian Assange, finalement, s'en va. Il soutient que la jeune femme ne lui a pas demandé de quitter les lieux avant ce jour-là.

Les deux femmes se retrouvent dans l'après-midi. Elles se rendent dans un commissariat du centre de Stockholm. Elles veulent demander conseil. Elles veulent savoir si elles ont la possibilité de forcer Assange à passer un test IST. Voilà déjà six jours que Julian Assange est intervenu lors de la conférence de LO-borgen.

---

2 Infection Sexuellement Transmissible (anciennement appelée MST)

33

Représailles

« J'ai directement cru son histoire puisque j'avais vécu une expérience similaire à celle qu'elle me racontait. »

Les nuits suédoises de Julian Assange auront de lourdes conséquences. L'arrivée de Mlles Ardin et Wilén le vendredi 20 août 2010 au commissariat de Klara dans le centre de Stockholm va bouleverser la vie de l'Australien.

On peut se demander comment Sofia a retrouvé Anna. Et pourquoi l'a-t-elle contactée ? Les deux femmes assurent s'être rencontrées sur Facebook. Cependant, elles ont toutes deux participé au même séminaire, celui de LO-Borgen. Celui où Anna Ardin jouait à la perfection son rôle d'attachée de presse improvisée, au lendemain de sa nuit avec le fondateur de WikiLeaks, et celui où Sofia Wilén a tout fait pour attirer le regard du même homme.

Cet après-midi-là, les deux femmes se rencontrent et comparent leurs deux histoires. À 14 h, elles arrivent ensemble au commissariat. Leur première intention est de demander conseil. Anna accompagne Sofia pour la soutenir moralement et l'aider dans sa déclaration.

Elles sont accueillies par une femme officier de police. La déposition de Sofia est la suivante :

« J'ai été violée dans mon appartement le matin du mardi 17 août 2010 ; un homme a eu des rapports sexuels avec moi contre mon gré. »

Elle voudrait savoir s'il est possible de forcer Julian Assange à passer un test IST. Anna, qui était seulement venue en tant que soutien moral, déclare qu'elle a eu des rapports sexuels avec le même homme et qu'il a déchiré le préservatif exprès au cours de leurs rapports.

Elle ne se rend pas compte que l'officier de police, qui a désormais de bonnes raisons de croire qu'Anna a été victime d'un crime sexuel, doit établir un rapport sur son cas, et ce, qu'elle le veuille ou non. L'officier de service les écoute ensuite séparément et dépose un rapport pour viol. L'agent conclut que les deux femmes ont été victimes, pour Sofia, de viol, et pour Anna, d'agression sexuelle. À travers leurs dires, elles confirment le refus d'Assange de vouloir porter une protection, pour la première, et le sabotage du préservatif concernant la deuxième.

L'assistante de police achève ainsi sa déclaration :
« Toutes les personnes que j'ai interrogées étaient d'accord pour conclure qu'il s'agissait d'un viol. »

Ce même vendredi soir, Maria Kjellstrand, la procureure de service, est appelée. Elle confirme qu'Assange devrait être considéré comme suspect de viol. À 17 h, elle accuse Julian Assange par contumace : bien qu'absent, il est soupçonné de viol sur la personne de Sofia Wilén et de ne pas avoir respecté la liberté et la volonté d'Anna Ardin. En langue suédoise, la procureure qualifie la faute commise envers cette dernière d'« *ofredande* », littéralement « négation de sa liberté ». Il n'existe pas réellement d'équivalence de ce terme dans la loi anglaise.

La déposition des deux jeunes femmes s'achève à 18 h 40. Un collaborateur suédois de WikiLeaks déclarera, plus tard, que Julian Assange a accepté de passer le test IST le soir même, mais toutes les cliniques étaient fermées pour le week-end.

Ce soir-là, le journaliste Niklas Svensson, du tabloïd *Expressen*, couvre les délibérations concernant le budget de la coalition au pouvoir en Suède. Il se trouve à Harpsund, la résidence secondaire de Fredrik Reinfeldt, le premier ministre suédois. Dès qu'il apprend que Julian Assange est soupçonné de viol, il rentre à Stockholm.

« J'ai pour ainsi dire reporté mon attention sur cette affaire extrêmement rapidement. Une heure et demie plus tard, j'étais de retour au bureau, à Stockholm. Mon collègue Diamant Salihu avait réussi à obtenir la confirmation du procureur sur cette affaire et j'ai travaillé de mon côté avec mes propres sources. »

À cet instant, il est étrange de constater que le nom de Julian Assange est révélé quasi instantanément après la déposition des jeunes femmes. Comment son nom arrive-t-il aussi rapidement aux oreilles de Svensson ? Qui lui a soufflé que le numéro un de WikiLeaks est soupçonné de viol ?

Niklas Svensson est un journaliste politique de 38 ans connu en Suède. Controversé et attaqué, certains Suédois ne sont pas tendres à son égard. D'après l'une de nos sources à Stockholm, il travaille pour l'un des journaux les plus lus en Suède. Le plus souvent, il écrit à propos de crimes ou de célébrités, mais depuis quelques années, il s'intéresse davantage à la politique. Son approche est celle d'un paparazzi. Il ne fait jamais d'analyse approfondie. Il adore le sensationnel, et n'hésite pas à en donner l'illusion. Parfois même, il transforme la réalité afin de créer une histoire.

En 2006, Niklas Svensson a été licencié par l'*Expressen* pour avoir illégalement hacké la base de données du parti social-démocrate. En réalité, il n'a fait qu'utiliser un mot de passe qu'il n'aurait pas dû avoir. Il s'est alors lancé en free-lance et a dirigé un temps le blog *Politikerbloggen* (littéralement, *Le blog des politiciens*, qui diffuse des ragots sur les politiques). En 2007, le blog a été racheté par la chaîne de télévision TV4. Niklas Svensson est retourné à l'*Expressen* en février 2010.

Le lendemain, le samedi 21 août 2010, à 9 h 15, Julian réagit dans un *tweet* : « Nous avions été prévenus qu'il fallait nous attendre à des "coups bas". Voici, le premier a été joué. »

Anna, de son côté, est interrogée une nouvelle fois par la police, et étaye les allégations d'abus sexuel portées contre Assange.

Les journalistes de l'*Expressen* achèvent le récit qui, dans quelques heures, bouleversera le monde de la presse occidentale. Un peu plus tard dans la journée, la nouvelle arrive au bureau du procureur suédois. Karine Rosander, la directrice des communications, tente alors d'expliquer le mandat d'arrêt contre Julian Assange.

La procureure en chef pour la région de Stockholm, Eva Finné, est alertée par les médias en même temps qu'elle reçoit le dossier chez elle. Aussitôt, elle rejette les accusations de viol mais ne se prononce pas encore concernant le harcèlement sexuel. Elle ne réfute pas le témoignage de Wilén mais n'y voit pas pour autant la confirmation d'un viol.

En d'autres termes, à 16 h 48, Eva Finné décide d'annuler le mandat d'arrêt contre Julian Assange, qui doit cependant contacter la police pour savoir s'il sera ou non suspecté de harcèlement.

De New York à Londres, les journalistes se demandent bien comment les soupçons de viol ont pu être abandonnés en moins d'une journée. Karin Rosander est d'ailleurs mal à l'aise lorsqu'elle tente d'expliquer le dénouement étrange de cette affaire à un présentateur de la chaîne télévisée *Al Jazeera*. Le présentateur ne comprend pas comment une telle erreur a pu se produire. Elle répond brièvement.

« Vous ne pouvez pas parler d'erreur car le procureur en question a dû prendre une décision sur la base des informations disponibles au moment de ladite décision. »

La jeune femme est reconnue pour être intelligente, élégante et cultivée. Lors de l'interview, elle défend son bureau en disant que le procureur de permanence a suivi la procédure normale et a dû prendre une décision très rapidement. Elle rappelle qu'Eva Finné, qui a rejeté l'accusation de viol, a eu accès à davantage d'informations le samedi que le procureur de permanence le vendredi. Si de fausses rumeurs ont été répandues à ce sujet, c'est plutôt en raison de la célébrité de l'accusé, déjà très médiatisé. Karin Rosander se refuse donc à donner plus de détails.

Le même soir, des enquêteurs de la police visitent encore quelques boîtes de nuit connues du quartier Stureplan pour voir si le fondateur de WikiLeaks n'y fait pas la fête, mais ce dernier reste introuvable.

Le dimanche 22 août 2010, l'affaire éclate à la une du quotidien l'*Expressen*. Le journal sensationnaliste titre : « Julian Assange accusé par contumace de viol et d'agression sexuelle ». L'article paraît à la fois dans l'édition imprimée et sur Internet dès 5 h du matin. Niklas Svensson en est satisfait :

« Lorsque je suis rentré chez moi, à 2 h 30, j'ai réalisé que cela allait peut-être devenir l'un des plus gros scoops que nous avions jamais eus. »

Réaction immédiate d'Assange sur Twitter :
« Rappel : les services de renseignements des États-Unis ont planifié de détruire WikiLeaks dès 2008. »

Tous les détails des charges retenues contre Assange sont révélés dans l'*Expressen*. Le journal peut être comparé au *Herald*

Sun en Grande-Bretagne, même style, même politique. Fondé en 1944, ce journal est le quotidien suédois de centre droit. Sa ligne éditoriale se décrit comme « libérale et indépendante ». Les critiques à son égard sont acerbes et sa réputation parfois entachée.

Cet article n'hésite pas à citer le nom d'un accusé encore présumé innocent le surlendemain de la déclaration des plaignantes à la police. La question reste posée : comment le journal a-t-il eu accès à cette information si rapidement ? Les fuites ne peuvent venir que des plaignantes, de la police ou du bureau des procureurs. Les deux femmes auraient-elles approché un journal à scandales pour augmenter l'embarras d'Assange ? Niklas Svensson le nie.

« Si c'est Anna qui m'a averti de la situation ? Je démens fermement avoir eu le moindre contact avec elle. Nous ne nous sommes pas parlé du tout. »

L'onde de choc est imminente. Assange, cependant, nie toutes les accusations portées contre lui. L'homme soupçonné précise qu'il n'a rien fait de mal et que ses relations sexuelles avec les deux femmes étaient consensuelles.

Ardin, quant à elle, accorde une interview, sous couvert d'anonymat, au journal *Aftonbladet. Aftonbladet*, en français « la feuille du soir », est actuellement le quotidien le plus lu de toute la Scandinavie. Anna Ardin y affirme qu'Assange n'a pas été violent ni intimidant. Morceaux choisis.

« Je ne me suis pas sentie menacée. [...] Il est complètement faux que nous avons peur d'Assange. [...] Il n'est pas violent et je ne me suis pas sentie menacée par lui. [...] L'autre femme voulait déclarer un viol. J'ai raconté mon histoire comme un témoignage de son histoire et pour la soutenir. Nous confirmons l'exactitude des informations que nous avons données. [...] Les accusations ne sont pas une mise en scène. [...] Dans les deux cas, le sexe a d'abord été consenti, puis il s'est finalement transformé en abus. [...] »

Dans le même article, Anna rejette les accusations de complot international pour piéger Assange.

« Les charges portées contre Assange n'ont évidemment pas été orchestrées par le Pentagone ou par qui que ce soit d'autre. La responsabilité de ce qui nous est arrivé, à moi et à l'autre fille, revient à un homme qui a une attitude déplacée vis-à-vis des femmes et de la difficulté à prendre un non pour une réponse. »

L'*Aftonbladet* contacte Julian Assange et lui demande s'il a eu des relations sexuelles avec les deux accusatrices. Sa réponse est sans appel :

« Leur identité restant anonyme, je n'ai aucune idée de qui elles sont. Nous avons été avertis que le Pentagone, par exemple, envisage de déployer des sales tours pour nous ruiner. »

Dans la soirée, les deux femmes engagent, ou acceptent, les services de l'avocat le plus célèbre et le plus cher du pays, Claes Borgström. Il a été médiateur pour l'égalité des sexes dans le précédent gouvernement social-démocrate de Suède, avant de revenir au barreau en 2008. De fait, cet avocat proféministe a été mandaté pour représenter les deux plaignantes avant même que l'enquête préliminaire n'ait été achevée. Toutefois, qui est-il exactement ? Surtout, qui le paye dans cette affaire ? Il est certain que ni Anna Ardin ni Sofia Wilén n'en ont les moyens.

Claes Borgström est l'associé de l'ancien ministre de la Justice Thomas Bodström, l'auteur entre autres d'un éditorial pour l'*Aftonbladet* dans lequel il réclamait une extension de la définition juridique du viol. En tant qu'avocat proféministe, Claes Borgström, de son côté, a plusieurs propositions controversées à son actif. En 2006, il a notamment suggéré que la Suède boycotte la Coupe du Monde organisée en Allemagne pour protester contre la prétendue rumeur d'une intensification du trafic de femmes durant l'événement.

La législation suédoise sur le viol est exemplaire en Europe. Elle y est plus sévère que chez ses voisins depuis 2005. La loi donne de ce crime une définition élargie et distingue trois types de viols : le viol, puni par six ans de prison, le viol aggravé qui entraîne dix ans de prison, et le viol de moindre gravité condamnant à l'enfermement pour quatre ans. Ce dernier consiste en un rapport sexuel avec une personne inconsciente, ivre, malade ou endormie. Plusieurs cas relevant de ce dernier type ont donné lieu à des condamnations. La loi suédoise est en effet particulièrement sévère avec les hommes qui ne respectent pas le non, *a fortiori* si la victime n'est pas en mesure de signifier son accord pour le rapport. Même si le rapport a commencé, la femme a toujours le droit de dire non et l'homme qui ne le prend pas en compte peut être accusé. Cet élargissement de la loi a fait tripler le nombre de plaintes en Suède car ce qui était auparavant qualifié d'agression sexuelle peut aujourd'hui être classé dans la catégorie « viol ».

La Suède compte ainsi le record européen du nombre de plaintes pour viol : 53 pour 100 000 habitants en 2010. C'est deux fois plus qu'en Grande-Bretagne et quatre fois plus qu'en France. Les lois suédoises ont facilité les possibilités de plaintes. Les victimes sont entendues sans préjugés par la police. La société a déculpabilisé les femmes pour leur redonner le pouvoir de dire non, et ce, quelle que soit la tenue qu'elles portent ou le nombre de verres qu'elles ont bus.

Néanmoins, seulement 5 à 10 % des personnes accusées de viol sont effectivement condamnées. Un viol sans trace de violence est difficile à prouver. C'est une parole contre une autre. La réforme de la loi a donné une écoute plus importante à la parole féminine et certains détracteurs suédois ironisent qu'ils ne feront bientôt plus l'amour sans l'autorisation écrite de leur partenaire !

34

HISTOIRES DE PROCUREURS

« Pourquoi ces accusations font-elles surface aujourd'hui ?
Voilà une question intéressante. Je n'ai pas été contacté par la
police. Ces allégations sont sans fondement et extrêmement
perturbantes. »

La question se pose en cette dernière semaine du mois d'août
2010. Chercherait-on à déstabiliser le fondateur de WikiLeaks
dont le site Internet embarrasse tant les gouvernements ? Le
lendemain même de l'accusation de viol, Julian Assange a
pourtant été mis hors de cause.

« Nous avons été avertis le 11 août 2010 par les services de
renseignements australiens qu'il fallait nous attendre à ce genre
de choses. Ils s'inquiétaient que nous puissions subir quelque
chose comme ça. », a déclaré le fondateur de WikiLeaks lors
d'une interview accordée à la chaîne de télévision Al Jazeera.

« Nous n'avons aucune preuve directe à ce stade indiquant
qu'il s'agisse d'une opération des services de renseignements ou
influencée par les services de renseignements, mais le contexte
actuel est troublant. », renchérit-il.

EXTRAITS DES COMMUNIQUÉS DE PRESSE
DU BUREAU DES PROCUREURS[1]

• Déclaration de la procureure Eva Finné,

23/08/2010

Ce jour-là, cette dernière estime pouvoir prendre une décision rapide, tout en rappelant que tous les faits de l'affaire doivent être attentivement considérés.

« Je vais étudier l'affaire de manière approfondie et évaluer les aspects juridiques, afin de pouvoir prendre une décision concernant la suite de l'enquête. Je pense pouvoir donner une réponse cette semaine, peut-être même demain, mardi.

Je n'ai eu aucun contact avec Julian Assange et je ne sais pas non plus si les informations selon lesquelles il aurait un avocat suédois sont vraies.

Julian Assange n'est pas suspecté de viol. Je vais étudier l'affaire plus amplement à ce sujet pour décider si une autre infraction peut être retenue ou pas. Au sujet des soupçons initiaux concernant le harcèlement, je n'ai toujours pas d'évaluation.

Ma décision d'annuler son arrestation parce que je ne pense pas qu'il puisse être soupçonné de viol n'est pas une critique de la décision du procureur de permanence. J'avais accès à

---

1 Extraits des communiqués de presse du bureau des procureurs suédois : www.aklagare.se

plus d'informations lors de ma décision, le samedi, que le procureur de permanence n'en avait le vendredi. »

• Déclaration du procureur général, Anders Perklev, sur les questions de transparence et de confidentialité,

23/08/2010

« La pression exercée sur les autorités a été très importante ces derniers jours en raison de la décision d'arrestation visant Julian Assange. Le directeur de la communication du parquet a assuré la permanence pendant tout le week-end et a répondu aux questions des rédactions de Suède et de l'étranger.

La décision d'arrestation et les autres décisions du parquet sont prises par un seul procureur, sous sa seule responsabilité, et non par le parquet en tant que tel. Cela limite les possibilités pour d'autres que le procureur lui-même de se mêler de l'affaire et de donner des informations ou de commenter une décision. De plus, il faut prendre en considération la confidentialité exigée dans l'enquête pour ne pas entraver son cours.

Toutefois, il est très important que l'information qui peut être fournie soit révélée au plus vite d'une façon correcte. Nous allons faire en sorte que les autorités soient mieux préparées afin de pouvoir satisfaire le grand intérêt qui existe pour des informations concernant des affaires majeures. »

CHRONOLOGIE DE L'AFFAIRE ASSANGE

• Événements du vendredi 20 août au samedi 21 août 2010

Vers 17 h, le vendredi 20 août, le procureur de permanence à Stockholm décide que Julian Assange doit être mis en détention par défaut, sur le fondement de la suspicion de viol et de harcèlement. Le procureur appuie sa décision sur les éléments du dossier que la police lui a communiqués par téléphone, ce qui correspond à la procédure habituelle. Le procureur a également compris qu'il s'agissait d'un ressortissant étranger prêt à quitter le pays. L'un des motifs de la mise en détention par défaut est donc le risque qu'Assange parte avant qu'on ait eu le temps de l'interroger.

Cependant, l'information concernant son arrestation parvient, par un biais inconnu, à un service d'information suédois. La rédaction dudit journal contacte alors le procureur de permanence, et ce, dès le vendredi soir. Lorsque le procureur réalise que la rédaction connaît tous les détails de l'affaire, il confirme l'existence d'un dossier sur Julian Assange.

Toutefois, le procureur ne fournit aucun détail concernant l'affaire. Cela est très important, en particulier dans les cas de crimes sexuels, puisque les personnes impliquées doivent être protégées. Cela est stipulé dans la loi sur la confidentialité.

Lorsque la nouvelle est parue dans les médias le samedi, la permanence du procureur à Stockholm en est très affectée. Il est clair que l'affaire doit être retirée au procureur de permanence pour qu'il puisse continuer son activité ordinaire. Ainsi, la procureure Eva Finné est chargée de la direction de l'enquête dès le samedi.

Dès qu'elle est nommée directrice de l'enquête, Eva Finné étudie le dossier. Aux environs de 16 h 30 le samedi, elle décide d'annuler la décision d'arrestation de Julian Assange, puisqu'elle estime qu'il ne peut pas être suspecté de viol. Les éléments sur lesquels repose la décision d'Eva Finné sont plus étendus que ceux auxquels le procureur de permanence a eu accès le vendredi. Les détails exacts de l'affaire ne peuvent pas être révélés pour le moment, puisque l'enquête est encore en cours et que la confidentialité s'impose.

En général, après un week-end, toutes les affaires en permanence sont distribuées à divers procureurs, mais un procureur ordinaire peut parfois être désigné avant la fin du week-end. C'est le cas pour les dossiers graves ou sensibles, comme celui de Julian Assange, puisque la permanence ne peut être mobilisée par une seule affaire et doit pouvoir fonctionner normalement.

• Évolutions du samedi 21 août 2010

Eva Finné a donc décidé qu'Assange ne peut plus être suspecté de viol. Elle ne prend toutefois pas position concernant la qualification pénale de son acte, jusque là considéré comme un viol. Elle ne prend pas non plus position concernant la plainte de harcèlement. L'enquête est donc toujours en cours et les soupçons pesant sur Assange ne sont pas annulés.

• Aucune décision supplémentaire dans l'affaire Assange le mardi 24 août 2010

La procureure Eva Finné déclare finalement qu'elle ne prendra pas de décision en ce mardi 24 août. Des informations supplémentaires seront publiées dès qu'elles seront accessibles.

• Décision de la procureure Eva Finné le mercredi 25 août 2010

Il y a deux plaintes dans l'affaire provenant de deux femmes distinctes. La première plainte a été qualifiée de viol et la seconde, de harcèlement.

Plainte n°1, K246314-10

« Les éléments découlant de l'audition de la victime sont, comme il a été déclaré auparavant, de nature à éliminer les suspicions de viol. Cela signifie que je n'accorde pas de crédit à ces informations. J'ai étudié le contenu de l'audition pour évaluer si une autre infraction pouvait avoir été commise, en premier lieu le harcèlement ou le harcèlement sexuel, mais selon mon analyse, ce n'est pas le cas.

L'enquête est donc clôturée concernant cette plainte puisqu'il n'y a pas de suspicion d'infraction. »

Plainte n°2, K246336-10

« Les soupçons de harcèlement sont retenus. Je vais donner des instructions aux enquêteurs afin d'auditionner le suspect. »

• Évolutions de l'affaire le lundi 30 août 2010

Claes Borgström, l'avocat des deux plaignantes, prend contact avec Marianne Ny, directrice adjointe du *Prosecution Development Centre* de Gothenburg, en charge de surveiller les évolutions juridiques sur les infractions sexuelles. Madame Ny dirige une unité spéciale sur le développement du crime et est spécialisée dans l'élaboration des lois encadrant les agressions sexuelles.

Le dernier jour du mois d'août signe les prémices d'un bouleversement dans la procédure. Ce jour-là, Assange est interrogé au bureau de police de Kungsholmen, à Stockholm. Il admet être resté dans l'appartement de Mlle Ardin pendant une semaine, et avoir eu des relations sexuelles avec elle. Mais il nie le viol ou l'agression. Alors qu'Anna Ardin pense qu'il a déchiré sciemment le préservatif, lui assure le contraire. Il ne l'a pas déchiré, il n'était même pas au courant qu'il y avait eu un problème de cet ordre. L'Australien poursuit en déclarant qu'il a dormi dans le lit d'Anna Ardin toute la semaine qui a suivi leur rapport et qu'elle n'a jamais mentionné le préservatif déchiré.

Plus tard, Julian confie à la télévision suédoise qu'il rejette toutes les accusations portées contre lui. Il n'a eu aucune relation sexuelle non consentante et se refuse désormais à répondre à toute question supplémentaire sur sa relation avec les plaignantes, qu'il ne critique pas cependant.

Pendant son interrogatoire, à propos de sa relation sexuelle avec Mlle Ardin, il précise qu'« il n'avait aucune raison de craindre qu'il serait accusé d'une telle chose ». Il n'a eu de cesse de répéter que les accusations portées contre lui, auprès de la police et répétées dans les médias suédois, ne sont qu'« un tissu de mensonges ».

• Aucune décision de révision pénale le mardi 31 août 2010
Les parties civiles, représentées par l'avocat Claes Borgström, ont exigé le vendredi 27 août la révision de la décision de la procureure Eva Finné selon laquelle Assange ne pouvait pas être suspecté de viol. Cette requête a été traitée par le *Prosecution Development Centre* de Gothenburg. Une décision est attendue dans les jours suivants.

Cependant, le *Prosecution Development Centre* de Gothenburg n'a pas pu prendre de décision concernant la révision de l'affaire Assange avant le mardi 31 août, et ce, car de nouvelles informations leur sont parvenues ce jour-là. La procureure Marianne Ny déclare :
« *Dans la journée de mardi, de nouvelles informations sont intervenues dans l'enquête. Nous les avons reçues trop tard le mardi après-midi et nous n'allons donc prendre aucune décision ce jour.*
La décision est attendue aux alentours de 11 h le mercredi 1er septembre. »

L'affaire prend un tournant inattendu le mercredi 1er septembre 2010, lorsque Marianne Ny, procureure en chef, décide de rouvrir l'enquête.

• Décision de révision pénale dans l'affaire Assange, le mercredi 1er septembre 2010

La procureure Marianne Ny décide que l'enquête sur le viol doit reprendre. Elle décide également que l'enquête sur le harcèlement doit être élargie et inclure tous les événements de la plainte.

« *Sur la base de la nouvelle décision du procureur, le 25 août 2010, je décrète que l'enquête concernant la plainte K246314-10 est reprise.*

L'enquête relative à la plainte K246336-10 concernant une affaire qualifiée de harcèlement est étendue pour déterminer d'autres événements figurant dans la plainte et qualifiés de contrainte sexuelle et de harcèlement sexuel.

Nous avons étudié l'affaire et j'estime qu'il y a, d'une part, une raison de penser qu'une infraction relevant de l'action publique a été commise. Il y a également des raisons d'effectuer des actes d'enquête supplémentaires. D'autre part, j'ai une autre évaluation de la qualification. »

Marianne Ny sera la directrice d'enquête dans cette affaire. Elle sera assistée par la vice-procureure Erika Leijnefors au parquet de Västerorts à Stockholm. Erika Leijnefors sera en contact permanent avec les enquêteurs de la police et sera chargée de l'enquête. Toutes les actions importantes, telles que les décisions sur d'éventuels moyens de contrainte ainsi que la finalisation de l'enquête, seront menées par Marianne Ny.

Maître Borgström, l'avocat des deux plaignantes, déclare de son côté que ce n'est pas la première fois qu'un homme, ayant forcé une femme à avoir un rapport sexuel non protégé, doive faire face à ce type d'accusation, et ce, conformément à la législation suédoise sur le viol.

Julian Assange ne réagit pas directement à ce retournement de situation. Mais son avocat suédois, Leif Silbersky, réputé pour défendre les affaires les plus controversées, s'est exprimé dans le journal l'*Expressen* :

« Je suis maintenant réellement surpris. Je croyais qu'Eva [Finné] était une procureure qualifiée et compétente qui avait tiré les conclusions adéquates à partir des informations dont elle disposait. Une autre procureure déclare maintenant que ce n'est pas ce qu'elle a fait. Nous sommes de retour au point de départ – le cirque continue. »

L'avocat a ajouté que M. Assange est toujours en Suède, « fâché et déçu » par le système légal du pays.

Traquenard ? L'affaire a rapidement provoqué la controverse. Les sympathisants d'Assange et de WikiLeaks restent persuadés qu'il est la victime et les deux femmes, les complices d'une vendetta américaine. Les États-Unis chercheraient en effet à punir WikiLeaks d'avoir diffusé sur Internet des centaines de milliers de documents américains secrets.

Cette possible conspiration contre Julian Assange est à tout le moins une étrange coïncidence, car elle s'organise au moment même où Julian Assange inquiète le gouvernement américain. Cela peut aussi signifier que le bureau des procureurs suédois a subi une pression politique.

Maître Borgström déclare qu'Assange, en évoquant une conspiration politique, a fait de ses deux clientes deux femmes

désormais vilipendées voire menacées de mort via Internet.
Seuls Assange et les deux plaignantes sont pourtant bien placés
pour savoir qu'il ne s'agit nullement d'une manigance de la CIA
ou de l'administration Obama.

35

Affrontements de vérités

Le récit des deux Suédoises qui accusent Julian Assange est truffé d'incohérences. Ses défenseurs sont persuadés qu'il est victime d'un piège. Julian Assange confirme et a ouvertement accusé le Pentagone dans les pages de l'*Aftonbladet*. Hormis son avocat, peu osent se prononcer en Suède. Pas même les membres du parti Pirate qui ont pourtant accueilli un temps les serveurs de WikiLeaks et qui continuent de défendre le site. Le 21 août 2010, dans un communiqué, Anna Troberg, la présidente du parti, a seulement avancé :

« Si nous ne voulons pas jeter Assange aux loups, nous ne voulons pas non plus remettre en question les deux femmes qui ont porté plainte contre lui. »

Le coordinateur du groupe WikiLeaks à Stockholm, un collègue proche d'Assange, a déclaré :

« Il s'agit d'une enquête de police habituelle. Laissons la police découvrir ce qui s'est réellement passé. Bien sûr, les ennemis de WikiLeaks pourraient utiliser cette affaire, mais elle commence avec les deux femmes et Julian. Ce n'est pas la CIA qui a envoyé une femme en mini-jupe. »

Coïncidence ou acharnement ? Une chose est sûre : la complexité de la loi suédoise sur le viol est au centre de l'affaire.

Dépositions croisées. Relevé de certaines incohérences flagrantes.

Julian et Anna ont eu des relations sexuelles, mais le préservatif s'est déchiré. Anna reproche à Julian de ne pas avoir interrompu leurs rapports malgré ça. Cependant, on observe qu'à aucun moment, pendant la semaine qui a suivi, Anna n'a demandé à Julian de quitter les lieux. Elle l'a autorisé à rester sous son toit encore quelques jours et a même organisé en son honneur une *kräftskiva* pendant laquelle elle a lancé le *tweet* qu'elle passait une soirée agréable en compagnie des gens les plus cool de la planète. Elle tentera par la suite d'effacer son message. Quand Assange a été interrogé par la police à ce sujet, il a admis avoir eu des relations sexuelles avec Anna Ardin mais il a dit ne pas avoir déchiré le préservatif et ne pas s'être rendu compte qu'il était fissuré.

Le jour de la conférence, était assise au premier rang Sofia Wilén. Elle s'est invitée au déjeuner donné en l'honneur d'Assange. En réalité, les versions divergent, l'une avance que la jeune femme de 27 ans s'est imposée, l'autre que c'est Assange lui-même qui l'a invitée. Il est clair en tout cas qu'elle a su attirer l'attention de l'homme.

Nick Davies a confirmé, dans les pages du *Guardian*, que les deux femmes, Sofia et Anna, étaient présentes à ce déjeuner. Et que la première a appelé la deuxième pour savoir si elle pouvait assister au séminaire. Troublant.

Poursuivons. Au petit matin de la nuit qu'ils ont passée ensemble dans son appartement d'Enköping, Julian et Sofia ont fait l'amour, mais cette fois-là, selon les déclarations de la jeune femme, elle était endormie et Julian, lui, ne voulait pas utiliser de préservatif. Leur désaccord ne les a pas empêchés de prendre le petit déjeuner ensemble. Sofia a même raccompagné Assange jusqu'à la gare, sur son vélo et a payé, une deuxième fois, le billet de train. Pourtant, l'événement était important pour Mlle Wilén. Auparavant, elle n'avait jamais eu de rapports sexuels sans protection. Son ex-petit ami, interrogé par la police, a confirmé qu'en deux ans et demi de relation, ils n'avaient jamais fait l'amour sans préservatif car, pour elle, c'était « inimaginable ».

On peut s'étonner qu'après avoir eu les rapports sexuels qu'elles décrivent dans leurs dépositions, les deux femmes aient continué à être en contact avec leur présumé violeur.

En effet, entre les 13 et 20 août 2010, rien ne s'est passé. Aucune des deux femmes ne s'est manifestée ou n'a décidé de porter plainte. Il a fallu attendre plusieurs jours pour qu'Anna et Sofia, qui soi-disant ne se connaissaient pas, poussent ensemble les portes d'un commissariat afin de porter plainte pour viol. Seulement après avoir découvert qu'elles avaient toutes les deux eu des relations sexuelles avec le même homme et vécu une expérience similaire.

Pour les avocats de Julian Assange, la situation est limpide.

« *Nous comprenons que les deux plaignantes ont admis avoir initié les rapports sexuels consentants qu'elles ont eus avec M. Assange. Elles ne se plaignent d'aucune blessure physique. La première plaignante n'a pas porté plainte au cours des six jours suivants (jours au cours desquels elle a hébergé l'accusé chez elle – en réalité dans son lit – et a parlé de lui, à ses amis, dans des termes fort chaleureux). La seconde plaignante, également, n'a pas été capable de porter plainte au cours des jours suivants, c'est-à-dire avant qu'elle ne rencontre la première plaignante. Elle scande qu'après plusieurs rapports sexuels consentis, elle s'est endormie et elle pense que l'accusé a alors éjaculé sans utiliser de préservatif – une éventualité dont elle a ri avec lui après l'acte.*

Les deux plaignantes assurent qu'elles n'ont pas porté plainte afin que Julian Assange soit poursuivi, mais pour obtenir qu'il fasse un test IST. Toutefois, son avocat suédois a obtenu la preuve que les deux femmes ont échangé des SMS confirmant qu'elles espéraient bien gagner de l'argent en contactant divers journaux tabloïds et qu'elles étaient animées par toutes sortes de sentiments, dont un désir de vengeance. »

Autre révélation d'une amie d'Anna Ardin à la police. Lors de la *kräftskiva*, celle-ci s'est confiée à sa copine sur le préservatif déchiré et la relation non protégée qu'elle avait eue avec son invité. Pendant ce dîner chez elle, elle a révélé, à un autre ami, qu'elle avait eu avec Assange la pire relation sexuelle possible.

« Non seulement cela a été un échec retentissant, mais cela a aussi été violent. »

Dans ce cas, pourquoi organiser une soirée en l'honneur d'Assange ? Anna Ardin a confirmé dans sa déclaration qu'il avait déchiré sciemment le préservatif. Elle a confié à une amie qu'il était resté dans son appartement, mais qu'ils n'avaient plus eu de rapports sexuels car il avait « dépassé les limites de ce qu'elle pouvait accepter » et qu'elle ne se sentait pas en sécurité.

Par ailleurs, les SMS échangés entre les deux jeunes femmes la dernière semaine d'août 2010 sont apparus favorables à la défense de Julian Assange. Björn Hurtig, son avocat suédois, a pu lire certains de ces échanges entre Anna Ardin et Sofia Wilén. Il n'a pas été autorisé à les copier ou à les prendre en notes. On y lit cependant que Wilén pensait contacter l'*Expressen*, un ami lui ayant suggéré qu'elle pourrait obtenir beaucoup d'argent pour dévoiler son histoire. Marianne Ny, la procureure, n'a pas divulgué tous les documents liés à l'affaire et, en particulier, les SMS échangés entre les deux accusatrices. Pourtant, avant que ne soit prise la décision de poursuivre un inculpé, la loi l'autorise à examiner tous les documents disponibles, et ce, dès que la procédure de poursuite est engagée.

Julian Assange est probablement un homme avec un grand appétit sexuel qui exploite sa récente célébrité auprès de la gent féminine. Mais qui sont les deux femmes qui l'accusent de viol et d'agressions sexuelles ? Peu d'informations circulent sur Sofia Wilén. Les soupçons se focalisent directement sur Anna Ardin. La blogosphère se déchaîne. C'est elle l'instigatrice du complot qui déstabilise Julian Assange !

Anna Ardin est une militante d'extrême gauche. Elle est la secrétaire politique du Mouvement Fraternité, un groupe controversé proche du parti social-démocrate. Féministe radicale, Anna Ardin s'est notamment illustrée par un *Manuel de vengeance légale ou comment saboter une relation sexuelle en sept étapes,* publié sur son blog. Courant septembre, elle a effacé toutes les traces de ce guide. Il s'agissait d'une notice humoristique à l'attention des femmes qui voudraient se venger de leurs ex-amants. En sept étapes, il serait possible de recourir à la justice et de s'assurer que la victime souffre exagérément.

Une polémique s'est installée autour de cet article et du passé de militante d'Ardin. Les écrits du *CounterPunch* ont en effet largement contribué à attiser la thèse selon laquelle la principale accusatrice d'Assange en Suède aurait un lourd passé de collaboration avec les groupes anti-Castro. À noter que *CounterPunch* est une newsletter américaine qui traite de la politique d'une manière controversée et volontairement provocatrice.

Les propos qui suivent sont ceux relatés sur *CounterPunch. org* et relayés ensuite par un grand nombre de blogs qui propagent, sans limites, l'idée qu'Anna Ardin serait un agent de la CIA.

« *Anna Ardin (la plaignante officielle) est souvent décrite par les médias comme une "gauchiste". Elle a des liens avec les groupes anti-Castro et anticommunistes financés par les États-Unis. Elle a publié son propre pamphlet anti-Castro dans la version suédoise de la Revista de Asignaturas Cubanas, publié par Misceláneas de Cuba. Depuis Oslo, le professeur Michael Seltzer souligne que ce périodique est publié par une organisation suédoise anti-Castro plutôt bien financée. Il remarque également que le groupe est relié à l'Union libérale cubaine dirigée par Carlos Alberto Montaner dont les liens avec la CIA sont ici mis en évidence. Le professeur note qu'Ardin a été chassée de Cuba en raison de ses activités controversées. À Cuba, elle a collaboré avec le groupe féministe anti-Castro Las Damas de Blanco (Les Dames en Blanc), qui reçoit des fonds du gouvernement américain. De plus, le terroriste anticommuniste convaincu, Luis Posada Carriles, est un sympathisant de ce groupe. Wikipédia cite Hebe de Bonafini, présidente des Argentine Madres de Plaza de Mayo, déclarant que "lesdites Dames en blanc soutiennent le terrorisme des États-Unis". »*

« En plus de son penchant anti-Castro et pro-CIA, Anna Ardin, apparemment, s'adonne à son sport favori qui consiste à calomnier les hommes. Un forum suédois rapporte qu'elle est experte en harcèlement sexuel et qu'elle maîtrise les "techniques de répression" masculines. Ainsi, alors qu'elle donnait une conférence, un étudiant dans la salle regardait ses notes plutôt que de la regarder elle. Anna Ardin l'a dénoncé pour harcèlement sexuel car il l'avait discriminée en tant que femme et avait usé de l'une des "techniques de répression" masculines afin qu'elle se sente invisible. Dès que l'étudiant a été averti de sa plainte, il l'a contactée pour s'excuser et s'expliquer. La réponse d'Ardin a été, une fois encore, de le dénoncer pour harcèlement sexuel car il avait

de nouveau joué des "techniques de répression" masculines, cette fois-ci en dépréciant ses sentiments. »

Ces extraits sont écrits par Israël Shamir, journaliste répertorié négationniste et antisémite, qui écrit aussi sous les noms d'Adam Ermash ou de Jöran Jermas.

Il est intéressant d'écouter ce qui se dit en certains lieux de Stockholm. Ne serait-ce qu'en tendant l'oreille, nous avons compris bien des choses…

Il est tout d'abord important de noter que, bien qu'il ne soit pas actuellement au pouvoir, le parti social-démocrate est le plus grand parti politique suédois, et ce, depuis longtemps. Il prend racine dans le socialisme, mais a toujours été un parti démocratique, à la différence de divers mouvements et partis gauchistes et communistes. En raison de cet héritage, les membres du parti social-démocrate ont tendance à être extrêmement suspicieux vis-à-vis du communisme. Cela se reflète également dans l'opinion générale socio-démocrate suédoise concernant Cuba et Castro. Pour un Suédois social-démocrate, il est tout à fait normal d'être anti-Castro.

D'autre part, au cours des dernières années, le féminisme a été adopté comme une partie prenante de la démocratie sociale (et, par conséquent, de la plupart des partis politiques). Tout simplement, cela signifie que l'on reconnaît que les femmes, à travail égal, sont moins rémunérées que les hommes, qu'elles sont sous-représentées aux postes clés de la société, et qu'il est nécessaire d'intervenir pour remédier à cette situation. Cela est à peine radical ou extrémiste.

Il y a ceux, en Suède, qui se situent à gauche du parti social-démocrate, qui ont une perception plus positive du régime de Castro à Cuba et qui considèrent l'actuel gouvernement cubain comme légitime. Cependant, ils représentent une minorité marginale en Suède. Il y a aussi quelques conservateurs qui n'adhèrent pas à l'analyse des féministes. Cependant, eux aussi sont peu nombreux.

À partir de là, Mlle Ardin doit être considérée comme une socio-démocrate suédoise lambda, bien qu'il serait également vrai de dire qu'elle a fait preuve d'une véritable passion pour les deux débats.

La rumeur selon laquelle Mlle Ardin aurait accusé M. Assange d'agression sexuelle en participant à un pot aux roses organisé par la CIA semble tout simplement absurde. D'après plusieurs sites Internet conspirationnistes, la rumeur se fonde sur les rencontres entre Ardin et Les Dames en blanc, un mouvement cubain d'opposition, qui réunit les épouses et d'autres femmes proches des dissidents emprisonnés, et qui écrit sur Cuba dans les journaux. D'après certaines sources, les Dames en blanc ainsi que lesdits journaux sont financés par la CIA.

Un ami de Mlle Ardin nous a confié :

> *« Je n'ai aucune idée quant à la manière dont la CIA tente – si tant est que ce soit vrai – d'abattre le régime de Castro. Cependant, l'idée semble farfelue qu'ils espèrent accomplir quoi que ce soit en soutenant les rencontres de Mlle Ardin avec des dissidents cubains ou en encourageant ses écrits sur Cuba. Elle n'est simplement pas aussi importante que cela.*

La Anna Ardin que je connais est une personne intelligente et passionnée de politique. Être une fervente partisane des idéaux portés par WikiLeaks lui correspond tellement plus que de souhaiter causer du tort à ce site ou à son évolution. Ceci considéré, je ne crois pas qu'elle se tairait si elle avait le sentiment qu'elle ou une personne qu'elle connaît ait subi un tort quelconque.

En Suède, nous avons une expression sur l'importance de toujours garder en tête deux idées au même moment. Dans ce cas, je dirais qu'il est tout à fait possible que Mlle Ardin soit une fervente partisane de WikiLeaks et qu'elle admire le travail de M. Assange, mais qu'elle soit tout aussi déterminée à ce que justice soit faite à propos de ce qu'elle a vécu comme un affront de sa part.

Dans le doute, il est souvent préférable de se référer au principe du rasoir d'Occam ; l'explication la plus simple est probablement la bonne. Il semble donc bien plus plausible que – en raison de différences culturelles ou de malentendus – M. Assange se soit sexuellement comporté d'une manière non désirée vis-à-vis de ces deux Suédoises plutôt qu'elles l'aient pris dans un piège coordonné par la CIA. »

36

Vers la reddition

« Cette affaire entrera dans l'Histoire comme l'affaire du préservatif. »

C'est ainsi que James Catlin, l'ancien avocat australien de Julian Assange, résume cette affaire de « viol », bien plus complexe qu'il n'y paraît.

En effet, Julian Assange soupçonnait une intervention politique et elle se confirme lorsque la décision de la procureure générale Marianne Ny est prise le 1er septembre 2010. Passant outre la décision d'Eva Finné, celle-ci restaure les allégations initiales, avançant que la charge de viol était celle appropriée.

Mark Stephens, l'avocat d'Assange à Londres, avance, quant à lui, mais sans autre détail, qu'un « haut responsable politique » a initié la réouverture de l'affaire. À demi-mot, il fait référence à l'influence qu'aurait pu exercer Claes Borgström, l'avocat des deux plaignantes.

Des experts légaux suédois, eux, pensent que cette décision n'a rien d'exceptionnel, surtout depuis les trente dernières années où le mouvement féministe a permis la refonte des lois sur les agressions sexuelles, permettant ainsi une meilleure protection des femmes. Soulignons d'ailleurs que la procureure Marianne Ny, en charge de l'affaire Assange, milite pour une réforme des lois suédoises sur le viol, et notamment pour leur extension au refus de porter un préservatif. Elle a donc relancé l'enquête pour viol et agression sexuelle. Julian Assange encourt une peine de quatre ans de prison.

Dès le mois de septembre 2010, l'homme soupçonné a demandé à être représenté par un autre avocat en Suède, en l'occurrence Björn Hurtig. Il estime en effet que Leif Silbersky ne l'a pas défendu avec assez d'ardeur. Björn Hurtig a précédemment collaboré avec l'ambassade des États-Unis à Stockholm. Né en 1965, cet avocat est devenu membre du barreau suédois en 2002. Il a plusieurs affaires conséquentes à son actif.

Claes Borgström, l'avocat des deux plaignantes, de son côté, soutient qu'il y a évidence de viol dans les deux cas. Il avait lui-même demandé que l'affaire soit révisée par un procureur du *Prosecution Development Centre* de Gothenburg.

• Avancement de l'affaire Assange le vendredi 3 septembre 2010
   Aucune nouvelle clarification ne peut encore être donnée.
   « *Je ne peux fournir de nouvelles clarifications sur cette affaire. Aucune information ne sera fournie pendant le week-end.* », déclare la procureure Marianne Ny, directrice de l'enquête.

Interview exclusive de Julian Assange le mardi 7 septembre 2010
   Assange témoigne pour la chaîne suédoise *NV4* dans une interview exclusive. Il refuse d'évoquer sa vie privée comme celle d'autres personnes. Il nie également avoir jamais forcé la main de qui que ce soit. D'autre part, il ne pense pas que les

jeunes femmes soient sous l'influence de la CIA ni qu'elles aient été incitées à l'accuser.

L'Australien se dit également inquiet car il a effectué une demande de permis de séjour deux jours avant d'être accusé de viol, et il se demande s'il pourrait être arrêté à l'aéroport s'il tentait de quitter le pays.

Le lendemain, nouvelle contestation de Julian Assange

Le mercredi 8 septembre 2010, Julian Assange déclare :

« La totalité de cette enquête a été menée sans ma contribution. Personne ne m'a interrogé sur cette affaire. La police refuse de dire s'il y a un mandat d'arrêt contre moi, ou non. J'ai tout appris par la presse. Cela dure depuis deux semaines maintenant. »

• Avancement de l'affaire Assange le jeudi 9 septembre 2010

« Le travail d'enquête progresse mais actuellement et, dans la semaine qui suit, je ne pourrai fournir de nouvelles clarifications sur cette affaire. », déclare la directrice de l'enquête, la procureure Marianne Ny.

• Avancement de l'affaire Assange au 24 septembre 2010

Le travail d'enquête se poursuit et est assez avancé à ce jour. Quelques recherches restent encore à effectuer avant qu'une décision concernant les poursuites puisse être prise.

Le 27 septembre 2010, Assange quitte la Suède.

• Avancement de l'affaire Assange au 29 septembre 2010

« *Il est encore impossible de se prononcer sur le moment où une décision sera arrêtée. En considération de la confidentialité de l'enquête et des personnes concernées, aucune information plus détaillée concernant l'enquête ne peut être fournie pour l'instant.* », déclare ce jour-là la procureure Marianne Ny.

• Avancement de l'affaire Assange au 22 octobre 2010

La procureure Marianne Ny donne alors une brève description de la situation :

« *Le travail d'enquête a progressé mais il y a encore certains actes à effectuer avant de prendre la moindre décision. Il est impossible de se prononcer sur le moment où une décision sera arrêtée. Elle peut être prise dans un futur proche ou elle peut encore nécessiter du temps.* »

Le même jour, des documents secrets sur la guerre en Irak, les *Iraq War Logs,* sont diffusés par le *Guardian*, le *New York Times* et *Der Spiegel*.

Le 30 octobre 2010, la demande d'Assange de permis de travail et de résidence en Suède est refusée.

• Avancement de l'affaire Assange au 4 novembre 2010

L'affaire suit son cours mais la procureure Marianne Ny déclare qu'il lui est toujours impossible de se prononcer ou de donner plus de détail en raison du secret professionnel qui s'impose à elle.

Julian Assange est alors en Suisse, où il déclare, lors d'une interview en direct à la TSR, qu'il envisage de demander l'asile politique dans ce pays. À partir de là, Assange se rend au Royaume-Uni pour travailler sur le lancement des câbles diplomatiques américains.

• Le 18 octobre 2010, lancement d'un avis de recherche sur Assange

La procureure Marianne Ny dépose une requête auprès du tribunal de première instance de Stockholm afin d'obtenir, par défaut, un mandat de dépôt à l'encontre de Julian Assange.

Le tribunal de première instance décide alors, par défaut, de placer Assange sous mandat de dépôt pour viol, harcèlement sexuel et contrainte illicite.

En conséquence de cette décision, Assange doit désormais être recherché à l'étranger.

En considération de l'enquête et des parties concernées, la procureure n'a pas la possibilité de fournir des informations plus détaillées concernant les infractions suspectées et les actes d'enquêtes effectués.

« *Je demande que le Tribunal de première instance place Assange sous mandat de dépôt par défaut, pour les chefs de viol, harcèlement sexuel et contrainte illicite. Ceci est fondé sur la nécessité de l'interroger dans le cadre de l'enquête, ce qui n'a pas pu être réalisé.* », déclare la directrice de l'enquête, la procureure Marianne Ny.

Cependant, l'audience pour la délivrance d'un mandat d'arrêt à l'encontre de Julian Assange doit avoir lieu ce même jour, à 14 h, au tribunal de première instance de Stockholm.
Ensuite, des informations supplémentaires seront publiées sur le site www.aklagare.se. Marianne Ny sera alors également joignable par téléphone.

La réaction de chacune des parties est immédiate.
Hurtig, l'avocat d'Assange, s'exprime le premier :
« *Bien sûr que [Julian Assange] nie toutes ces allégations [...] et nous ne pensons pas que demander son arrestation soit une mesure proportionnelle et justifiée pour un simple interrogatoire. Un interrogatoire pouvait être organisé de "plusieurs façons"* ».
Il fulmine en proclamant que son client a tout fait pour aider la justice suédoise.
La procureure Ny, quant à elle, estime « avoir épuisé toutes les procédures pour mettre en place un interrogatoire. » Et Borgström s'exclame : « Enfin, cela [le mandat d'arrêt] aurait dû être fait plus tôt ». Mark Stephens, de son côté, ne se prive pas non plus. Il accuse le parquet suédois de conduire « *non pas une instruction mais une persécution.* »
Julian Assange, qui est alors en Grande-Bretagne, se dit prêt à répondre aux questions de la justice suédoise mais pas n'importe quand, car « il a son propre agenda et beaucoup de travail », selon Björn Hurtig. Stephens conclut : « Toutes ses offres ont été catégoriquement refusées par un procureur qui abuse de son pouvoir. »

Le 22 novembre 2010, Assange a fait appel de la décision
de placement en détention rendue par défaut par le tribunal
de première instance. La cour d'appel suédoise a été saisie de
l'appel de cette décision. Le lundi après-midi, la cour d'appel a
exigé l'avis du procureur.

Marianne Ny refuse de coopérer avec l'avocat suédois de
Julian Assange qui a pourtant plusieurs fois cherché à rendre
son client disponible pour un interrogatoire lorsque celui-ci
était encore en Suède. Marianne Ny refuse la proposition de
Julian Assange de répondre à ses questions par téléphone ou par
tout autre moyen de communication adéquat puisqu'il est en
Angleterre.

• Le 24 novembre 2010,
    la cour d'appel a statué sur l'appel et décidé qu'Assange
    devait être maintenu en détention, suspecté de viol, de
    harcèlement sexuel dans deux cas et de contrainte illicite.
    L'avis de recherche et le mandat d'arrêt international vont
    être modifiés en conséquence.
    En considération de l'enquête et des parties concernées, le
    procureur n'a pas la possibilité de donner des informations
    plus détaillées concernant les infractions suspectées et les
    actes d'enquêtes effectués jusqu'à présent.

Évolution de la situation à la fin du mois de novembre 2010
Le 28 novembre 2010, les premiers câbles diplomatiques
américains sont diffusés, d'abord à travers les cinq médias de
l'alliance, puis relayés partout dans le monde.

Le 30 novembre 2010, Interpol lance une alerte rouge sur la personne de Julian Assange, et ce, sur la base du mandat d'arrêt suédois. Cet arrêt requiert l'arrestation de la personne recherchée, où qu'il soit dans le monde, en vue de son extradition.

Sur le site Internet d'Interpol, il est précisé :

« Une alerte rouge d'Interpol ne constitue pas un mandat d'arrêt international. Ces alertes rouges diffusées par Interpol ne représentent qu'une part infime de toutes les alertes rouges administrées par Interpol. Les personnes concernées sont recherchées par des juridictions nationales (ou par les tribunaux criminels internationaux, lorsqu'appropriés) et le rôle d'Interpol est d'accompagner les forces de polices nationales dans la recherche et l'identification de ces personnes en vue de leur arrestation et de leur extradition. Ces alertes rouges autorisent la diffusion du mandat d'arrêt à travers le monde en spécifiant que la personne recherchée doit être arrêtée à des fins d'extradition. La personne doit être considérée comme innocente avant que sa culpabilité ne soit établie. »

Björn Hurtig estime que « d'autres motifs, liés à WikiLeaks, seraient derrière cette décision ». Mark Stephens, quant à lui, déclare :

> *« Le pot aux roses a été révélé... Après tout ce que nous avons vu jusque-là, vous pouvez raisonnablement en déduire qu'il s'agit d'une machination à plus grande échelle. »*

L'avocat attribue les allégations à l'encontre d'Assange aux forces du mal. Assange, lui, continue d'insister sur le fait qu'il n'a rien fait de déplacé et que ses rapports sexuels avec les deux femmes étaient consensuels.

Nick Davies, le journaliste britannique, témoigne lui aussi sur le sujet :

« Le Guardian comprend que la récente décision suédoise de recourir à un mandat d'arrêt international découle de la décision qu'a prise Assange de quitter la Suède à la fin du mois de septembre et de ne pas y retourner pour un rendez-vous déjà planifié, et ce, alors qu'il devait être interrogé par la procureure. Les partisans d'Assange ont nié ce fait, mais Assange lui-même a raconté à ses amis à Londres qu'il était supposé aller à Stockholm pour un interrogatoire de police la semaine du 11 octobre 2010, mais qu'il a décidé de s'en tenir éloigné. Les documents de la procédure que le Guardian a pu consulter rapportent qu'il devait être interrogé le 14 octobre 2010. »

• Mandat d'arrêt européen émis à l'encontre d'Assange le 2 décembre 2010

La procureure Marianne Ny confirme ce jour-là qu'un mandat d'arrêt européen a été émis à l'encontre de Julian Assange. Elle ne peut cependant donner d'information supplémentaire pour des raisons de confidentialité.

La cour suprême a décidé de ne pas accorder une possibilité d'appel à Assange. Des éléments complémentaires doivent être envoyés à la police britannique.

Julian Assange fait l'objet d'un mandat d'arrêt par défaut pour viol, harcèlement sexuel et contrainte illicite. Assange a contesté cette décision de la cour d'appel.

Pour que la cour suprême statue sur un appel, il faut une autorisation. Cette dernière peut être délivrée si l'affaire a une grande importance pour l'application de la loi ou pour d'autres raisons particulières.

Le mandat d'arrêt est fondé sur la décision d'arrestation qui a maintenant été validée par les trois instances. Les informations complémentaires exigées par la police britannique concernent les peines liées aux autres infractions, en dehors du viol, pour lesquelles Julian Assange est poursuivi. Les informations exigées vont être transmises au plus vite. Le précédent mandat d'arrêt reste en vigueur.

Julian Assange est désormais l'un des hommes les plus recherchés du monde. Actuellement, il se trouverait dans le sud-est de l'Angleterre. « Quand vous recevez tellement de menaces d'assassinat, il vaut mieux rester discret », confie Kristinn Hrafnsson, porte-parole de WikiLeaks. Selon l'Islandais, il ne cherche pas à fuir la justice suédoise, mais il craint pour sa sécurité.

• Rapport sur le mandat d'arrêt européen au 6 décembre 2010
    Marianne Ny a transmis les informations complémentaires que la police britannique demandait. L'affaire est désormais gérée par les autorités répressives compétentes, conformément à

la réglementation européenne. La procureure, pour l'instant, ne donnera pas d'informations supplémentaires concernant l'exécution du mandat d'arrêt.

• Déclaration de la procureure Marianne Ny le 7 décembre 2010
La police britannique a arrêté Julian Assange. À la suite des évènements de ce jour, Marianne Ny déclare :
« *Hormis l'arrestation, il n'y a rien de nouveau dans l'enquête, mais cette arrestation était une condition pour que nous puissions avancer. Je ne peux divulguer ce qui va se produire maintenant dans l'enquête. Pour l'instant, l'affaire est traitée par les autorités britanniques.*
Je tiens à préciser que je n'ai fait l'objet d'aucune pression, à caractère politique ou autre. J'agis en tant que procureure en raison des suspicions concernant des crimes sexuels ayant été commis en Suède au mois d'août. Les procureurs suédois sont entièrement indépendants dans leur décision. »

Le 7 décembre 2010, devant la cour anglaise, Gemma Lindfield, la représentante des autorités suédoises, détaille les quatre chefs d'accusation retenus contre Julian Assange. À savoir, la « contrainte illicite » et l'« agression sexuelle » exercées à l'encontre de Mlle Ardin la nuit du 14 août 2010, d'abord en lui maintenant fermement les bras, puis en l'obligeant à avoir un rapport sexuel non protégé. Julian Assange est également accusé d'« agression volontaire » sur la personne d'Anna Ardin. Enfin, il lui est reproché d'avoir, le 17 août 2010, « abusivement exploité » le fait que Sofia Wilén dormait afin d'avoir une relation sexuelle non protégée avec elle.

Gemma Lindfield ajoute que la libération sous caution devrait être refusée à Assange, en raison de son « nomadisme », des contacts qu'il a dans le monde entier et de l'argent dont il dispose grâce à des donateurs nombreux, mais aussi parce qu'il a déjà refusé de se soumettre à un test ADN ou de donner ses empreintes digitales. Gemma Lindfield souligne d'autre part que cela permettrait d'assurer la protection de l'inculpé, que des personnes instables pourraient vouloir blesser sérieusement.

En ce 7 décembre 2010, Julian Assange est donc derrière les barreaux. Il s'est livré en début de matinée, et a comparu à 14 h devant un tribunal de Westminster assailli par les journalistes.

Après avoir souligné « l'extrême gravité des accusations » portées contre lui, le juge Howard Riddle refuse sa demande de mise en liberté conditionnelle, car le prévenu a « les moyens et la capacité de s'enfuir ». Julian Assange est maintenu en détention dans l'attente d'une nouvelle comparution, fixée au 14 décembre 2010.

Pendant ce temps, l'organisation WikiLeaks fait face aux offensives venues de toutes parts : cyberattaques, fermetures de domaines et interdits bancaires. Julian Assange a cependant assuré avoir pris toutes les dispositions pour garantir la poursuite des fuites, et ce, quel que soit son sort personnel.

Et James Ball, un journaliste britannique collaborant avec WikiLeaks, de déclarer : « Tout est prévu, tout ça va continuer comme jamais. »

Julian Assange dort, ce soir-là, dans une cellule. Il risque jusqu'à quatre ans de prison.

37

Derrière les barreaux

Derrière les barreaux

Publié le <u>20 décembre 2010</u> by <u>sophox</u> | <u>Laisser un commentaire</u>

 **Rate This**

Julian est sorti de prison ce jeudi soir, le 16 décembre. Incarcéré le 7 décembre en Grande-Bretagne, en vertu d'un mandat d'arrêt européen émis par la justice suédoise. Il est poursuivi pour viol, violences sexuelles et coercition. Il pourrait être extradé dans les prochaines semaines en Suède. Assange a toujours nié ces accusations, dénonçant une campagne de dénigrement à son égard suite à la révélation de milliers de documents diplomatiques confidentiels américains. « Cela ne me plaît pas de voir le mot "viol" à côté de mon nom. Je n'ai jamais eu de relations sexuelles sans consentement », clame-t-il haut et fort. Il risque tout de même quatre ans de prison pour « viol de moindre gravité ».

« C'est génial de humer l'air frais de Londres », a plaisanté Julian à propos de son séjour forcé dans la « cellule d'isolement d'une geôle victorienne ».

Il est sorti en payant une caution de deux-cent-mille livres sterling, collectée par ses amis et sympathisants. Cela n'a pas été facile de rassembler une telle somme. C'est pour cela d'ailleurs que sa libération a été retardée d'au moins deux jours. Deux-cent-quatre-vingt-trois-mille euros à débourser, dont deux-cent-mille devaient être versés en liquide. Plusieurs personnalités, comme le cinéaste britannique Ken Loach, figure de la gauche anglaise, ont mis la main à la poche. La belle Jemima Khan, ex-épouse de la star du cricket Imran Khan, ambassadrice de l'UNICEF et aristocrate fortunée proche de feu Lady Diana, ou encore le réalisateur américain Michael Moore font partie des bailleurs de fonds.

« C'est un montant considérable et ce qui est malheureux, c'est qu'il ne peut pas utiliser de Mastercard ou de Visa » pour l'aider à réunir ces fonds, a souligné, avec une touche de moquerie, l'avocat Mark Stephens. Il fait allusion ici au fait que les deux émetteurs de cartes bancaires américains ont bloqué dernièrement les virements vers le site WikiLeaks.

Assange est donc sorti de prison « En croyant en la justice britannique ». « J'espère poursuivre mon travail », a dit le fondateur de WikiLeaks sur les marches du bâtiment de la Haute Cour, après neuf jours de détention. Il veut prouver son innocence, c'est pour cela qu'il s'est rendu à la police le 7 décembre dernier.

En attendant, après le cachot, la vie de château. Assange séjourne dans un manoir à deux heures de route de Londres, dans le Norfolk, à Ellingham Hall.

C'est Vaughan Smith, par ailleurs propriétaire du cercle de journalistes londonien *Frontline Club*, qui le loge dans son manoir ancestral, situé dans un parc boisé, au bord d'un étang. Son hôte, l'ancien officier devenu correspondant de guerre, précise toutefois que la connexion Internet de son domicile n'est pas bonne.

C'est une prison dorée, en réalité, car sa liberté conditionnelle est assortie de contrôles très stricts : bracelet électronique de surveillance, couvre-feu et il doit se présenter tous les jours dans un poste de police. Il pointe tous les jours entre 14 h et 17 h au commissariat de police de Beccles. Dans le comté du Suffolk, Beccles est une petite bourgade située à quelques encablures des côtes de la mer du Nord, à une quinzaine de minutes d'Ellingham Hall.

Julian ne peut plus accorder d'entretien à son domicile, son avocat le lui a interdit. Il ne peut également plus parler du procès, seuls ses représentants légaux sont désormais habilités à le faire. Mais on peut l'aborder dans sa petite voiture noire quand il se rend au commissariat.

Il « trouve ses marques dans la maison » d'une dizaine de chambres, déclare Vaughan Smith. « Il travaille, mais je ne suis pas au-dessus de son épaule pour voir ce qu'il fait. Je suis son hôte, pas son geôlier », ajoute le propriétaire du domaine.

Pour M. Smith, l'innocence de son hôte ne fait pas de doute. Il croit en son combat. « Assange a ouvert une brèche qui va changer le monde. De plus en plus de gens veulent que les gouvernements soient plus ouverts. Le résultat est que le monde pourrait en devenir meilleur », explique-t-il.

Julian s'est installé dans la demeure avec une poignée d'amis, dont le porte-parole de WikiLeaks, Kristinn Hrafnsson.

Son passeport lui a été retiré. Il reste disponible pour les autorités suédoises, car il croit que toute cette affaire est simplement et purement un coup monté des Américains.

Un expert des services de renseignements français n'écarte pas cette hypothèse : « Les Suédois tentent de lui "monter un chantier". Ils veulent lui briser les reins pour l'exemple et afin qu'il cesse tout tapage médiatique à l'avenir. » Il est vrai qu'il aura moins de temps pour provoquer les gouvernements occidentaux s'il doit batailler avec ses avocats pour assurer sa défense.

Au départ, deux jeunes Suédoises, Anna Ardin et Sofia Wilén. Reproche adressé à Julian : avoir refusé d'utiliser des préservatifs lors de leurs rapports sexuels. C'était mi-août dernier, lors d'un séminaire à Stockholm, en Suède. Elles sont les deux grandes accusatrices de Julian Assange.

Ce qui me trouble, c'est qu'elles aient attendu plusieurs jours pour porter plainte, ce qui a d'ailleurs alimenté sur la toile les rumeurs les plus folles. J'ai même lu qu'Anna Ardin aurait un cousin, Mattias, soldat en Afghanistan, ayant des connexions avec la CIA. Ou que les deux jeunes femmes voudraient s'enrichir. À moins qu'elles ne souhaitent se venger d'un homme qui les aurait déçues, ou mieux, des hommes en général, car Anna serait une féministe fondamentaliste.

Aux dernières nouvelles, Anna s'est enfuie de Stockholm en direction de la Cisjordanie. Elle y vivrait dans une mission œcuménique et ne coopérerait plus ni avec la justice ni même avec son avocat. On a tout lu sur ces deux filles. Principalement sur Internet.

Je relève quelques coïncidences troublantes : l'obstination de ces femmes à rencontrer Assange, de plus, après avoir eu des rapports sexuels avec lui, elles ont continué d'être en contact avec leur présumé violeur. C'est étonnant.

Ce qui me choque, d'un autre côté, c'est l'acharnement qui s'abat sur elles sur le Web. Elles sont restées pratiquement silencieuses depuis la fin du mois d'août.

On sait très peu de choses sur Sofia Wilén. Elle aurait travaillé à mi-temps dans un musée et son petit ami serait un artiste américain du nom de Seth Benson.

Ni l'une ni l'autre n'accorde d'interviews. Depuis leur accusation de crimes sexuels, qualifiées à de nombreuses reprises de « coup monté » par Julian Assange pour discréditer WikiLeaks, les jeunes femmes vivent loin de l'attention médiatique, Sofia ayant même coupé son téléphone. Anna elle se manifeste à travers son blog, le 17 décembre : elle « fait une pause », mais annonce qu'elle s'exprimera prochainement sur le site prataomdet.se (*Prata om det* signifie « en parler »). Ce forum a été créé en décembre. On y lit des témoignages publiés depuis le début de l'affaire sur Twitter ou dans les journaux suédois de femmes qui disent avoir été victimes d'agressions sexuelles comparables.

Sur Twitter, Ardin se contente d'écrire qu'elle est « la vraie » Anna Ardin. Finalement, le 8 décembre, elle se manifeste avec une des rares allusions à l'affaire : « Agent de la CIA, féministe enragée, baiseuse de musulmans, chrétienne fondamentaliste, lesbienne, mortellement amoureuse d'un homme : peut-on être tout cela à la fois ? »

J'ai lu que selon *Granma*, le quotidien du Parti communiste cubain, Anna est une militante féministe, elle serait une activiste anticastriste, et, selon la revue américaine *CounterPunch*, elle serait liée à la CIA, sous prétexte qu'elle aurait travaillé pour l'ambassade des États-Unis en Suède.

J'ai parlé avec des Suédois sur Facebook, notamment avec Lars qui y connaît un rayon en politique. Il connaît Anna Ardin. Nous avons échangé quelques e-mails. Il trouve que la lier à la CIA est un peu tirer par les cheveux. Ce n'est pas inhabituel en Suède pour un social-démocrate d'être anticommuniste, voire même anti-Castro. Lars m'a confié qu'Anna a fait un grand nombre de critiques sur la politique étrangère des États-Unis, par rapport à l'embargo sur le commerce contre Cuba par exemple, ou leur manque de critiques contre les accords israéliens sur les territoires occupés, et sur les troupes américaines en Irak et Afghanistan.

Viol, pas viol ? Je pense avant tout que cette affaire prend des proportions démesurées. L'affaire doit être entendue, puis jugée certes. La médiatiser à ce point depuis six mois, non. On confond les cadres.

Julian Assange est avant tout un homme. Il est jeune, célibataire. Je pense que c'est un homme qui a une très forte libido, une sorte de rock star. Les femmes le trouvent fascinant, ou le trouvaient certainement avant l'incident suédois, parce que ce qu'il fait est incroyablement séduisant et excitant. Il fait un pied de nez à tout l'*Establishment international*, tout seul, c'est une sorte de « Robin des Bois ». Y a de quoi craquer.

À lui tout seul, il est plus fort que quelques dirigeants des pays les plus puissants du monde. Tout cela est très attrayant. Il est magnétique. Dès lors, je pense que beaucoup de femmes le trouvent très attirant. Sofia Wilén a été attirée. Anna Ardin a été attirée. Comme bien d'autres, il en profite. Il n'a sûrement pas été à cette place-là pendant la majeure partie de sa vie et tout à coup, ça y est. Je pense qu'il rencontre beaucoup de femmes et que les accusations suédoises mettent le doigt sur son addiction au sexe. Si le compte-rendu des femmes impliquées s'avère, je ne pense pas qu'il sera accusé de viol. Les arguments sont un peu faibles, mais ils sont passablement nauséabonds.

L'histoire est assez écœurante. Ces rencontres avec ces deux jeunes filles n'ont pas l'air respectueuses. En tant que femme, j'estime qu'un « non » doit être respecté. Je pense que la demande du port de préservatif doit être respectée.

Je souris simplement à une chose : comment Julian Assange a-t-il pu violer Sofia Wilén alors qu'elle était endormie ou à moitié endormie ? C'est repris dans la Loi suédoise. Inconsciente, d'accord ; ivre, OK ; malade, je comprends ; mais endormie… Il faut un sommeil bien profond ou avoir ingurgité des somnifères ou autres substances pour se réveiller et se rendre compte qu'un homme est en train de vous faire l'amour.

Viol ou non ? De ce que j'ai lu, il n'y a pas viol, mais il y a violence. J'y vois un abus. Il y a non respect. Les filles ont eu raison de se présenter au bureau de police. Après, malheureusement pour elles, l'affaire leur a échappé. Elles ont été dépassées par les événements, quelles qu'aient été leurs intentions. Des instances bien plus hautes, bien plus intelligentes, bien plus manipulatrices ont pris leur affaire en main.

L'occasion est bien trop belle de s'attaquer au messager. Confusion évidente de cadres entre l'homme et son action.

Le combat est de toute façon perdu d'avance. Le message est lancé, et sur l'outil le plus vif connu à ce jour : l'Internet. Viral, exponentiel. Rien ne l'arrêtera.

Julian de son côté poursuit son odyssée : « Maintenant que je suis de retour pour diriger notre navire, notre travail va se poursuivre de manière plus rapide. Mais comme on l'a vu pendant mon absence, les choses sont bien en place même lorsque je ne m'implique pas directement. »

Assange a évoqué ses conditions carcérales. Brrr ça fait froid dans le dos.

Sur ses dix jours d'incarcération, Julian Assange raconte avoir été transféré à trois reprises : « J'ai tout d'abord été enfermé en détention provisoire, mais à la différence des autres prisonniers, ma cellule est restée fermée pendant toute cette période. » De la première, il a rejoint l'aile « Onslaw » qui accueille trois-cent-cinquante prisonniers « considérés comme dangereux » pour les autres et pour les gardes : ils sont soupçonnés de meurtre, de viols... Puis il a été transféré en unité d'isolement : « De peur que quelqu'un m'attaque ou me tue ». Il ajoute avoir été emprisonné aux côtés « de gens condamnés pour viols, meurtres d'enfants ».

« Chaque cellule possédait une caméra ». Chaque prisonnier était isolé. Il parle même d'un système carcéral « à la soviétique ». Avant de poursuivre : « Je ne pouvais pas sortir de ma cellule, mais de nombreux prisonniers me déposaient des mots sous ma porte. Je soulevais beaucoup la curiosité ».

Son avocat s'est aussi exprimé sur Sky News (une chaîne de télévision londonienne diffusant des nouvelles en continu) : « Il est à l'isolement. Il n'a pas accès aux journaux, à la télévision ou à d'autres médias. Il ne reçoit aucun courrier, il fait l'objet de la plus mesquine des formes de censure ».

Julian Assange évoque un système « très bureaucratique », avec des procédures qui durent « une éternité » pour passer des appels téléphoniques. Il n'a pu téléphoner que quatre fois, et jamais à son avocat.

Je me demande si pendant son séjour en prison, Julian a pensé à Alexandre Soljénitsyne. Un de ses écrivains préférés. Ce dissident russe, auteur de *L'archipel du Goulag* a vécu l'enfermement. En 1945, il est condamné à huit ans d'emprisonnement dans les camps de travail pour « activité contre-révolutionnaire ». Julian s'est-il rappelé les conditions de détention du goulag ? Terreur et tension permanentes entre prisonniers. Dosage des rations alimentaires qui entretient la faim. Destruction de la résistance physique ou morale.

Les conditions de détention de Bradley Manning sont-elles inspirées des goulags ? Assange y a-t-il pensé pendant ces neuf jours ? Il dit ne pas le connaître.

Je ne le connais pas non plus, je ne peux m'empêcher de penser à lui. Que devient Bradley Manning, le soldat de vingt-trois ans ?

Ici, je crie haut et fort que je suis révoltée. Le cas de ce jeune Américano-Britannique, aux yeux bleus et à la face juvénile, est largement occulté ces derniers mois, contrairement à la surmédiatisation des faits et gestes de Julian Assange. Détenu depuis le 29 juillet 2010, Bradley demeure seul dans sa cellule vingt-trois heures par jour, ne bénéficie que d'une promenade d'une heure et d'une autre heure pour regarder la télévision. Il est menotté aux pieds et aux mains durant les visites. Il n'a pas le droit de travailler dans la prison. Cinq mois qu'il est soumis à un isolement carcéral maximum. Avec un gardien lui demandant s'il va bien toutes les cinq minutes. La nuit, si le gardien estime qu'il ne le voit pas bien, il le réveille pour s'assurer que tout va bien. Il n'a pas le droit d'avoir un oreiller ou des draps. Les livres et magazines qu'il lit la journée lui sont enlevés la nuit. Il doit également remettre à ses gardiens la totalité de ses vêtements le soir, quand il se couche. Qu'attendent-ils pour porter plainte ?

Les conditions de détention qui lui sont infligées sont plus sévères que nécessaires et constituent selon moi, un traitement inhumain de la part des autorités américaines. Bradley devrait être entendu au début de l'année 2011, à l'occasion d'une audience préliminaire, avant de comparaître devant une Cour Martiale probablement au printemps.

Je pense que les États-Unis ne respectent pas le principe de l'obligation à la présomption d'innocence. Et les autorités militaires semblent user de tous les moyens dont elles disposent pour le sanctionner durant sa détention.

Pendant ce temps, Julian se rappelle que « les conditions de détention étaient à chaque changement de prison de plus en plus dures ». Maintenant qu'il est sorti, il dit : « C'est merveilleux d'avoir quitté le confinement et la solitude. Je suis très déterminé, car j'ai vu que nous avions reçu un soutien à l'échelle mondiale, et particulièrement en Amérique du Sud et en Australie ». En effet, Luiz Inácio Lula da Silva, le président brésilien, a déclaré que la détention du fondateur de WikiLeaks était une atteinte à la liberté d'expression. L'Équateur s'était dit prêt, quant à lui, à l'accueillir avant de revenir sur son offre. Le pays avait proposé, par la voix de son ministre des Affaires étrangères, l'asile politique à Julian Assange. Mais Monsieur Correa est revenu sur cette proposition et a même accusé le site WikiLeaks d'infraction à la loi. Selon le président équatorien, Rafael Correa, WikiLeaks a « commis une erreur en enfreignant les lois des États-Unis et en laissant filtrer ce type d'informations ».

Les déboires de Julian Assange vont probablement se poursuivre. La justice britannique doit encore examiner son extradition vers la Suède. Sans oublier l'instruction menée par la justice américaine qui tente de rassembler toutes les preuves nécessaires pour pouvoir l'inculper de conspiration.

L'Australien – qui assure recevoir des menaces de mort, tout comme son avocat et ses enfants – raconte qu'en prison, il avait le soutien de la majorité de ses gardes : « Un employé m'a un jour présenté une pancarte sur laquelle on pouvait lire : "J'ai deux héros dans la vie : Martin Luther King et vous" ».

Cette entrée a été publiée dans <u>Assange</u>. Vous pouvez la mettre en favori avec <u>ce permalien</u>.

 Be the first to like this post.

CONCLUSION

De même qu'un acteur ne cesse d'être un homme alors qu'il revêt son costume de scène, Julian Assange ne cesse pas d'être un homme lorsqu'il porte l'armure du numéro un de WikiLeaks.

Nous avons souhaité ce livre pour découvrir le sens profond de la vie de cet homme qui cherche à révéler la vérité, rien que la vérité. Sa quête est motivée par une foi inébranlable : les preuves des actions des hommes et des institutions opaques seules permettent d'en comprendre le fonctionnement et d'ouvrir la connaissance humaine. Julian Assange a ce désir farouche de réveiller les consciences, d'être un porte-parole : le premier guerrier de la vérité.

Julian Assange se révèle peu à peu en traversant les épreuves qui lui sont imposées. Et l'expérience qui lui reste à vivre est encore vaste. L'épreuve intensifie la question déjà posée lors de la traversée du seuil : où placer son ego dans le désir d'agir à un niveau mondial ? Faut-il s'exposer ou pas ? Faut-il laisser les médias vous « stariser » ou pas ?

Dès la genèse de WikiLeaks, Julian Assange a souhaité devenir un grand homme et que son œuvre ait une répercussion au plus haut niveau. Comme l'a écrit Joseph Campbell, « le premier départ pour le pays des épreuves n'était que le début d'un long chemin, véritablement périlleux, marqué de victoires initiatrices et d'instants d'illumination ». Ce livre retrace le voyage de Julian Assange avec le lancement des leaks, l'aide précieuse des sources, la reconnaissance des journalistes. Nous y faisons état des difficultés, des réactions des États, du bilan des accords avec les grands journaux et de l'affaire judiciaire qui occupe encore Julian Assange à la fin de l'écriture de ce livre. « Et pourtant, a eu lieu une multitude de triomphes préliminaires, d'extases passagères et de visions éphémères du pays merveilleux », poursuit Campbell dans *Le héros aux mille et un visages*. Nous le constatons avec les nouvelles lois sur l'information en Islande, les réactions de soutien des « Anonymous » ou les divers mouvements citoyens naissant en répercussion aux leaks.

Dans une interview donnée auprès de Mediapart le 31 janvier 2011, Julian Assange expliquait le rôle joué par WikiLeaks dans la révolution en Tunisie. Il a rendu hommage à la population sans laquelle la révolution et le changement n'auraient pas corps. Il a ensuite salué les médias satellitaires, et en particulier la chaîne *Al Jazeera* qui a retransmis les émeutes.

Quant au rôle significatif joué par WikiLeaks, il tient au fait que les câbles diplomatiques sur le sujet ont été traités et traduits en arabe par le journal libanais *Al-Akhbar*. « Or, ces câbles montraient que les États-Unis étaient prêts à soutenir l'armée contre le pouvoir politique si celui-ci était déstabilisé. » L'armée s'engageait alors avec confiance et le peuple, avec le soutien de l'armée, pouvait oser se soulever contre le régime du président tunisien Ben Ali.

Assange a ensuite souligné : « Il n'y a aucun doute sur le fait que les manifestations en Tunisie ont influencé et encouragé les soulèvements suivants, en Jordanie et en Syrie, en Algérie et en Égypte. »

WikiLeaks n'est peut-être pas l'instigateur du mouvement qui est en marche, mais il en est un soutien évident. Et dans ces pays, les jeunes populations bien formées à l'Internet ont déjà érigé Julian Assange au rang de héros.

La plus précieuse des valeurs que cet homme peut nous apporter est sa foi en la vérité. Il devait faire connaître au grand public sa détermination. De nombreux médias y ont contribué. Julian Assange parle de courage, car c'est bien ce qui est nécessaire pour affronter ces vérités qui nous font peur. Il ose aujourd'hui porter cette notion au niveau des États. Il propose une réappropriation de l'engagement par les citoyens. Il demande à nos hommes politiques de prendre leurs responsabilités. Nous le soutenons aussi pour la vitalité démocratique que l'action de WikiLeaks entraîne ; le but étant de retrouver une confiance dans l'action politique pour le bien de tous.

Assange est parti en croisade contre les forces de la manipulation et ses tentacules de mensonge. Il a mené le combat avec son équipe, WikiLeaks. Ses armes sont les sources d'information et Internet. Aujourd'hui, il s'emploie à compter sur lui-même pour affronter une ultime bataille judiciaire.

Le héros, qu'il soit dieu, personnage mythique ou homme, découvre lors de son voyage sa propre dualité. Julian est un être d'ombre et de lumière qui « doit se soumettre et accepter que lui et son contraire ne sont pas de natures différentes, mais qu'ils ne font qu'une seule chair. »

L'homme est jugeable, peut-être même condamnable, si ses actions commises sur le plan personnel s'avèrent injustes. Cependant, dans l'éventualité où il serait déclaré coupable, nous ne voulons pas pour autant nier ce que son action peut apporter au monde : une idée de la vérité, une conviction que la liberté d'expression délivre l'homme de son asservissement.

Les hommes politiques nous parlent de courage en faisant référence aux sacrifices que nous devons faire pour affronter les crises qui touchent nos sociétés. Julian Assange, lui, nous parle de courage dans nos pensées pour envisager un monde meilleur ; de courage dans nos actions pour conserver nos libertés et dans notre réflexion pour regarder la réalité en face ; de courage dans notre humanité même pour faire face à notre position dans cette société que nous avons créée. Trouver notre part individuelle de vérité face à la vérité nue qu'il nous propose.

Nombreux sont ceux qui répliquent qu'il n'est pas meilleur homme que les autres. La presse de « bas étage » ou les collaborateurs rancuniers peuvent le décrire comme un « titilleur de chat aimant les jolies jeunes femmes ». Nous refusons de croire que ces voix feront plus de bruit que celles de son idéologie. Les flambeaux de la liberté de l'information sont aussi tenus par d'autres. Nous refusons de croire que seuls les rebondissements de « l'affaire suédoise » intéressent le public. C'est pourquoi nous avons fait le choix de terminer notre écriture sur son emprisonnement en décembre.

À chacun, par la suite, de choisir l'écho de l'histoire qu'il souhaite écouter.

ÉPILOGUE

« Nous allons poursuivre notre travail sans relâche à WikiLeaks et nous allons accélérer la publication de câbles diplomatiques. »

C'est en ces termes que Julian Assange a quitté le tribunal de Belmarsh à Londres, le 11 janvier 2011. Des journalistes du monde entier s'étaient entassés dans la salle pour assister à cette audience préliminaire. Une séance de dix minutes, habituelle dans la gestion de tels dossiers. La Cour britannique devait, au cours des semaines suivantes, décider si le fondateur de WikiLeaks allait, dans le cadre des allégations de viol et d'agressions sexuelles portées contre lui, être extradé vers la Suède, ou non.

Une audience de deux jours, relative à cette demande d'extradition, a eu lieu les 7 et 8 février 2011, en vertu du mandat d'arrêt européen. Une dernière séance s'est tenue le 11 février 2011 pour que les deux parties aient le temps de déposer leurs conclusions.

La saga judiciaire continue. Le juge Howard Riddle est chargé d'examiner l'affaire. Assange nie fermement les allégations à son encontre et se bat pour éviter que son procès ait lieu en Suède.

Un appel aux dons a été entrepris par le groupe d'avocats Finers Stephens Innocent LLP. Une page a été créée pour l'occasion sur Facebook. L'argent ainsi récolté permettra de couvrir les frais de justice, les sommes restantes seront versées à des œuvres caritatives en faveur de la liberté d'expression.

L'avocat britannique d'origine australienne Geoffrey Robertson complète l'équipe. C'est Julian qui a choisi de se faire représenter par ce ténor du barreau dès sa sortie de prison, en décembre dernier. Défenseur des Droits de l'homme, Robertson est connu pour avoir défendu des affaires médiatiques comme celle de Salman Rushdie (un écrivain britannique d'origine indienne connu pour sa lutte pour la liberté d'expression).

La stratégie du clan de la défense d'Assange est agressive et audacieuse. Ses membres tentent, par une quinzaine d'arguments, de convaincre le juge de ne pas renvoyer leur client devant une cour suédoise. Ils s'attaquent d'abord au lien hypothétique entre Stockholm et Washington. La Suède aurait l'intention de remettre Julian Assange aux États-Unis ; plan qui serait mis en place pour museler Assange. Julian craint d'ailleurs d'être tué s'il se retrouvait dans une prison américaine.

Selon la défense, son extradition vers la Suède ouvrirait la porte à l'envoi de leur client vers les États-Unis, où il risque l'internement sur la base de Guantanamo ou une condamnation à mort pour trahison. Par ailleurs, toujours selon ses avocats, une enquête pénale est ouverte depuis l'été 2010 et l'Administration Obama cherche, dans le droit américain, les chefs d'accusation qui pourraient être retenus à l'encontre du fondateur de WikiLeaks.

De son côté, l'Australie – patrie de Julian et alliée des États-Unis – reste discrète sur le plan diplomatique, alors que l'opinion publique le soutient largement. En décembre dernier, le premier ministre Julia Gillard déclarait que l'action de WikiLeaks était illégale, sans pouvoir véritablement argumenter. Aujourd'hui, le gouvernement australien a complètement lâché son citoyen ; aucune protestation diplomatique n'est connue à ce jour, ni en Suède ni aux États-Unis.

La mère de Julian déplore que le ministre des Affaires étrangères n'ait pas respecté sa promesse de fournir une assistance diplomatique à son fils, en tant que ressortissant australien. Pourtant, Julian est impatient de rentrer à Melbourne. Il a demandé à son pays de prendre des mesures pour son rapatriement afin de le protéger, lui et son équipe. Victime de manœuvres politiques, Julian est persuadé aujourd'hui que Mme Gillard délivre secrètement des informations à son sujet aux autorités américaines.

La défense poursuit son argumentaire avec l'invalidité des accusations de viol. Assange assure effectivement, depuis le début de l'affaire en août, que les deux femmes étaient consentantes. De plus, en Grande-Bretagne, les faits reprochés à l'homme ne sont pas assimilés à des délits tels que définis en Suède. Le clan de la défense poursuit en insistant sur le fait qu'un procès dans ce pays serait nuisible à leur client. Les affaires entendues pour viol là-bas se déroulent à huis clos. Ce serait un déni de justice pour Assange.

Marianne Ny, la procureure générale, a été fort critiquée durant ces journées de débats. Le mandat d'arrêt européen est invalide selon la défense. La magistrate n'était pas autorisée à le lancer.

D'autre part, Björn Hurtig accuse la police et le parquet suédois d'avoir donné des informations aux médias depuis août dernier. Sven-Erik Alhem, ancien procureur suédois cité à la barre, s'est étonné que le nom de Julian Assange ait été mis sur la place publique alors qu'il n'est même pas inculpé. Une extradition n'est pas nécessaire, la justice suédoise souhaite simplement l'interroger.

Habile technique de Me Robertson pour éviter l'extradition : il reprend les propos du premier ministre suédois, Fredrik Reinfeldt, qui nuisent à son client. L'avocat parle d'une atmosphère toxique en Suède où Julian Assange est aujourd'hui perçu comme l'ennemi public numéro un. Comportement scandaleux qui ruine toutes les chances de leur client de recevoir un procès équitable s'il devait être extradé en Suède. Dans chaque pays, la sphère judiciaire est séparée de la sphère politique, mais apparemment, ce n'est pas le cas en Suède, selon la défense.

Le premier ministre suédois déplore que les avocats de la défense tiennent peu compte des droits des femmes et de leurs points de vue. Agacé, sa réaction est vive quand l'idée de complots avec les États-Unis est abordée. M. Reinfeldt regrette la manière dont la défense de Julian Assange présente la justice de son pays. Le système judiciaire y est indépendant. Il n'est pas d'accord sur les insinuations selon lesquelles les droits de Julian Assange seraient bafoués s'il était extradé. Selon lui, il s'agit d'une technique d'avocat pour donner une description condescendante du système judiciaire d'un autre pays pour défendre son client.

Julian apparaît détendu pendant ces trois jours d'audience. Il pense que les débats ont mis en lumière le caractère injuste du système du mandat d'arrêt européen et les méthodes de police et de justice suédoises. Il se plaint de n'avoir jamais pu exposer sa version des faits et que les échanges se soient bornés à des débats de procédures. Il annonce d'ores et déjà un plan de diffusion de documents secrets, un nouveau déluge, si son site devait être définitivement fermé.

La séance est ajournée pour reprendre le 24 février 2011, date à laquelle le juge Riddle doit donner son jugement sur l'extradition de Julian Assange ou non vers la Suède. Ce jeudi-là, le feu vert est donné : le juge ordonne l'extradition de l'Australien vers la Suède. À l'issue d'une courte audience, Howard Riddle a estimé que les allégations d'agressions sexuelles et de viol étaient suffisamment graves pour justifier l'extradition. Selon lui, la procédure suivie par les autorités suédoises était habituelle, aucune erreur n'a été commise dans l'émission du mandat d'arrêt international. Howard Riddle confirme que Julian Assange bénéficiera d'un procès équitable en Suède, en mettant en avant le respect mutuel et la confiance du tribunal britannique envers les autres tribunaux européens. L'avis ainsi rendu ordonne l'extradition d'Assange vers la Suède dans les dix prochains jours.

Après trois mois de procédure depuis sa sortie de prison, Julian, vêtu d'un costume sombre et d'une cravate, n'a pas cillé à la lecture du verdict. L'équipe de la défense, menée par Me Robertson, va interjeter appel devant la Haute cour de Londres.

Leur client a une fois de plus nié formellement toutes les accusations. Le juge a pourtant bel et bien estimé que Julian Assange avait délibérément eu une relation sexuelle avec l'une des deux Suédoises, profitant de manière malhonnête du fait qu'elle était plongée dans le sommeil. Dans ce pays, cela équivaut à un viol.

De nombreux recours seront encore possibles de part et d'autre. Le clan d'Assange a sept jours, à partir de ce 24 février 2011, pour lancer son appel. L'ennemi public numéro un pourra ensuite en interjeter d'autres devant la Cour d'appel, devant la Cour suprême, et finalement, devant la Cour européenne des Droits de l'homme.

Plusieurs mois de procédure s'annoncent, la bataille juridique sera longue.

Remerciements

Des deux auteures

Nous tenons à remercier les personnes qui nous ont aidées à réaliser cet incroyable projet d'écriture.

Tout d'abord, nos metteurs en lien, Elizabeth Nataf et Bob Oré. Merci à vous deux, créateurs d'opportunités.

Merci à notre éditeur Pierre Turgeon de nous avoir accordé toute sa confiance.

Toute notre reconnaissance à Franck Bachelin, sans qui nous n'aurions pu écrire ce livre. Collaborateur tout au long de l'écriture, il a su, grâce à ses recherches minutieuses, nous fournir des documents inédits pour notre travail. Son aide fut essentielle.

Un grand merci à toute l'équipe de Cogito Média pour leur travail incroyable.

Nous tenons à remercier vivement toutes les personnes rencontrées :
Xavier Damman, Frédéric Jacobs, Jonas Morian, Ian Katz, Ian Traynor, Nick Davies, Christian Engström et Henrik

Alexandersson. Ainsi que nos sources anonymes qui préfèrent rester dans l'ombre.

Que nos « ouvreurs de portes » en Islande et en Suède soient aussi remerciés ici : Cécilia, Jonas et Stina, à Stockholm et Leifur et Carl, en Islande.

Merci à Martina Norell pour ces précieux liens.

Un tendre merci à Arnaud Ozharun qui nous a rendues belles en prenant soin de nous chez Natural Mind et à Letizia Ferrara.

Merci à tous les bloggers qui livrent leurs analyses, et à tous les internautes qui s'expriment sur la toile.

De Valérie

Merci à Sophie de m'avoir introduite dans cette perspective si passionnante et d'avoir été la gardienne du juste déroulement de ce projet.

Merci à mes enfants Chloé, Pol et Lilou de m'avoir soutenue durant l'écriture intense du livre.

Merci à mon mari qui m'a assistée durant ma plongée dans l'univers de Julian Assange. Ma reconnaissance est profonde pour ses conseils judicieux, sa patiente relecture et son écoute extraordinaire.

Je souhaite souligner mon grand intérêt pour Joseph Campbell et son livre *Le héros aux mille et un visages*. Son inspiration est grande pour voir les héros de notre temps.

De Sophie

Merci à mes deux fans numéro un, mes sœurs Valérie et Muriel, pour leur soutien inconditionnel de tous les instants.

Des tendres câlins à Léa et Matéo qui me gâtent de leurs émerveillements à travers leurs dessins et à Justine qui me réchauffe de ses JTM.

Une pensée salée pour ma mamy et un clin d'œil à toute la tribu « Rader ».

Je pense fort à mes parents : à mon adorable papa et à mon exceptionnelle maman.

À toi, qui as dévoré tant de livres dans ta vie. Cet ouvrage t'est dédié, avec tout mon amour.

Je remercie vivement mes amis de Bruxelles : Aude, Marc, Maria, Philip, Nathalie, Yves, Co, Lio et Emmanuelle.

Merci aux présences inattendues, en particulier Charlotte, Richard et Matthaios. Une dédicace spéciale à mon maître M.M. qui m'a si justement guidée avec tant de bienveillance.

Pour finir, un hommage singulier et empli de tendresse à mon amie et partenaire, Valérie, sans qui je n'aurais pu écrire ce livre.

Achevé d'imprimer en mars 2011
sur les presses de Thomson Shore Inc
7300 West Joy Road
Dexter, MI 48130
Imprimé aux États-Unis
Dépôt légal : Premier trimestre 2011
ISBN : 978-2-923865-53-9